クリティカル日本学

協働学習を通して「日本」のステレオタイプを学びほぐす

ガイタニディス・ヤニス
小林聡子
吉野 文
［編著］

明石書店

はじめに

本書は、「日本」の特徴を解説する本でもなく、また、日本を一般化するメディアの言説を分析する本でもない。物事を多角的に、かつクリティカルに考えることが求められながら、いまだに日本を硬直化するイメージが多くみられる現状に疑問を投げかけるとともに、その問い方、日本をクリティカルにみる方法を集めたものである。

歴史学、社会学、人類学、言語教育など、専門の異なる執筆者が、「日本」のイメージとされるものを取り上げて解きほぐし、「日本」を考える方法を紹介するものとして企画した。大学生あるいは高校生向けの教科書になるよう編まれたものではあるが、「日本学」「日本研究」に関心を持つ方々に論集として読んでいただくこともできると考えている。

本書の構成は、クリティカル日本学とは何かを考えるための序章、第１章から終章までの各論、各論の議論をさらに問い直すための学び方を提案する協働学習への招待からなる。序章では本書でいうクリティカル日本学が日本学・日本研究というフィールドの中にどのように位置づけられるのか、本書におけるクリティカル日本学とはどのようなものかを具体的に説明する。そして、各論で取り上げる日本をめぐる11のイメージ、固定概念を紹介し、それらを解きほぐすための視点や理論について解説している。続く第１章からの各論の構成は以下のとおりである。

第１章　日本人は世界がうらやむ特質を持っているのか
第２章　日本は自殺大国か
第３章　日本の歴史には正しい見方があるのか
第４章　日本人と人種差別は関係ないのか
第５章　日本に「本当の難民」はいないのか
第６章　日本の女性は専業主婦、男性はサラリーマンになりたいのか
第７章　日本人は性的逸脱を好むのか

第8章　日本語は難しいのか
第9章　日本人は外国人と話すのが苦手か
第10章 日本の教育は平等か
終章　　日本人は無宗教か、多神教的で寛容か

各論では、当たり前のように捉えられている「日本」イメージ、現代社会に立ち現れた比較的新しい「日本」イメージ、コミュニケーションや教育をめぐる「日本」イメージなど、できるだけ多様な視点から「日本」を捉え直すことを試みた。終章では、「宗教」という概念に関する理解を疑うことを通して、もう一度「クリティカル日本学」へのアプローチを示している。

最後に設けた協働学習への招待というセクションでは、各章の著者の提案する協働学習の方法を紹介している。自らのイメージや考えを内省し問い直す活動、様々な事例を集め、分析し、可視化する活動、改善案やアクションプランを考える活動などを通して各論の議論を批判的にさらに問い直す仕掛けとして活用いただければありがたい。

さて、次に本書がなぜ協働学習を取り上げるのかを説明しておきたい。

周知のように教育に関する認識は、1970年代以降少しずつ変わってきた。「批判的思考を要求する対話だけが、同時に批判的思考を生み出すことができる。対話がなければ交流はなく、交流がなければ真の教育もありえない。教師と生徒の矛盾を解決しうる教育は両者の認識行為が、かれらの媒介対象に向けられる状況において行われる」（フレイレ, 1979[1970], 104）と言われるように、教育は一方的に行うものではなく、学生と教員の対話の中で起こるものである、とされるようになった。つまり、教育には「対話」が不可欠であり、学生・生徒との共同が必要とされ、日本を含め、世界中の教育者が授業の中で「グループ・ワーク」を重視するようになった。

一方、移民の市民権が問題となった北米やオセアニアの国々で注目されるようになったのは「多文化教育」である（バンクス, 1999[1994], キムリッカ, 1998[1995]）。移民の市民権から始まった多文化教育・異文化教育ではあるが、そこには課題もあると言わざるをえない。すなわち、強者としてみられがちである主流文化に適応しない者を主流文化の基準で理解し、管理しようとする手段としての側面も見えるのである。また、多文化教育・異文化教育

という概念には「文化が多様である」という前提があるはずだが、その文化理解は「個々の文化」のレベルまで行かず、「国籍」のレベルにとどまることがほとんどである（Dietz & Cortes, 2011, 497）。アメリカにおけるマイノリティのための多文化教育の議論の影響を受けて、多文化教育を重視することになった（溝上・堀, 1998）日本においても、「日本人学生と留学生」という大学における区別はいまだに当然のように用いられ、留学経験者による報告会や留学生による「○○国の紹介」のようなイベントでは「日本文化」と並び「タイ文化」、「ドイツ文化」、「アメリカ文化」などという言葉でしか、文化の多様性が表現されていない。従って、現状の多文化教育は文化に関する固定観念・ステレオタイプをなくすというよりも、「文化」に関する本質的観点を強化している可能性があるといえる。

この状況は、ある意味で、序章で説明する日本研究が直面してきた問題と同じである。欧米から始まった地域研究としての日本研究の見方が近年までは「主流」の日本の見方となっており、国際日本学の多様なとらえ方が重視されても、その中では「国家の併存としての世界」しか想定されていないというところもある。

現在の日本の大学が進めている「多様な文化」から来た学生が参加する授業では、教員がその個々の学生の成績をつけなければならない。「異文化能力」、「異文化間コミュニケーション能力」「日本文化に関する知識」など、「文化」はグローバル人材を育成する教員が使う評価基準の一つのキーワードとなっている。つまり、私たちは、対話や協働作業の中で学生の間に多元的関係性が構築されることを、「文化」に関しての意識の変容・気づきのプロセスとして、そしてその「文化理解」を表すとされる「グループ発表」や「レポート」という生産物を通して、評価しなければならない。そこで私たち教員が何を「文化」と呼び、何を基準にしてその「文化」に関しての理解を評価できるかは難しい（Gaitanidis, 2017）。「文化」を本質的に捉えてしまう恐れは常に存在するわけである。

「共同」、「協同」と「協働」学習の違いも重要である。「共同」は単純に同じ場・立場で共に学ぶことの意味だとすると、「協同」はグループ構成員が互恵的な相互依存関係を形成することが必然となるような目標を共有しているということを示している（杉江他, 2004, 58）。これに対し、本書でも使っている「協働」は必ずしも同じ場、あるいは同じ立場に立っていない学生がお互いに学び合うこととして指摘したい。

近年は、学生が主体的に学ぶ「アクティブ・ラーニング」も流行りの概念となってきている。しかし、アクティブでないラーニングなどあるのだろうか。ここで重要になってくるのは、学生が自ら学ぼうとするように仕掛けることが重視されるようになってきたということだろう。2014年以降は「これをやればアクティブ・ラーニング」といった多数のハウツー本が出版されているが、流行りの概念は早々に形骸化しがちであることも否めない。また、「そもそもどうやればいいのか」という時点で立ち止まってしまい、単に教員が口を出さずに学生に何かをやらせるといった形式のみを取り入れるケースも多いのではないだろうか。こうしたなか本書は、「学びの質」の担保につながる協働学習を目指し、協働学習への招待がそのための一助となればと考える。

なお、本書を日本社会・日本文化を扱う大学の教養教育として取り上げる場合は、クリティカルに幅広く「日本」の全体を考察できるよう、各章をそのまま使っていただければと思う。学生に事前に該当する章を読んでもらい、授業の担当者が授業でその内容に関連する写真・資料を見せながら、自らの専門やより身近な知識や経験から他の事例を、特に第2節の際に、紹介していただけるとありがたい。高校で本書を使う場合には、ステレオタイプの複雑性を発見、意識させることが大事であろう。各章の事例や理論を、書かれている通りに全て紹介しなくとも、紹介されている事例の一側面か二側面だけに絞り、該当の章の第1節で提示された課題とその章の著者が最後のセクションで勧めている協働学習の手法だけを使うことでも十分だろう。専門教育（教育学、社会学など）の場合には、協働学習を使いながら、特に各章で紹介されている学術理論の有効性を学生らに再考してもらった上で、他の理論との比較を行うというのもよいだろう。また、例えば、日本の独自性と関連されがちである「女性専用車両」のことは第6章にも、第7章にも登場しているのだが、その扱い方が異なっている。それぞれの章の議論に沿って、あるいは、他の観点も紹介しながら、「女性専用車両」のことを考えることもできると思う。

本書は日本学のクリティークではなく、現代に合った日本学の再生をターゲットにしている。アメリカの思想家、エルバート・ハバードの名言の通り、「批判を避けるには一つの方法しかない。何もするな。何も言うな。何人にもなるな」。本書への批判を含め、これからもぜひ読者とともに「批判」を探り続けたいと願っている。

ガイタニディス・ヤニス

参考文献

バンクス , J.A. 著、平沢安政訳（1999［1994］）『入門多文化教育――新しい時代の学校づくり』明石書店.

Dietz, G., Cortes, L.S.M. (2011) "Multiculturalism and Intercultural Education Facing the Anthropology of Education." In Levinson, B.A.U., Pollock, M. (eds.) *A Companion to the Anthropology of Education*. West Sussex: Wiley-Blackwell, 495-516.

フレイレ , P. 著、小沢有作・楠原彰・柿沼秀雄・伊藤周訳（1979［1970］）『被抑圧者の教育学』亜紀書房.

Gaitanidis, Ioannis（2017）「概念図の協働作成を通して「文化」のとらえ方を問い直す――クリティカル日本学を事例として」『異文化間教育』46, 16-29.

キムリッカ , W. 著、角田猛之・石山文彦・山崎康仕監訳（1998［1995］）『多文化時代の市民権――マイノリティの権利と自由主義』晃洋書房.

溝上智恵子・堀智子（1998）『多文化教育――多文化の共生は可能か』あずさ書店.

杉江修治、関田一彦、安永悟、三宅ほなみ編著（2004）『大学授業を活性化する方法』玉川大学出版部.

クリティカル日本学

◇◇◇協働学習を通して「日本」のステレオタイプを学びほぐす◇◇◇

目　次

序　章

クリティカル日本学への招待

――研究対象としての「日本」を問い直す――

ガイタニディス・ヤニス

第1節　他者への欲望と軽蔑から生まれるステレオタイプ

この原稿を完成させようとしている2019年9月に、イギリスの公共放送局のBBC1が放送した日本を紹介する番組がイギリスの日本研究者の間でちょっとした話題となった[1]。それは、この番組が“不思議な日本”、“おかしな日本”というイメージを意図的に強調するような内容だったからである。ホテルの受付を担当したり、ペットや人間の代わりに使われたりするロボットの国＝日本、インスタグラムのために一人用の結婚式をあげている女性が住んでいるセックスレスの国＝日本、中年の男性が狭く、汚いステージの上に立っている未成年のアイドルグループの前でダンスしているスケベの国＝日本……。「日本は変だが、面白い」という雰囲気に満ちた番組である。21世紀に入ってもう20年が経とうとする今、このような日本のイメージを見ても、驚かない人はたくさんいるだろう。しかし、驚かない理由は必ずしも皆同じではない。主にメディアを通して発信されている「変な」日本というイメージに慣れていて驚かない人もいれば、日本は本当に変で、独特な国だと主張する人もいるだろう。この二つの考え方を持つ人のそれぞれの割合がどのぐらいなのかは調べにくいし、常に変わっているだろうから、数字の問題ではない。むしろ、問題なのは、日本国内外の出版界、テレビ、映画などの影響を受けて日本を固定化した「一つのもの」として語りたがる傾向がいまだに変わらないことである。

もちろん、上記のBBCの番組を見たほとんどの人は、日本のどこのホテルの受付にもロボットがいるとか日本人の中年の男性はみなアイドルグループのファンだろうなどとは思わないだろう。テレビはあくまでもエンターテインメントであり、そしてこのような番組の“おかげで”日本を訪れる観光客が増えれば悪いことではない。しかし、もう少し話を広げると、われわれはメディアを消費しているときに、「これは大げさだな」とか「これは一般化しすぎている」とか、上記のようなテレビ番組が現実を滑稽化・風刺化したようなパロディーだと知りながら、楽しんでいるに違いない。このようなことは、ポストモダン文化の評論家が否定的に（ジェイムスン, 2006 [1998]）、あるいは肯定的に（ハッチオン 1991 [1989]）論じている現象であり、近代が終わった「後」のポストモダンの時代の特徴だといわれている。理論を持ち出すまでもなく、一般化は面白いし、「わかりやすい」と感じる人は多いだろう。偏った観点からの一般化であっても、世の中の動向の代表的見方として意識される前段階では、メディアは、異なった経験・視点を紹介してくれる、あるいは自分の視点がやはり「正しかった」という確認を与えてくれる、単純で便利なツールなのである。

「では、日本の一般化はどこが悪いのか？」と、ここまで読んでくれた読者は思われるかもしれない。まず、先に述べておくと、このような番組などをなくしたほうがいいという議論をしようとは思っていない。むしろ、本書を通して問いたいのは、上記の事例を使ったメディア批判、あるいは単純な日本のステレオタイプ批判にとどまるのではなく、何か言えることがあるなら、それはなにかということだ。

ここで、もう一つの事例をあげよう。2013年にテレビ東京系列で始まった『YOUは何しに日本へ？』という、今でも比較的視聴率が高いバラエティ番組がある。成田空港でカメラを持った番組スタッフが到着ロビーにいる外国人に話しかけ、なぜ日本に来たのかを尋ねる。彼らの狙いは、面白いキャラクターの観光客や意外な目的で来日した外国人を紹介することである。2014年6月23日に放送されたこの番組の特別企画は、担当ディレクターが国際線のある全国の地方空港まで足を運び、密着取材ができるまで帰れないという内容だった。仙台空港を訪れた担当ディレクターが、到着出口の前で一日中待っていても「外国人」が現れないと文句をいう。このままでは帰れなくなると心配しはじめ、空港スタッフに尋ねたところ、仙台に到着する便のほとんどはアジアからだとわかる。「外国人は欧米の人だけではないのですね。今までアジア人だったから気づかなかったのですね」というディレクターのコメントが流れ、その後はアプローチを変えて、服装や外見から「日本人」っぽくない人に声をかけ、韓国人の観光客を見つける。こうして目的を達成し、また別の空港で「外国人」を探し続けるといった内容だった。つまり、「外国人は背が高くて、金髪で、声が大きくて……」というイメージを前提とした企画だったと言える。

このようなメディアや世の中でみられる思い込みを批判するには、「ステレオタイプ」ないし「固定観念」といった概念を使いながら、「外国人が全員そうではないだろう。むしろ、日本にくる観光客のほとんどはアジア人である」[2] と指摘することが必要だろう。このように統計データを示しながら、ステレオタイプを否定するのはある意味で簡単であるが、そのようなことを言っても、そういった一般化・ステレオタイプ化を好むメディアの物語を消費する人が減ることはあまりないというのも事実である。実際に「日本人は皆そうである」という議論に対して、「いや、皆がそうではない」という反論は適切かどうか疑問を持つ必要がある。その理由は、日本や日本人の一般化への反論も「日本の性質あるいは日本人性の探求」という土俵にのっているため、探求の同志ということになるからである（門倉, 2009, 201）。つまり、上記の事例では、『YOU は何しに日本へ？』という番組でみられる外国人のステレオタイプ化を批判するために、アジア人は「背が高くて、金髪で、声が大きく」ないということを暗示してしまうことになる。それは、日本人が持つ外国人のステレオタイプを否定するために、アジア人のステレオタイプを作ってしまうということである。日本を訪れる観光客の出身地のデータを示したからと言って、一般化を避けたことになるわけではないのである。

ステレオタイプという言葉は、だれでもどこかで聞いたことがある言葉だろうが、実は不思議な概念である。まず、先述の BBC1 の事例でも示した通り、ステレオタイプは事実に基づいているものではない。だからこそ何度も繰り返されなくてはならないのである。その意味で生産的な概念だといわれている。つまり、ステレオタイプを維持するためにいろいろな媒体や物語としてそのステレオタイプを発信し続けないといけないのである。一方、なぜステレオタイプを維持しないといけないのかは、ステレオタイプの不思議なもう一つの性質——いわゆる両面性——にその理由がある（バーバ，2005［1994］，116~124）。文学者のバーバによると、「他者」を作るために自分と他者の間の差異の指摘が必要であり、その差異の裏にはわれわれの欲望と同時に軽蔑が隠れている。地理的な意味だけではなく、自分から遠く感じる人を理解したいという欲望があるため、われわれはその人が属するグループ、コミュニティ、文化、国などを一般化し、カテゴリーを作ってしまう。と同時に、その他者との差異を想像するわれわれは無感情・客観的な者ではなく、必ず自分よりも良い、あるいは悪い表象を他者の中に探したがるという面もある。

このように、ステレオタイプが現れる・使われる背景には力関係が存在し、憧れにつながる美化した他者の表象もあれば、支配欲につながる軽蔑化した他者の表象もありえる。現在存在するあらゆる国に対しての多くのステレオタイプは、歴史をさかのぼると、植民地時代（15世紀～20世後半）の特徴だった「強い国が弱い国を支配する」段階で生まれたと言っても過言ではない。戦争や経済的・政治的な競争が原因となっているステレオタイプが多いのである。このような状況を批判して、「現実と違う」といっても、われわれの感情的な側面、われわれが感じている他者への欲望と軽蔑は、先ほど議論した通り、完全になくなることはない。したがって、理性にアピールすることだけでは不十分なら、別のアプローチが必要となる。

物事をクリティカルに捉えるというのは、まず、それぞれの裏に潜む上記のような感情とつながる、歴史的経過、政治的・経済的力関係、社会的格差、制度的課題などの存在に気付くことが必要となる。これは、本書でいう文脈（コンテクスト）のことである。そして、その文脈をクリティカルな立場からみることも必要である。ここでいうクリティカルの意味は自分と違った観点を持った議論や現象を批判的に扱うという意味ではない。むしろ、現状体制に関する自分の意見がどうであれ、それを疑うということである。つまり、自分の立場を含め、その物事の信ぴょう性・妥当性・質を評価するという意味でクリティカルを使っている。そして、その評価は論理だけにアピールする評価ではなく、学術的理論をつかった評価であるべきだと考える。次節でも説明する通り、本書で使うクリティカル日本学というアプローチにおいては日本学が「日本」の理解のためのものではなく、最終的にあらゆる学問の発展につながるはずのものである。再帰的（reflexive)、批評的（critical)、学術的（scholarly）――この本のアプローチの三つのキーワードであり，または日本のイメージ・表象を評価する三つのステップでもある。

第2節　日本学から国際日本学へ

実は、日本を扱う研究も、長い間日本のステレオタイプの構築、維持、そして普及に貢献してきたことは間違いない。「日本」のイメージの信ぴょう性・妥当性・質を評価するには、やはり20世紀後半から著しく発展してきた地域研究としての「日本学・日本研究」のことから始めなければいけない。しかし、日本学を再帰的に語るなら、やはり、まず、その日本学を学士から博士まで修めてきた私自身の振り返りが必要となる。

私が学部時代に学んだのはイギリスのシェフィールド大学の日本学学士課程だった。1963年に創立されたこの日本学のコースはイギリスにおいてだけではなく、世界的にも有名なコースである。当時から今に至るまで、この日本学科への入学を希望する若者に対してのアピールポイントを要約するならば、「日本とビジネスをするにはこの複雑、ユニーク、先進技術と伝統文化が混ざった国を理解する必要がある」[3]ということになる。一見すると、旅行代理店の日本行きのツアーの宣伝のような印象を与えるイメージかもしれないが、「日本」を理解するための「日本学」という目的ははっきりしている。一方、私が今現在所属している千葉大学には「国際日本学」という副専攻があり、次のように定義されている。「国際日本学」は、グローバル社会で活躍するための素養を身に付けるために必要な科目を、バランスよく設定した、全学共通教育プログラムです」[4]。こちらはキーワードとなっているのは「グローバル社会で活躍するための素養」だが、特に「日本」を勉強することは前提とされず、この副専攻の科目一覧をみると、「スポーツ科学」というような科目まで含まれている。

こうしてみると、「日本学」の目的は対象によって相対的に決まるようにみえる。つまり、シェフィールド大学は「日本」に魅力を感じる学生を想定している。一方、千葉大学の「国際日本学」はおそらく日本に住んでいる学生を狙っている。日本を理解したい外国人のための日本学、そして日本を発信したい日本人のための日本学もあるようである。そして、さらに単純にいうと、「日本」を扱えば、とりあえず、「日本学」という理解でいいかもしれない。国語や歴史といった日本の高校で学ぶ科目さえ、ある意味で、「日本学」としても捉えてもおかしくない。

しかし、従来の「日本学」はより特定のフィールドだった。このフィールドの歴史を語るほとんどの研究者は、時代背景によって日本学の目的が変わってきたというが、実はそれぞれの時代に見られた日本の見方は現在でも生きている。以下に昔と今の事例を併記しながら、その議論を説明したい。

まず、海外で行われる日本文化研究のスタートの大きなきっかけとなったのは、欧米における19世紀の日本への好奇心または文学と美術に見られるジャポニズム（Japonisme）などであった（図1-①）。しかし、エキゾチック（異国情緒ある）な日本を風刺するようなメディアコンテンツは、2014年のAirFranceの広告（図1-②）のように、今でも国内・海外に頻繁にみられる[5]。

20世紀前半になると、欧米の敵となった日本は当時の人類学者の間で流行っていた国民性についての研究対象とされた。その理由は日本を理解しなければ、日本を倒すことも戦後にコントロールすることも不可能だというような思い込みにあった。ルース・ベネディクトが執筆した、戦後日本でもベストセラーとなった『菊と刀』（図2-①）には、日本の「古い危険な侵略的性質の型を打破し、新しい目標を立てる」（ベネディクト, 2005 [1946], 348）ことを目指すべきだと書いている。この優越感にあふれたような考え方は現在はあまり見られないが、「日本」を単一的なアクターとしてとらえたうえで、その日本の過ちを指摘する日本国内外の研究本は今でも残念ながら見かけることがある。例えば、2014年にイェール大学出版局から出た右の本（図2-②）の著者らは「日本が自分の伝統的なやり方を変えなければ、将来は危険だ」（Hirata&Warschauer, 2014, 5）と説いているが、ここでの「日本」はだれだろうか。想定されているアクターは一人で動けば、国全体が変わるのだろうか。

①

②

図1　エキゾチックな日本
①クロード・モネ作『ラ・ジャポネーズ』(1876 年)［wikimedia より］
② AirFrance の広告 ［Jeff Yang の twitter より、https://twitter.com/originalspin/status/451893419187920896］

①

②

③

④

日本人の脳
脳の働きと東西の文化
角田忠信 著

⑤

⑥

図2　様々な日本論
①『菊と刀』の表紙
②『日本：協調性のパラドックス』(Hirata & Warschauer) の表紙
③『ジャパン・アズ・ナンバーワン』の表紙
④日本とビジネスするためのハウツー本(2008 年)。表紙には「協調」という言葉が目立つ
⑤『日本人の脳―― 脳の働きと東西の文化』(角田忠信 , 1978, 大修館書店)
⑥ 2013 年に出版された『新・日本人論』。右下に「今一番新しい日本人の研究」が目立つ。紹介されている議論はすべてポピュラーカルチャーと関連している

一方、日本は戦争から早く立ち直り、あっという間に高度経済成長期に入った。その際に、多くの研究者が日本の成長を「奇跡」と呼び、「日本にはやはり理解できないことがあるから、それを発見すれば、私たちも成功する」と考えた。その影響で日本の特殊な近代化プロセスを解説しようとしている『ジャパン・アズ・ナンバーワン』のような本（図2-③）がたくさん出版され、例えば、今でも、日本の特殊なビジネス文化を理解しなければ、成功しないといった「日本のビジネスメンタリティ」本（図2-④）の存在につながる。

日本は特別な国であるという主張はもちろん海外だけではなく、日本にも昔から存在し、近代化とともにあらゆる学問領域の理論を使って、語られてきた。1970年代・80年代に特に西洋から発信され続けてきたオリエンタリズム（＝西欧による東洋の差別的な偏見）を内面化した（酒井, 2018, 31）かのように「日本人論」を語る出版物が多く現れ、その中で、例えば、日本人の脳の構造が違う[6]と議論した本（図2-⑤）も多数存在した。そのような傾向は現在もなくなったとは言えない。従来の日本人論に見られた日本人の起源や共通点を確立したいという動き（例：江上, 1980）がさらに展開し、今は、国際社会の目に敏感となった日本人論者が近現代の出来事の中から日本のネガティブ（と思われている）イメージを批判し（例：萱野編, 2014）、ポピュラーカルチャーの有名な作品などを通して、日本の良さ（例：釈他, 2013）（図2-⑥）と日本研究の新たな可能性（例：東編, 2010）を訴えている。日本研究の中に日本のポピュラーカルチャー研究が目立ってきたことは確かである。日本国内の「国際日本学」のコースを提供している大学にはアニメ、漫画、小説などポピュラー文化を扱う科目が比較的に多い。

日本人論や日本研究者のこのような展開は、地域研究の一つである日本学・日本研究が「西洋」の対極にある「日本」という地域の研究から、国際世界（国際、すなわち文字通り国民国家の併存としての世界）（酒井, 2018, 31）の中の日本の研究へ変わってきたということである。簡単に言うと、日本論が「よく知らない他者としての日本」から「意外と世界にすでに浸透していた日本」への展開が見られるということである。これは日本のステレオタイプをなくすための第1ステップとしてとても重要だが、課題はまだ残っている。

1987年に創立された国際日本文化研究センター（日文研）はまさに日本研究の国際性を支援するために創立されたセンターである。「日本の文化・歴史を国際的な連携・協力のもとで研究するとともに、世界の日本研究者を支援する」という目的をもって今でも活動している[7]。つまり、1980年代、90年代には世界各地で行われていた日本研究の連携や共同実施が必要だという認識がすでに高まっていた。そして、2000年代に日本の大学であらゆる国際日本学のアプローチがみられるようになった。それらのすべてのアプローチの共通点はおそらく多角的に日本を扱うということだ。例えば、法政大学では「日本文化という同一対象についての「内から」と「外から」の視点、理解内容を突き合わせ、両者の差異を際立たせつつ、一方で、そこで切り拓かれた新しい視点のもとに日本文化を再発見し、再発掘することを目指している」（星野, 2008, iv）という。横浜国立大学では「日本という場所／国の文化、社会、歴史等について学ぶに際して、何か自明の日本像、日本観を受け身に消化していくのではなく、相互批評的な議論の中で日本を再定義し、またその定義を攪乱していくことを狙っている」（横浜国立大学留学生センター編, 2009, 8）と主張している。そして、東京外国語大学では「基礎教養（日本の伝統・習慣）を踏まえたうえで、「ステレオタイプ」に語られる日本観とは異なる日本の姿を描くことを目指している」（野本他編, 2016, 3）。

実は、この間、私の母校でも日本学の考え方が変わってきた。以前、シェフィールド大学の東アジア学科長も務めたGlenn D. Hook教授は「地域研究」から、特定の地域に関する知識をその地域と地域研究以外の学問における理論を強化する「ネットワーク研究」へのシフトが必要だと訴えてきた（Hook, 2017, 133）。地域研究は物理的・地理的空間を越えた局所性に目を向けるべく、人や思想の移動による小さなネットワークの構築にフォーカスする必要があると主張するドイツの地域研究者（Derichs, 2017）や、長い間、欧米を拠点としていた地域研究は今まで周縁におかれていた（日本を含めた）アジア、オーストラリアなどの観点を取り入れるべきと議論しているオーストラリアの日本研究者（Okano&Sugimoto, 2018）もいる。そして、日本国内でもさらなる進展が見られ、「「国際日本研究」や「国際日本学」を掲げた大学の研究所や大学院課程のニーズをくみ上げつつ、連携を進めようとする」「国際日本研究」コンソーシアムが2017年9月に発足し[8]、「主権者たる国民や市民だけではなく、主権を持たない存在もまた主体化過程に従事するものとして様々な声が聴き取られていく」（磯前 , 2018, 151）国際日本学の将来像が描かれている。

第3節　国際日本学からクリティカル日本学へ

トランスナショナル日本学、内と外を超えた日本学、国際的・グローバルな日本学、相互的に構築された表象としての日本を扱う日本学などのような、今現在の「国際日本学」のアプローチの特徴は社会を複合的に意識した動きである。つまり、あらゆる現象・ものが同質の要素でできているのではなく、多数・多種の要素でできているという理解である。このような複合的な意識を身に付けるために重要となってくるのは文脈である。文脈が理解できなければ、何が内なのか何が外なのか、そして内と外といったシンプルな分け方を超えるということがどういうことか理解できない。言い換えると、複合的な日本学は話し手と聞き手が同類の土俵に立ち、研究対象の構造を意識した上、同類のものを比較しているという前提に基づいていると言える。しかし、完全な存在として意識された「日本」のことも疑わなければ、その「日本」の複合性は語れないと考える。つまり、今こそポスト複合的社会のための日本学が求められているのである。それは、現代社会は、複合的に構成されているだけではなく、物事はアメーバのように決まった形でもなく、同類の要素からできてもおらず、完全なものでさえないからである。常に流動的に・相互的に構築され、しかもそれは変化している過程の中に存在している。また、私たちが意識しないといけないのは、今見えているものは、一時的に完成度が高いと見えるものだけであるということである（ストラザーン , 2015［1991］）。

例をあげよう。「これは日本のペンである。（This is a Japanese pen.）」という文は何を指しているのだろうか。①「日本製」のペンのことであると答える人は多いかと思われる。しかし、他の意味もありえる。②「日本で売っているペン」という意味も、③「日本で使われているペン」の意味も、④「多様な形のペンが存在している中、これは日本型と呼ばれる形をしているペン」という意味でさえありえる。やはり、文脈がわからなければ、この文の意味がはっきりわからない。これは当然のことだが、もう少し考えると、今挙げたそれぞれの解釈における「日本」は実は違ったことを指している。①の意味では、「日本に住所を置いている会社」のことであるので、そのペンの本体が製造されたのは「日本」ではなく、その会社がもつ他の国にある工場かもしれない。一方、②での「日本」は、「日本という国のどこか」のことを示している。日本で作られたペンではなく、単純に日本の領土内にあった店（札幌市の店かもしれないし、那覇市の店かもしれない）で買ったペンの話である。③の場合は、文脈がさらに重要となってくる。日本で使われているペンという情報の出典・発信者のことがわからなければ、何の「日本」のことを言っているかはっきり提示できない。「日本人」（だと思われた人）が使っていたペンだから、そう言った一般化が生じたのか、この文の発信者の場所ではあまり見られないペンだから、「日本のペン」だという追加の情報が必要となったからなのか、「日本のペン市場で人気のペンだ」ということなのか、よくわからない。そして、最後に、④の解釈もある。ここは「日本」というカテゴリーがより抽象的のようであり、世の中のペンの多様な形を分類化した一流の専門家が何らかの基準で「日本型」というカテゴリーを作ったとのことを想像できる。つまり、ここの「日本」は日本国家ということではなく、「日本」のブランドのことでもなく、「日本人」のことでもなく、「日本」は特定の商品のデザインを示すスタイルの一種にすぎないかもしれない。こんなシンプルにみえる文の裏に複雑な世界が広がっており、それぞれの可能性の中に存在する「日本」はまったく違ったことを提示できるのである。

本書では、上記の事例と同じように、「日本」というものは本当に不完全で、条件付きの「もの」で、偶発的（contingent）なものである[9]と議論したい。そして、それが学術的にどのような意味をもつか探ってみたい。「日本」を、ステレオタイプが前提とする解釈学的「主語」としてではなく、「述語」として扱った場合は、日本研究はどんなものになるかをこの本で示したい。つまり、ここで提案したい「クリティカル日本学」は「日本」に関するイメージ、表象、ステレオタイプの裏に潜む複雑で曖昧なリアリティを学術的に問いながら、その「日本」を問うているわれわれの立場を振り返りながら、われわれが「日本」を語り続ける意義をつかむ研究アプローチのことである。

第4節　本書を通して何がみえるか

本書におけるクリティカル日本学のアプローチは、まず、11の章で各章の著者が選んだ日本のイメージかつ固定観念が現れる文脈の学術的解説からはじまる。各章の構成に沿って説明すると、次のようになる。まず、第1節では、著者が設定した日本に関わるトピックに関するステレオタイプを、具体例を通して紹介する。ここでは日本国内の事情だけではなく、海外の状況との照応あるいは対立に焦点が当てられる。次に、第2節では、前節で記述された課題を理解するために、著者が詳しい学術的理論とそれに関連する概念を説明した上で、より細かく事例を紹介する。第3節では、新たな理論を紹介しながら、今まで見落とされがちである視点を補充していく。そして、最後に、第4節では、結論として、各章で扱われているステレオタイプの「本質」となる部分、そしてその他の日本のステレオタイプとの関連に焦点を当てた議論が展開されている。また、そういったステレオタイプからどう逃れることができるのか、ヒントを提供する場合もある。

簡潔にいうと、各章の構成には二つの特徴がある。まず、「日本」を語る際にはその複雑性を考えてほしいということから、できるだけ多くの分野・観点から一つの現象・課題を捉えるようにしている。そして、これらの日本のイメージを考える際に役に立つと思われる分析の枠組みを紹介し、それを通して可視化される課題、背景と他の領域との関連性を考えられるようにしている。なお、「日本」や「外国人」など、疑問を持ちクリティカルに考えてほしい概念は「　」で囲んであるので、読みながら立ち止まって見ていただければと思う。本書の終わりに掲載されている索引も、ぜひ参考にしていただきたい。

以下では、「クリティカル日本学」を謳っているこの本は各章を通して具体的にどんな議論をしているかを「はじめに」よりも詳しく解説したい。

まず、あらゆる固定観念・ステレオタイプの批判的分析に欠かせないのは歴史学的観点である。第1章では、見城氏が「日本人はきれい好き」という神話を事例にしながら、「日本人論」の特徴とその歴史を解説し、「『日本人の特質』は、決して『独特』のものではないし、いわゆる『国民性』でもない。ある歴史過程で、ゆっくり時間をかけて、あるいは人為によって急速に培われてきたものである」（本書の42頁）と結論付ける。この議論を取り入れて、第2章では、ガイタニディスが「日本が自殺大国である」というようなデータ統計などをみても否定できないように見える日本に関するイメージの批判的分析を試みる。そこで、見えてくるのはステレオタイプの歴史的構築過程を支える、ある種の説明式、いわゆる、あらゆる実際の社会問題の「要因は個体に求めるのではなく、全体に求めるべきだという考え方」（本書の61頁）のことである。個体や個人の自立性・責任性を強調してきた近現代にはこのような物事の見方が保守的にとらえられるのは当然である。だが、この考え方が先述の通り、われわれの欲望と軽蔑を表す見方だとしたら、われわれが理想としてきた社会を問い直す必要があるという意味かもしれない。

しかし、ステレオタイプは、まず、主観の問題であるという人もいるだろう。たしかに、第1章と第2章の議論の中から浮かび上がってくるのは、やはり、歴史観の問題である。そこで、第3章では、ビオンティーノ氏が、そもそも日本の正しい歴史があるのかという疑問を持って、日清戦争と日露戦争が海外でどう見られていたかという事例を通して、歴史には「グローバル」な視点が不可欠だと議論する。別の立場に立って同じ現象を見ているものの位置から、その主観を借りて見るとまったく違った日本が見えてくる。そのまさに「グローバル」な視点から、ここではアメリカの視点から、「日本人と人種差別は関係ない」という固定観念を分析するのは小林氏の第4章である。小林氏は、結局日本の正しい表象を探すよりも人種をめぐるような課題というものを「他人事ではなく身近なものとして、また当事者として理解することのほうが重要である」（本書の96頁）ことを訴えている。言い換えると、本章の冒頭に示した通り、データで日本人論に反論しても意味がない場合、同じイメージが違った場所でどう捉えられているか、そして、自分もその一人だったらどう思うかというアプローチが必要である。いずれも、ステレオタイプの構築を通して私たちが要因を「個体」ではなく、「全体」に求めている理由は、そのステレオタイプの属性が与えてくれる結合性のことかもしれない。

佐々木氏の第5章は、その「属性」の持つ社会的意味を真正面から論じる章となる。著者は、近年特に話題となっている「難民」問題をめぐる固定観念の二面性を分析し、「二項対立的な捉え方ではなく個々人に寄り添い、個々が置かれた文脈を変えていけるよう何らかのアクションを起こしてい」（本書の113頁）かないといけないと呼び掛けている。では、属性のないほうが自由だと思われる読者には、次の第6章を読んでいただきたい。「日本の女性は専業主婦、男性はサラリーマンになりたいのか」というよく聞くセリフの妥当性を検証しながら、第6章の著者のデール氏は最終的に「属性」から解放されたときの「『自由』というものは、現在日本社会においてどのようなものを指しているかを考察する必要はある」（本書の132頁）と指摘する。そもそもそのような「自由」とはありえるのだろうか。第7章では、ガイタニディスが、社会的（普段の属性からの）逸脱に目を向け、「援助交際」の事例を通して、「日本人は性的逸脱を好むのか」というイメージを探る。日本の「逸脱」を強調する多くの海外メディアでは、「日本（＝他者）が逸脱すれば、自分たち（＝日本人ではない話し手）はそうではないと安心する」（本書の144頁）という傾向がみられるが、国内でも批判を浴びた「援助交際」や「JKビジネス」のような現象の裏には、他の章と同じく、実際の社会問題にもなりうる代替的ライフスタイルが存在している。しかし、そのメディアでの炎上や日本人の国民性に関する議論はこの実際問題の理解を目指すよりも、むしろこれらの問題から浮かんでくる代替的な社会を想像することを妨げるものになってしまっているともいえる。

日本のイメージを通して見えてくるのはわれわれが全体の一員となりたいような憧れだろうか。場所や位置を変えて考えるべきことであるが、属性のないことは可能だろうか。社会の規範から逸脱しても、属性から逃げられないようだ。結局、小林氏や佐々木氏が指摘する通り、相手の立場に立ち、コミュニケーションをとり、アクションを目指すしかないかもしれない。だが、そこも、いくつかの壁が想像・創造されているようである。

第8章と第9章では、吉野氏と西住氏がその他者との接触場面を想定した日本のステレオタイプを解説・分析している。「日本語が難しい」というイメージがなぜあるのか、それがだれにとってどんな意味を持つのか、そして最終的に多言語社会が必要とする言語学習の望ましいアプローチは何かが第8章の考察となる。言語があくまでも相手と分かり合う手段の一つに過ぎないが、言語のとらえ方が文化的ステレオタイプを生み出す場合が多い。それは、言語自体の問題ではなく、文脈の問題である。そこで、言語が話される文脈を扱っているのは第９章である。西住氏が「日本人は外国人と話すのが苦手か」というイメージを分析するのに専門の「語用論」の理論を取り上げる。ここでは本書の最初から語り続けてきた文脈の重要性が改めて話題となる。そして、文脈を見た時に、差異というよりも、共通点を見つけ出そうとする姿勢が望ましいという主張は注目すべき点である。従来の日本学を狙っていた日本の独自性よりも、今の日本学が狙うべきなのは日本の共通性だろう。

最後の２章は、他の章と同様に日本のイメージを扱っているが、地域研究がこれからさらなるレベルで取り入れるべき研究アプローチの事例として提示しておきたい。具体的には、まず、第10章で、小林氏が課題への重層的アプローチを示しながら、「日本の教育は平等か」という問いを批判的に解説している。一方、終章では、ガイタニディスが「日本人は無宗教か、多神教的で寛容か」という両面的なイメージの妥当性の評価を通して、学者の位置性、そして学者を含めて我々が普段に使っている「宗教」というような言葉の意味を疑うようにしている。結局は、クリティカル日本学は日本のイメージとその論者に対するクリティークから、「日本」のクリティークへ進み、そして、最終的に、その「日本」が存在するわれわれの「世界」を理解するために使われている概念へのクリティークにまで繋がるアプローチのことである。そこまで行かなければ、クリティカル日本学が目指す再帰性を達成できないのである。

最後に、本書にはもう一つ隠れた目的もある。それは、国際日本研究センターが昔から目指している日本研究の世界的ネットワークおよびその研究の普及への貢献である。日本研究に特に詳しくない、または日本研究書を読んでいても、日本を特に扱っていない場所でどのように使えばいいかと悩んでいる方には第２章と第７章を注目していただきたい。第２章では、日本研究者のFrancesca Di Marcoが執筆した『20世紀日本における自殺』（原文は英語、2016出版）という研究と第７章ではSharon Kinsellaが執筆した『女生徒、お金と反乱』（原文は英語、2013出版）の研究を紹介しながら、日本に関する固定観念を覆すために用い、そして「日本研究」として書かれたこれらの本がどのように「日本研究」の枠を超えた議論に貢献できるかを指摘している。これからも、このように、「日本研究」の学際性をアピールできればと思う。

ギリシャに生まれ、イギリスの大学で日本研究を学んだ私は（日本学を含め）従来の「学」、「知」を統制してきた「白人の男」の一人として見られても仕方がない。私が「従来の日本学者」に連なる者として捉えられて当然かもしれない。だが、だからこそその再帰性を必要としていると私は考えている。その再帰性を言葉ではなく、私の教育実践を通して、そしてこの本を通して示したいと考えた。「日本」のための「日本学」ではなく、「世の中の常識を疑うための日本学」、「学問的概念を疑うための日本学」を提案したい。この本がそういった日本学への第1ステップとなるとうれしい。

注

1 Japan with Sue Perkinsという番組のことである。（https://www.bbc.co.uk/programmes/m0008kg8.）現地メディアでさえ、ネガティヴなレビューが多かった。例えば、Emine Saner, "Japan with Sue Perkins review—cute, candid... and heavy on the clichés"『The Guardian』（2019年9月18日）; Ellen E. Jones (2019) "'So alien! So other!': how western TV gets Japanese culture wrong."『The Guardian』（2019年10月29日）。

2 日本政府観光局が発表しているデータによると2018年に日本を訪れた31,191,856人の観光客の約86%（26,757,918人）はアジアの出身だった。「国籍／月別 訪日外客数（2003年～2019年）」（https://www.jnto.go.jp/jpn/statistics/visitor_trends/index.html）。

3 学科のウェブサイトを参照（https://www.sheffield.ac.uk/seas/undergraduates/whyeastasia）。

4 Skipwise千葉大学グローバル人材育成プログラムのウェブサイトを参照(https://skipwise.chiba-u.jp/course/)。

5 このAirFranceの2014年の広告はすぐにメディアで批判された。また、twitterなどであらゆる風刺の発信のトレンドのきっかけとなった。「エールフランス航空のCM、『人種差別』で非難」『The Huffington Post』（2014年4月16日）。

6 例えば、図2-⑤の『日本人の脳——脳の働きと東西の文化』（角田忠信, 1978, 大修館書店）という本には次のような議論が展開されている。「明治以降の日本及び日本人は、短い第二次大戦中を除いては欧米の影響をまともに受けてきたが、この一世紀以上の間に日本人の頭脳で創造し得た文化のと所産となると甚だ乏しいのに愕然とする。（略）このような借りものの窓枠で自然認識を続ける限り、日本人の頭脳で考えた日本的独創というものは決していかされてこないのではなか

ろうか？」(361 頁)

7　ウェブサイトを参照（http://www.nichibun.ac.jp/pc1/ja/about/)。

8　https://cgjs.jp/（英語では Consortium for Global Japanese Studies)

9　ここでいう contingent というのは友常（2018）が使っている意味でではなく、King（2014）が使っている意味で、つまり何らかの「ローカリティー」に基づいていない、独自の位置性を有しないということである（Gaitanidis, 2017 も参照)。

参考文献

東浩紀編（2010)『日本的創造力の未来――クール・ジャパノロジーの可能性』NHK ブックス.

バーバ, H. K. 著、本橋哲也他訳（2005 [1994])『文化の場所――ポストコロニアリズムの位相』法政大学出版局.

ベネディクト, R. 著、長谷川松治訳（2005 [1946])『菊と刀――日本文化の型』講談社学術文庫.

江上波夫（1980)『日本人とは何か――民族の起源を求めて（天城シンポジウム)』小学館.

Derichs, C. (2017) *Knowledge Production, Area Studies and Global Cooperation*, London: Routlegde.

Gaitanidis, I. (2017)「概念図の協働作成を通して「文化」の捉え方を問い直す――クリティカル日本学を事例として」『異文化間教育』46 号, 16-29.

ハッチオン, L. 著、川口喬一訳（1991 [1989])『ポストモダニズムの政治学』法政大学出版局.

Hirata, K. & Warschauer, M. (2014) *Japan: The Paradox of Harmony*, New Haven, MA: Yale University Press.

Hook, G. D. (2017) "Japan as an Object of Study." In Craig, Christopher, Fongaro, Enrico, Ozaki, Akihiro (eds.), *How to Learn? Nippon/Japan as Object, Nippon/Japan as Method*, Milan: Mimesis International, 125-134.

星野勉編（2008)『内と外からのまなざし――国際日本学とは何か？』三和書籍.

磯前順一（2018)「国際日本研究とは何か？」松田利彦・磯前順一・榎本渉・前川志織・吉江弘和著, 編集『なぜ国際日本研究なのか』晃洋書房, 140-151.

ジェイムスン, F. 著、合庭惇・河野真太郎・秦邦生訳（2006 [1998])『カルチュラル・ターン』作品社.

門倉正美（2009)「『日本人は……』と言う前に――日本人論の前提を問う」横浜国立大学留学生センター 編『国際日本学入門――トランスナショナルへの 12 章』成文社, 190-208.

萱野稔人編（2014)『現在知 vol. 2　日本とは何か』NHK ブックス.

King, V. T. (2014) "Southeast Asian Studies: The Conundrum of Area and Method."

In Huotari, Mikko, Rüland, Jürgen & Schlehe, Judith (eds.), *Methodology and Research Practice in Southeast Asian Studies*, Houndmills, Basingstoke: Palgrave Macmillan, 44-63.

野本京子・坂本惠・東京外国語大学国際日本研究センター編集（2016）『日本をたどりなおす29の方法――国際日本研究入門』東京外国語大学出版会．

Okano, K. & Sugimoto, Y. (eds) (2018) *Rethinking Japanese Studies: Eurocentrism and the Asia-Pacific Region*, London: Routlegde.

酒井直樹（2018）「地域研究と近代国際世界――翻訳の実践系と主体的技術をめぐって」松田利彦・磯前順一・榎本渉・前川志織・吉江弘和編著『なぜ国際日本研究なのか』晃洋書房，8-41.

釈徹宗・速水健朗・湯山玲子・大谷能生・島田裕巳・松谷創一郎・大野宏・広瀬和生・山本一郎・春日武彦・五十嵐太郎・長谷川祐子・木俣冬・宇野常寛・さやわか・大原ケイ・真実一郎・館淳一・與那覇潤・佐藤綾子・水道橋博士（2013）『新・日本人論』ヴィレッジブックス．

ストラザーン，M. 著，大杉高司・浜田明範・田口陽子・丹羽充・里見龍樹訳（2015［1991］）『部分的つながり』水声社．

友常勉（2018）「Contingentであること」松田利彦・磯前順一・榎本渉・前川志織・吉江弘和編著『なぜ国際日本研究なのか』晃洋書房，42-49.

横浜国立大学留学生センター 編（2009）『国際日本学入門――トランスナショナルへの12章』成文社．

第1章

日本人は世界がうらやむ特質を持っているのか

見城 悌治

第1節 「日本人はきれい好き」という神話

2018年6月に開催されたサッカーW杯ロシア大会で、日本と対戦したコロンビアのサポーターが試合終了後、「日本人の行動に倣って、ゴミ拾いをした」ことが話題になった。この行為については、「日本人の清掃活動は、初出場した1998年のフランス大会にさかのぼる。礼儀正しい姿を地元メディアが報道。以来、ほかの海外メディアも注目するようになった」(南・関根, 2018) との解説がなされることになる。

このように、皆でゴミ拾いをする行為自体は、確かに悪くないことだ。しかし、「日本人」が常にこのような「礼儀正しい」行為を示すのは、当たり前と見て、他国に対する一方的な優越性を示すようになってしまうと、筆者などは違和感を感ずる。

ここ5～6年、メディアにおいて、「世界の中での日本人」をとにもかくにもプラスで評価しようとする「日本スゴイ論」が喧伝されている。しかし、そうした評価は、「日本人生来の性格」に基づく結果なのだろうか？　たとえば、W杯でクローズアップされた「日本人はきれい好き」という評価はホントなのだろうか？　本節ではこの言説を歴史的な視座から検証してみたいと思う。

幕末から明治初年に初来日した西洋人が、「日本人は清潔な暮らしをしている」と評価した事例は確かにある。たとえば、B. H. チェンバレンは『日本事物誌』（原題：“Things Japanese”：1890年初版）において、「清潔は日本文明のなかで、数少ない独創的なものの一つである。（略）世界に冠たるこの日本人の清潔は、敬神とは関係ない。日本人はきれい好きだから、清潔なのだ」[1]との評価を残している。

しかし、一方で、1930年3月段階でも、「（日本人は）立派な道路を、かの紙屑、蜜柑の皮、竹皮などを捨てて汚す悪風がありますから、これを十分きれいにしなくてはならないと存じました。日本人は昔より清浄を好む国民であります。（略）不思議なことには、西洋家屋、家具および公共物に対しては、全然別人の有様で、まるで野蛮人の如きことを致すのであります。（略）（人々は）ステーションの床、あるいは列車内の床、劇場内の絨毯の上にでも種々の物を捨てます。もちろん道路にも紙屑、煙草の吸殻を捨てることは何とも思っておりません。この悪習慣は教育ある人々には無いかと申すと、教育ある人また相当の身分の人も致します」[2]という状態にあったことが告発されている。

このように、「ゴミ捨て問題」は戦前からの懸案事項であった（大倉 2013, 2016）。敗戦後の1947年からは「新日本建設国民運動」の中で、解決が図られようとしたが、食糧事情を含めた社会の不安定さもあって、成果は上がらなかった。1956年には、マナーなどの改善も目指す「新生活運動協会」が設立され、ゴミ捨てや割り込み乗車の禁止呼びかけがされたが、効果は限定的であった。

そうしたなか、「東京五輪」の1964年開催が決まったことを受け、東京都は1961年11月「首都美化推進本部」を設立する。しかし、半年後の新聞に「銀座の裏町で壊れかけたゴミ箱からたくさんのゴミがはみ出ている。隅田川の流れは真っ黒で、『墨多川』と改名した方がよい。中小の河川も動くゴミ箱状態だ」という現実が報道されるなど[3]、「美化」にはほど遠い状況であった。

開会式が3カ月後に迫った1964年7月の新聞報道はこうだった。「東京駅丸の内北待合室－。（略）七十人ばかりすわっていたが、散らかっているゴミは、たばこの吸いガラ四つ、マッチ棒十二本、これだけの広さのところで、ゴミの数をかぞえられるのは大した“美しさ”だ……」。しかし、続けて、「待合室の奥にあるコーヒーショップをみてがっかり。スタンドの下は吸いガラ

☆東京五輪（1964 年 10 月）を目前にした「美化」をめぐる新聞記事の見出しの一部（『読売新聞』より）

①「オリンピック　国民運動を盛りあげ　公衆道徳に重点」（1963 年４月 24 日・１面）

②「きたない東京駅　どうしたら良いか　個人が責任を持とうホームは吸い殻だらけ」（1964 年２月 11 日・13 面）

③「表玄関　東京駅は泣いている　ゴミ、日にトラック４台」（1964 年４月 30 日・15 面、図１参照）

表玄関・東京駅は泣いている

ゴミ、日にトラック四台

助役さんの訴え　ぜひ乗客の協力を

「東京オリンピックを迎えて日本の表玄関・東京駅をきれいにしましょう。乗降のお客さんのご協力を…」と、東京駅助役・岡野国光さんが二十九日読売新聞社に手紙を寄せてきた。

東京駅では毎日トラックに四台分のゴミが出ている。一台のトラックの容量約八立方メートル、四台で三十二立方メートルのゴミが千葉県浦安海岸に捨てられている。これが一日の平均量だが、年末年始やお盆、行楽シーズンになるとこの二、三倍にふくれあがる。「ゴミ捨て場も都内には余裕がなくなり、運搬費もかさむ一方だし、処理する時間もばかになりません。ゴミ捨てのトラックは毎日午前三時からはじめて夕方に終わる状態です」と里見同駅首席助役。

吸いガラや紙くず

駅のそうじは大そうじと小そうじに分けられる。大そうじはオガクズを水をまいてやる方法で、朝のラッシュ後と夜の九時—十時ごろの二回。小そうじはホウキとチリトリで随時。ホームは駅員、線路上などホーム外は清掃会社に請け負わせている。その清掃会社への支払いが年間約二千万円という。

岡野助役は訴える。「大都東京駅長以下約千人の駅員は乗客のみなさんに気持ちのいい旅行をしていただくために、毎日二千四百四本運転される列車、電車の発着のあいまに清掃につとめています。でも、早朝から深夜まで通勤や旅行で乗り降りする七十五万—八十万人のお客さんの一人一人にご協力いただかなければ、来日する外国人にみせてはずかしくない東京駅にすることはむずかしい問題なのです」。というのは、いくらそうじしても[illegible]吸いがらやガムや紙くずなどを捨てる乗降客があとを断たないからだ。

平気な人が多い

そういうお客さんが「五十人に一人いたとしてもホーム、線路間は約一万五千のゴミでよごれることになるのです。しかし、実際には家族連れや酔った客は一人で十人分ぐらいよごして平気な人が多い。私が現在勤務についている第二ホーム（三、四番線）についていえば、ここでは毎日六百本の電車が発着され、乗降客一日約二十万人。この人たちが捨てた吸いがらやガムその他は一日にバケツに約三杯。線路に捨てられたものをふくめるとこの約三倍になります」が、[illegible]これらの東京駅のゴ

図１　『読売新聞』1964 年４月 30 日の記事〈15 面〉

だらけだった。客の足もとは、店の人からみえない盲点。人にみられていれば捨てないのに、わからないとなると平気でよごす人たちがいる」[4] と、問題が未解決であることについて嘆息が聞こえるような筆致で示されていた。

五輪開催時の観客たちのマナーはどうだったのだろう。メイン会場だった国立競技場は毎日 1400 名が６時半に集合し、朝９時の開始に備え、きれいに掃除した。しかし、競技終了後は夜９時までゴミ拾いが続いたという。取材した記者は、「小中高校生の団体客は教育が行き届いていて、まず満点に

近く、外人観客もまずまず。残念ながら、日本人の一般観客が最もお行儀が悪く、エチケットの点では、メダルはおぼつかない」との皮肉で結ぶほかなかった。それが、アジア初の東京五輪の裏側の事実なのであった[5]。

その東京五輪から50年。国際的イベントが国内で次々に開かれていく中で、少しずつ人々の意識が矯正されていく。こうした長い長い過程の末、日本の繁華街からゴミが一掃されたのは、つい最近のことなのである。そして、その結果だけを見て、「“きれい好き”は、世界でも稀な日本の『国民性』である」という類の言説が自明視されていくようになったと言えよう。しかし、それは、社会全体が改善を果たそうとし、長い時間をかけた努力の結果なのであり、「日本人生来の性格」がもたらしたものではなかったのだ。

第2節　現代大学生の「日本人／日本文化」イメージとは？

前節では、現在の日本で自明視されている「日本人はきれい好き」という言説が、歴史過程で様々な現実にぶつかりながら、生成定着してきたことを見てきた。この事例に従えば、「日本（人／文化）は○○である」という種々の「常識」も時代の推移から生み出され、また変じてきた可能性は高い。

そこで、本節では、大学生の「日本」イメージがここ20年で何らかの変化をしてきたのか、あるいは「自明な事象」として確固たる地位を占め続けていたのか、それらについて、筆者が千葉大学で担当してきた授業の中から、具体的に見ていきたい。

筆者は、1997・98年度に、①「日本文化」、および②「日本人の特質」についてのイメージを「日本文化論」の受講生207名に尋ねたことがある[6]。その結果、①については、「伝統的なもの」が71％と多数を占めた（1位は「茶道」の10％、2位は「華道」「寺・神社」「能・歌舞伎」が各6％で並んだ）。

受講生の回答を整理する際、筆者はそれぞれが挙げたアトランダムな言葉（概念）を、例えば「伝統的なもの」という範疇に分類したのだが、残りの30％余は、どのような回答だったのか。第二勢力となったのは「食べ物」範疇の言葉であったが、全体の5％に過ぎなかった（その中では「寿司」が2％を占めた）。また、「現代的なもの」範疇の回答者も2％しかいなかった（「漫画・アニメ、テレビゲーム」が1％、「社会〔満員電車、学歴社会、女子高生〕」

1％）。残りの20数％は、「自然・四季」2％、「多文化混合」2％、ほかは範疇化が難しい１％未満のタームが分散している状態だった。

以上は、「日本文化論」なる科目を意識的に選択受講した学生たちの「日本イメージ」という特別な条件下のデータである。しかし、ここから1990年代半ばにおいては、「伝統文化」系の事項を答える学生が多数で、「アニメ」などを「日本文化」として想起する学生はごく少数であったことが確認できるであろう。

ついで、②「日本人の特質」イメージの回答である。こちらは、肯定的（と思われる）評価、否定的（と思われる）評価、さらに「奥ゆかしい／内気」のような両義的な解釈ができる「中間的評価」の三つに分類した。その結果概要を示すと、肯定的評価は「勤勉」４％、「謙遜」３％、「真面目」２％などが上位を占めたが、全体では17％に留まった。それに対し、否定的評価は31％あり、「島国根性、排他的」の８％が１位、「曖昧、婉曲、優柔不断」の７％がそれに次いだ。三分類の中で、最も比率が多かったのは、「中間的評価」に入れたタームで46％を数えた。その第１位は「集団主義」で18％となった。次いで、「和を貴ぶ／NOが言えない」12％、「奥ゆかしい／内気」５％などが続いた。第１位となった「集団主義」が否定的に捉えられることが多いことを勘案すれば、全体の49％（先の31％をプラス）が、「日本人の特質」を否定的に評価していたと解釈できる。

ところで、同時代のアジア諸国は、どのような「日本人」イメージを持っていたのだろうか。そこで、1995年に、読売新聞が6カ国を対象に行った調査結果を見てみたい[7]。それによれば、第１位が「勤勉・働きすぎ」になった国はマレーシア（68％）、ベトナム（50％）、タイ（24％）であった。インドネシアも、37％という高い回答率であった（しかし、同国では、46％を集めた「知的」と「先端技術」が同率１位であった）。中国の第１位は「礼儀正しい」の26％だったが、「勤勉・まじめ」は25％、ごく僅差の２位だった。一方、韓国で、そのイメージの回答は11％の４位に留まった。[8]

これらから、1995年段階におけるアジア諸国の「日本人」イメージは、経済成長の歴史を背景にしてか、「勤勉」が上位を占めていたことが分かるのである（「働きすぎ」との批判的印象もセットになっていた点はもちろん看過できないだろう）。

なお、1997・98年の千葉大生アンケートで、「勤勉」を挙げた学生は4％に過ぎなかった。バブル崩壊後の世相を反映している可能性もあるが、詳細は不明である。ただ先に示した回答の傾向からは、この時期の千葉大生が、「日本人の特質」をいたずらに礼賛するような姿勢を持っていなかったことは明らかであろう。

さて、それから十数年経った後、大学生たちの認識は変わったのだろうか。ここでは、「『日本』という言葉からイメージするもの」を尋ねた別のアンケート結果を示してみよう[9]。アトランダムな回答を、筆者の判断で「自然」「歴史・文化」「国民性」「現代社会」「その他」の範疇に区分けし、回答を入れ込み、それぞれの比率を出してみた[10]。

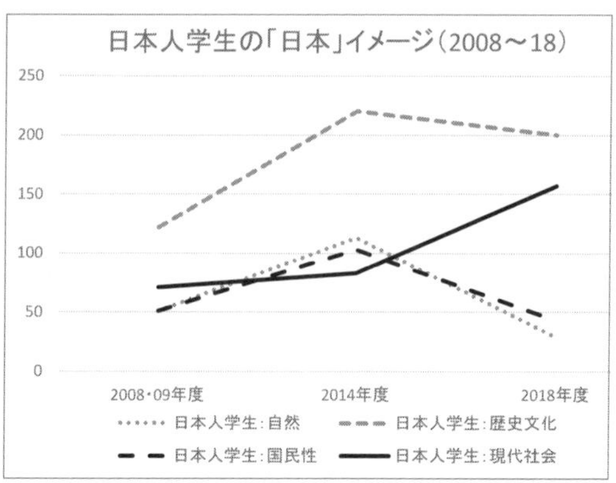

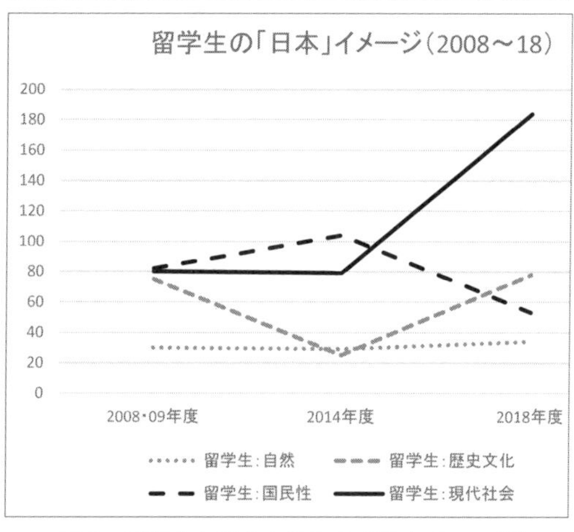

図2　留学生と日本人学生の「日本イメージ」

まずは、2008・09年の回答を合算したものから紹介したい。両年の回答者は、日本人学生59名と留学生[11] 44名であったが、本項では、日本人学生の「イメージ」だけでなく、留学生のそれも示していく。両者に何らかの相違があるかを確認するためである。

さて、その結果だが、まず桜、富士山など「自然」に関する回答は、日本人学生（以下、「日」）は51％（回答は30件あり、それを59名で割った比率。留学生の比率処理も同じ）、留学生（以下、「留」）は30％だった。次いで、「歴史・文化」は日122％、留75％、「国民性」は日51％、留82％、「現代社会」

は日71%、留80%であった。

日本人学生については、「歴史・文化」カテゴリーの回答が最多比率で、うち「日の丸」13件（22%）が第1位、「サムライ・武士道」の9件がそれに次いだ。一方、留学生の比率が高かった回答は、「国民性」と「現代社会」が拮抗した。そのなかで、最も多かったのは「アニメ・漫画」の7件（16%）、次いで「電子製品」の4件、「礼儀ただしい」の4件、「真面目」3件などが続いた。ちなみに、「勤勉」は「国民性」の範疇に分類したが、留学生・日本人ともに1件に留まった。

次に5年後の2014年のデータである。この年は、日本人学生60名、留学生[12]、24名のデータが集まった。その内訳は、「自然」への回答が、日113%、留29%。「歴史・文化」は日220%、留25%、「国民性」は日103%、留104%、「現代社会」は日83%、留79%であった。

三つ目は、2018年のデータで、日本人学生14名、留学生32名[13]の回答である。結果は、「自然」が日29%、留34%。「歴史・文化」は日200%、留78%、「国民性」は日43%、留53%、「現代社会」は日157%、留184%であった。

以上の11年の幅を持ったデータは、回答数にかなりのバラツキがあるため、安易な結論は出すことはできない。しかし、大摑みに言えるのは、留学生の「日本（人）」イメージの多くが「現代社会」を想起するのに対し、日本人学生は、一貫して「歴史・文化」を挙げる傾向が強いという点は指摘できるだろう。

先に、1997・98年度の「日本文化論」を受講した日本人が、「アニメは日本文化だ」と捉える事例がほとんどなかったことを紹介した。しかし、2010年代後半に至ると、現代日本で流行する文化（アニメ・ゲームなど）を「日本イメージ」として挙げる傾向が、留学生ほどではないものの、日本人学生にも増えてきている現実[14]は注目されるところである。

以下、本節の簡単なまとめをしておきたい。現代日本における日本人大学生の「日本（人・文化）」イメージは、「茶道」や「寺社」など、ある意味で古典的イメージを無批判に示しているだけの印象がある。ただ、それが固定化・硬直化していくと、「私は日本人ですが、茶道を教えられません」などとその自縄自縛に苦しむのは、自分たち自身に他ならない。しかしながら、

「イメージ」である以上、それらは時代の推移とともに変転していく側面は確実にあるのだ。そうした「現実」を理解し、過去に拘泥しすぎないで未来を見据えていくことも、重要な態度ではなかろうか。次節はそのことについて、再度問題提起をしていくこととする。

第3節 「日本人の美徳」の行方
――日本人は世界の中でも「独特」なのか

明治維新以来、日本の知識人は西洋社会を追い求める傾向が大であった。そして、そこでは憧憬と反発が繰り返され続けたが、1930~40年代に至ると「世界無比の神国日本」という言説が優位となり、しかし敗戦によってまもなく自壊していったことは周知の通りである。

こうした言説の推移について、南博（社会心理学者）は、『日本人論――明治から今日まで』（1994年）において、千数百点の著作を整理し、それぞれの特色を手際よく整理している。また、青木保（文化人類学者）の『「日本文化論」の変容――戦後日本の文化とアイデンティティー』（1990年）は、戦後の「日本人（日本文化）論」を、四つの時期に区分し、それぞれの特色を指摘した。第1期は、ルース・ベネディクト『菊と刀』（邦訳1948年）に代表される「否定的特殊性の認識」（1945～54年）時代、次いで、第2期は「歴史的相対性の認識」（1955～63年）時代とされ、加藤周一「日本文化の雑種性」（1955年）などを挙げた。第3期は「肯定的特殊性の認識」（前期：1964～76年、後期：1977～83年）とされ、中根千枝『タテ社会の人間関係』（1967年）などが典型とされる。そして、1984年以降は「特殊から普遍へ」という特質をもつ第4期に入ったと見なした[15]。青木は、同書の末尾で、「日本文化論」があまりに日本人を「慰めるもの」になっていることを反省し、「いかに珍奇で『異国趣味』に彩られたものと初めは思われても、それの呈示するものに近づくに従い、いつの間にかそこに己れの像を見出すような『異文化』と『自文化』のインターフェイスを作用させるものこそが本当の『文化論』である」（青木，1999, 164-65）とまとめている。

青木の著作に先んじて、1987年に『イデオロギーとしての日本文化論』を著したハルミ・ベフ（別府春海）は、1970年代に隆盛した「日本文化論」

は、「大衆消費材」にすぎず、また「イデオロギー」であると喝破した。一方、豪州で教鞭を取っていた杉本良夫（社会学者）は、ロス・マオアとの共著で、『日本人は「日本的」か――特殊論を超え多元的分析へ』（1982年）を発刊した[16]。杉本たちの研究は、「高度経済成長期」を走り抜けていた日本社会が、自らのアイデンティティーを確認、創出すべき必要性や願望に

表１　さまざまな「日本人」のタイプ

具体的ケース	国籍	血統	日本語能力	出生地	居住地	日本文化理解能力	所属意識
いわゆる「われわれ日本人」（在日・日本人）	+	+	+	+	+	?	?
在日韓国・朝鮮人の多く	−	−	+	+	+	?	?
日本企業の海外駐在員	+	+	+	+	−	?	?
アイヌ、日本国籍への帰化外国人	+	−	+	+	+	?	?
日本国籍を放棄した移民一世	−	+	+	+	−	?	?
海外移住者の子どもたち	+/ −	+	+/ −	+/ −	−	?	?
日本国内の「外国人労働者」	−	−	+/ −	−	+	?	?
日本在住の日系ブラジル人三世	−	+	+/ −	−	+	?	?
海外帰国子女の一部	+	+	−	+	+	?	?
海外在住者の子女の一部	+	+	−	−	−	?	?
日本在住の国際結婚の子どもたち	+	+/ −	+	+/ −	+	?	?
日本語を使えない海外日系三世	−	+	−	−	−	?	?
日本生まれ育ちで帰国した外国人	−	−	+	+	−	?	?
外国人の日本研究者	−	−	+	−	+/ −	?	?

（典拠：杉本良夫（1996）「日本文化という神話」（『岩波講座　現代社会学 23　日本文化の社会学』岩波書店、13 頁）

よって、産み落とされたものが、「日本人論」であったと指摘する。同書では、「日本型経営」を高評したがゆえに、1979年期のベストセラーとなった『ジャパン・アズ・ナンバーワン』（エズラ・ヴォーゲル）などが、説得力を持って位置づけ直されている。

戦後の、そして現在にまで至る「日本人論」という言説は、「日本人は『日本的』である」という「特殊」性を常に誇示する傾向があった。しかし、「日本人」の定義などそもそも可能なのだろうか。前ページに掲げた杉本良夫作成の「さまざまな『日本人』のタイプ」の一覧を凝視して欲しい。ここから「われわれ」の「日本人」認識が実は曖昧かつ流動的な存在であることが焙り出されるであろう。これは杉本が考案した事例に過ぎないが、それから20年経った現在はそれらがさらに複雑化していることを、読者はリアリティをもって感じられるのではないか。また、この表で杉本が「日本文化理解能力」の項目を設け、かつすべてに「？」を付している意味については、大いに考えさせられるだろう。詰まるところ、「日本人」や「日本文化」の定義とは、「自明」に思われながらも、実は可変的で、空虚とさえ言える存在なのである。

第4節　「日本（人・文化）イメージ」の歴史的構築過程

本章を終えるにあたり、生来「勤勉」あるいは「きれい好き」であることが「日本人の美徳」であるというイメージについて、もう一度検討を加えておきたい。

まず前者は、「高度経済成長」という戦後史の過程で、定着した側面が強い（礫川, 2014）。それを古い時代に遡らせる際に、しばしば取り上げられるのが二宮金次郎（江戸時代末期の農政家）の「負薪読書像」である（写真は筆者蔵）。この像は、戦前期の小学校の校庭に銅像・石像として建てられ、子どもたちの「理想像」とされた。しかしながら、これは「金次郎が本を懐

図3　二宮金次郎「負薪読書像」

に入れ、暗唱しながら歩んだ」という伝承が、19世紀末に「本を読みながら歩んだ」と改編され、それに見合った像が創作され、結果として、「勤労かつ勤勉」のシンボルに昇華させられてしまったというのが真実である[17]。

この事例からは、「国民性」なる概念が時代の欲求に合わせる形で生成された事を、歴史的に検証することの重要性を認識できるだろう（そして、そこからは不可思議さや面白さも見いだせるだろう）。

最後に、ふたたびW杯ロシア大会の「ゴミ拾い」をめぐる話題に戻り、日本人の行動は他国も真似せざるを得ない絶対的「美徳」であるという類の認識に潜む問題を指摘していきたい。

イギリス人サポーターで、地元チームのサポーターズクラブ代表のアーサー・プレストンさんは「日本人の行動は奇妙にさえ思えた」という。ゴミ拾いについて自分の娘も含め多くの人が共感したとしつつも、こう語る。「イギリスのサッカーファンの大多数は、応援が目的。ゴミ拾いをしてチームをより大きく見せようとは考えていない。ゴミ拾いの費用はチケット代に含まれるべきとイギリス人は考えると思う。我々は決して真似することはないでしょう」。ゴミ拾いをするべきではないという考え方もある。現地の清掃員の仕事を奪うことになるからだ。[18]

この人物が言うところの「掃除代金分も払っている」という理解は、「開き直り」にしか聞こえない人もいるだろう。しかし、「清掃員の仕事を奪うことになる」という理解も無視できない。また、「自分たちをより大きく見せる行為である」との批判的見解については、「われわれ日本人は、そんな計算高い考えは全く持っていません。これは天性の気質なのです」のごとき反論をする人もいるだろう。しかしながら、イギリス人某は、それをつまらないパフォーマンスと断ずるのである。

いずれにしても、W杯でのゴミ拾いが始まったのは、（初出場した）1998年からのことである。一方、戦後の「美化運動」は1964年開催の東京五輪を目指して動き出したものの、定着には多くの時間と人々の努力が必要であったことは、先に述べた通りである。

明治維新以降の日本社会が、「文明開化」の旗の下で、「きれい」や「清潔」を目指したのは確かであり、それは伝染病防止など公共衛生との関連がきわめて強かった。しかし、自分たちの身体を「清潔」に保つのが第一と教え込まれた「日本人兵士」が、朝鮮半島や中国大陸に出兵した際、かの地の人々が「不潔」であると認識し、それゆえ、「野蛮」と蔑んでもよいと考え始めたことを、歴史学が明らかにしている（原田, 2007, 72）。

ひるがえって、現在の日本社会は、「超清潔志向」になり、「潔癖症」なる言葉までもが定着しつつある。それについて、藤田紘一郎（免疫学）は、『清潔はビョーキだ』という刺激的なタイトルを掲げる自著で、「自分の身を守っている共生菌などを異物として小心翼々と忌避、排除し、極端なまでの清潔を心がけている。そして、ついに消毒され、清められた『無菌室』のような空間に入り、自らを『家畜化』して、反自然状態を現出しているのではないか」（藤田, 1999, 216）との警鐘を鳴らしている。

このような医学的見地とは別の次元であろうが、小中学校のイジメ行為も「清潔／不潔」が一つの理由になることを、しばしば耳にする。つまり、「清潔」や「きれい」を絶対視や至上化することは、過去においてのみならず、現在でも様々な歪みを産み出す可能性をはらむのである。

本章は、今日、「自明」と認識されている「日本人の特質（美徳）」は、決して他国にない「独特」のものではないし、「国民性」とも言えないものであること、ある歴史過程で、ゆっくり時間をかけ、あるいは人為によって急速に培われてきたものであることを述べてきた。つまり、「日本（人・文化）イメージ」は、過去から続く未来永劫不変な存在ではないのだ。筆者が1997・98年に行ったアンケートで、ある学生は「日本文化」は「伝統的」なものだが、「今はもうなくなってしまったもの」、「実は、日本人皆が皆当然のこととして、身に付けているものではないものが多かったりする」、「即連想されるものは、多分に我々と無縁だったりする」とのシニカルな分析を披露していた。しかしながら、筆者に言わせれば、「日本人学生」が、日々親しんでいる「文化」こそが「日本文化」に他ならないのである。教科書に載せられているか否かに関係なく、自分が好んで関わっているものを「日本文化」と見なせばそれでよいのだ。

21世紀も20年余りが過ぎ、世界も日本も大きく変容している。「国技」とされている大相撲を担っているのはモンゴル出身の力士であることは周知の通りである。また、大坂なおみ、サニブラウンなど新しい「日本人」が、世界のスポーツ界で大きく羽ばたいている。さらに長い歴史的尺度、千年、二千年の単位で考えれば、日本列島は、南から、西から、北から海を渡ってきた人々が住まい、生活を重ねる過程で、「日本人の特質」を作ってきたのだ。絶えず作ってきた、ということは、絶えず変容してきた、ということでもある。

「グローバル化」が喧伝される昨今、「日本社会」が変わることへの不安を抱く人もいると聞く。でも心配することは何一つない。「変わってしまう」のではなく、「変えていく」「変えてきた」のが、「われわれ」の歴史であり、社会なのだから。

注

1　チェンバレン「入浴」(1969)『日本事物誌　1』平凡社東洋文庫、60頁。なお、戦後の入浴状況を紹介する文献によれば、1963年の東京都の銭湯料金は23円で、現在の貨幣価値に換算すると200円くらいだった（現行の470円の半額以下）。にもかかわらず、家に風呂のない家庭が銭湯に行く回数は、週に2回弱にすぎなかったという。つまり、現在の「感覚」から言うと、「清潔のために、常に入浴するのが日本人の美徳」とは言えない状況であった（武田知弘〔2013〕『昭和30年代の「意外」な真実』だいわ文庫、75-76頁）。

2　大江スミ「復興にふさわしい／市民の公徳運動／市街、汽車の浄化を語る」『読売新聞』1930.3.25付。

3　前者は「“きたない東京”返上／都が「美化推進本部」設立準備」『読売新聞』1961.11.22付。後者は「美しい環境を／盛り場のゴミ一掃」『読売新聞』1962.4.23付。

4　「公徳心、金メダルへあと一歩／駅や道の美化進む」『読売新聞』1964.7.2付。

5　「ゴミ・紙クズの山にシブい顔／五輪四会場、五百トン」『朝日新聞』1964.10.26付。なお、この節の叙述は、後掲する引用文献にあげた大倉幸宏の二著に多くを負った。

6　普遍教育科目として開講した「日本文化論」で質問紙を配布し、データ分析をしたものである（なお、留学生10名も受講していたが、その回答は除いている）。詳細は、見城悌治（1999）「『日本』というイメージ」（『千葉大学留学生センター紀要』5号、81-95頁）を参照。

7　「アジア7か国世論調査」『読売新聞』1995.5.23付（各国とも被験者は、1000名前後）。

8　韓国の第1位は「植民地支配」32%、第2位は「ずるがしこい・野卑」29%、第3位「残忍・恐ろしい」15%だった。中国を含むアジア諸国のなかで、戦前戦中期のネガティブな記憶が群を抜く多数であったことには留意すべきであろう。

9　学部留学生の必修科目「日本事情」の一つとして提供された「日本イメージの交錯」という科目での調査である。この授業は、日本人学生も受講できる混在型で行われた。

10　複数の叙述を可としたため、一人が相当数の単語を列挙した事例もあるが、単語自体は「一つ」とカウントしたため、人数比でいうと100%を越える項目も出た。

11　回答者は、中国、台湾、韓国、モンゴル、ベトナム、マレーシア、タイ、キルギスの学生たち。

12　回答者は、中国、韓国、ベトナム、インドネシア、マレーシア、カンボジア、バングラデシュ、インド、タジキスタン、ハンガリー、ドイツ。

13　回答者は、中国、韓国、インドネシア、マレーシア、タイ。

14　なお、筆者は中国で学ぶ中国人大学生を対象に、全く同様の「日本イメージ調査」を過去2回行っている。見城（2007）および見城・三村（2010）が、その概要報告である。後者は1,452名という大人数を対象にしたものであったが、第1位は「現代日本文化」に関するタームで、88.8%の学生が記した。ただし、第2位は83.9%の「歴史認識」をめぐるタームであった。つまり、現代中国学生の「日本イメージ」は、「アニメ」と「侵略」が拮抗している状況にあるというのが結論となった。

15　ちなみに、本文中に挙げた以外では、一期については川島武宜『日本社会の家族的構成』（1948）などを、二期は梅棹忠夫『文明の生態史観序説』（1957）などを、三期の「前期」は、土居健郎『「甘え」の構造』（1971）、「後期」は村上泰亮・公文俊平・佐藤誠三郎『文明としてのイエ社会』、エズラ・ヴォーゲル『ジャパン・アズ・ナンバーワン』（ともに1979）などが、その代表書とされている。

16　前者は、思想の科学社から出版された。一方、後者は東洋経済新報社から出た後、1995年に『日本人論の方程式』と改題され、ちくま学芸文庫に収められた。また杉本は単著として、『日本人をやめる方法』（ほんの木、1990／筑摩書房［ちくま文庫］、1993）という刺激的なタイトルの著作もその後発刊する。

17　江戸期までは、声をあげて書物を素読すること（音読）が学習の基本であったが、20世紀に入ると、図書館の発達等により、「黙読」文化が中心になってきた。手に書物を持つ形に転じた背景には、そうした事情も考えられる（見城, 2009, 33-35）。

18　吉崎洋夫「各国で日本人サポーターのゴミ拾いに賛否『現地の仕事を奪う』VS『見習うべき』」『週刊朝日（AERA dot.）』2018.6.30付、https://dot.asahi.com/wa/2018063000011.html?page=1（2018年10月6日閲覧）。

【参考文献】

青木保（1999）『「日本文化論」の変容——戦後日本の文化とアイデンティティー』中央公論社.

藤田紘一郎（1999）『清潔はビョーキだ』朝日新聞社.
原田敬一（2007）『日清・日露戦争（シリーズ日本近現代史③）』岩波新書.
見城悌治（1999）「『日本』というイメージ」『千葉大学留学生センター紀要』5.
見城悌治（2009）『近代報徳思想と日本社会』ぺりかん社.
見城悌治（2007）「現代中国における日本語専攻大学生の「日本」イメージ」『国際教育』1.
見城悌治・三村達也（2010）「現代中国における大学生の「日本」イメージ——日本語専攻生、日本語学習生、日本語非学習生の比較」『国際教育』3.
礫川全次（2014）『日本人はいつから働きすぎになったのか——〈勤勉〉の誕生』平凡社新書.
南博（1994）『日本人論——明治から今日まで』岩波書店.
南麻理江・関根和弘（2018）「コロンビアが負けてもゴミ拾いする姿に感動広がる。“日本発”サポーターの掃除がワールドカップを変えた」『HUFFPOST』2018.6.21 付、https://www.huffingtonpost.jp/2018/06/20/clean-up-seats-by-supporters_a_23464243/（2018 年 10 月 6 日閲覧）.
大倉幸宏（2013）『「昔はよかったと言うけれど——戦前のマナー・モラルから考える』新評論.
大倉幸宏（2016）『「衣食足りて礼節を知る」は誤りか——戦後のマナー・モラルから考える』新評論.
吉崎洋夫（2018）「各国で日本人サポーターのゴミ拾いに賛否『現地の仕事を奪う』VS『見習うべき』」『週刊朝日（ＡＥＲＡ dot.）』2018.6.30 付、https://dot.asahi.com/wa/2018063000011.html?page=1（2018 年 10 月 6 日閲覧）.

第2章

日本は自殺大国か

ガイタニディス・ヤニス

第1節 「日本＝自殺大国」というイメージ

「日本は自殺大国」。筆者の大学生時代から言われてきたことである。確かに、筆者が日本の大学に留学していた当時の2004年、報道で日本の1年間（2003年度）の自殺者数は34,427人にまで増加したと知り、驚いたことを覚えている。後になって知ったが、実は自殺者数が初めて3万人を超えた1998年以降、2003年が最大の自殺者数であった[1]。下の図1に見られるように、2012年には3万人を14年ぶりに下回り、2017年には21,321人にまで減少した。だが、ここで確認してもらいたいのは普段あまり耳にしない次のことである。図1からもわかるように、20世紀だけ見ると、日本における自殺の「流行」は2000年代のピーク以外にも3回（1936年15,423人、1958年23,641人と、図には記載されていないが1986年25,524人）起きている。

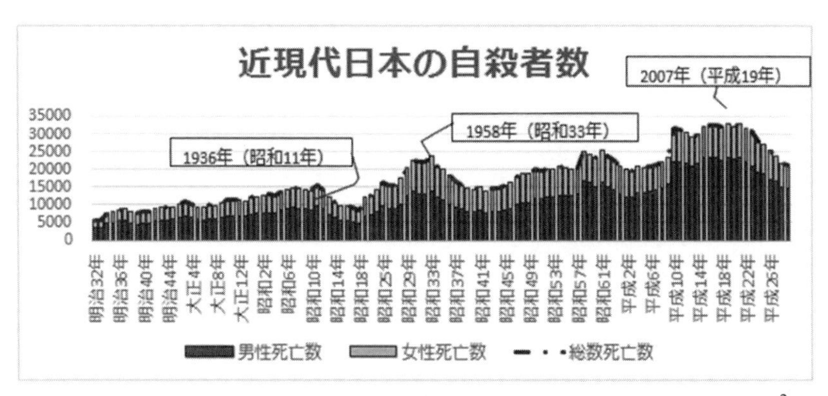

図1　1899年〜2017年の日本における自殺者数の経緯（厚生労働省の統計使用[2]）

後に詳述するが、実は「日本＝自殺大国」という表現は20世紀に入り、初めて自殺の統計が発表されるようになるとともに出現したのである。つまり、このような表現は最近になって言われるようになったのではなく、100年以上言い古されてきたものなのである。

さて、本当に日本は自殺大国と呼ばれるほどの国かどうか、統計をまず確認しておこう。世界保健機構（WHO）によると、世界で年間約80万人、つまり40秒に1人が自殺する。最新のデータ（2016年）では人口10万人当たりの日本の自殺死亡率は14.3人であり、世界30位（女性の自殺死亡率は8.1人で世界25位、男性の自殺死亡率は20.5人、世界40位）である。世界の上位を占める国は南米のギュイヤンヌ（1位、30.2、男性46.6、女性14.2）、アフリカのレソト（2位、28.9、男性22.7、女性32.6）、ヨーロッパのロシア（3位、26.5、男性48.3、女性7.5）、リトアニア（4位、25.4、男性47.5、女性6.7）である[3]。世界レベルでは日本の自殺率は決して低いとはいえないが、今はそれほど目立ってはいない。しかし、経済協力開発機構（OECD）の加入国だけで見ると[4]、36カ国の中で日本は6位であり、女性の自殺率は3位である（図2を参照）。さらに、比較対象を絞り、世界の先進国の団体とされるG7（フランス、アメリカ、イギリス、ドイツ、日本、イタリア、カナダ）の中では、日本は1位である。つまり、日本は経済、社会、福祉といった側面から先進国と認識されているにもかかわらず、それらの側面に悪影響を及ぼしている、あるいは意外

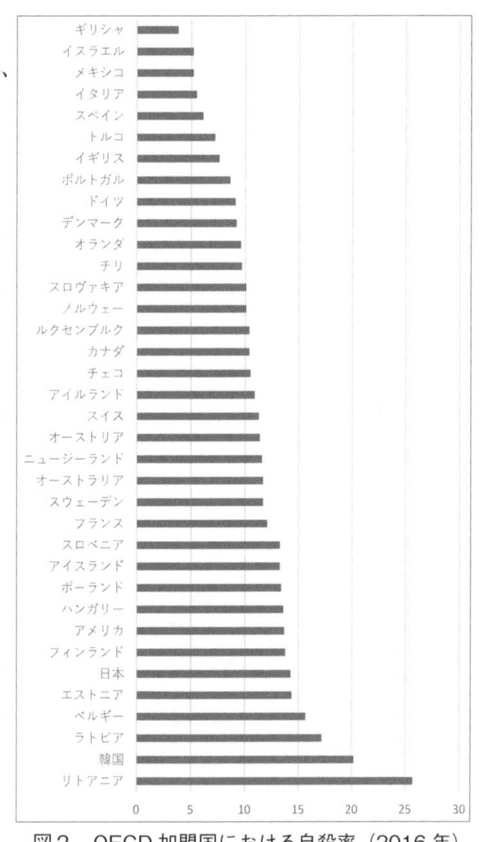

図2　OECD加盟国における自殺率（2016年）

だとされる高い自殺率が注目を浴びているのである。単純に言い換えると、「豊かにみえる社会で生活している人々には自殺する理由がないはずだ」という思い込みにより、自殺者数の高さが注目されているのではないかとも考えられる。

確かに自殺は「理解」しがたい行為であるかもしれない。なぜなら、その定義は「自らの意志で自己の生命を絶つ行為」（広辞苑）とされているが、普段、ニュースなどで聞く自殺の理由は、その人のうつ病などの精神状態の問題とされている。つまり、定義上（真）の自殺は、自己の行為についての認識とその結果についての予見があることが必要とされているが、精神病としての自殺には「意志」そのものが病に侵され、自分の行為とその結果を理解できないとされるため、厳密な意味では自殺は「病死」だということになる（北中, 2014, 28）。そのように、病気が理由なら、薬やカウンセリングで治せばいいということになるが、自殺率はそう簡単には下がらないという現状から、「自殺には医学だけで対応できない要因がある」という結論にたどり着く。いわゆる自殺志向をもった人間の意志を決める要素は病理的なもの以外、もしくは病理的な状態に繋がる非生物的な要因があると考えられる。この要因とは一体何だろうか。

まず、日本における自殺の6割がうつ病が原因であるといわれている（Nakao & Takeuchi, 2006）ように、個人の精神的な状況も影響を及ぼしていると考えてよいだろう。また、日本の高い自殺率の背景としては景気が要因だという説明が多い。特に男性の自殺の場合は、失業率との関係が明らかであり、例えば1980年以降、日本における自殺率が他のOECDの国々と比べてはるかに高くなり続けてきた理由は失業や経済的な混乱への否定的認識の影響であるという調査結果がこれまでに出されている（Chen他, 2009; Kuroki, 2010）。一方で、経済的な要素よりも、高い離婚率や低い合計特殊出生率からくる孤独という社会的な要素のほうが（特に女性の場合）自殺率に影響を及ぼしているという学者もいる（Andrés他, 2011; Liu他, 2013）。もちろん、これらの要素が独立しているわけではなく、相互に関連している。

しかしながら、日本の場合、日本の文化、または日本人の国民性が自殺の理由とされることも多い。例えば、韓国と日本における自殺率について言及している2018年3月の記事には「しかし考えてみれば、病気に苦しんでいる人や経済的な悩みを抱えている人は、それこそどこの国にも数多くいるはずだ。にもかかわらず日本と韓国の自殺率が特別に高いのは、少々不自然とさえ言えるかもしれない（略）韓国と日本には、"自殺を許容する文化"がある」[5]という議論がある。このように経済と社会的要素だけでは説明が足りず、文化的要素があるはずという考え方が日本の自殺を論じる場合に非常に多く、たとえこのニュース記事のような意見を聞いたことがなくても、この記事を読んで納得する人は少なくないだろう。確かに、海外のニュースにも（例えば、「日本では自殺にキリスト教的な罪としての意味は存在せず、美化されている行為としてもある」『The Guardian』2010.8.10付[6]）、学術論文にもよく見られる言説なのである。

例えば、日本精神神経学会が英語で刊行している雑誌に次の論文が掲載された。タイトルは「日本における自殺の文化的要素」となっており、日本では協調性が重視されているため、恥をかかされると責任を取る必要があると思われているという。そしてその最も代表的な例は、切腹を選ぶ侍の考え方だという議論をしている（Russel他, 2016）。こちらの記事では文化的要因は経済的、社会的要因の背景に置かれており、自殺と日本文化を結びつける典型的な語り方をしている。

20世紀の新聞記事や学術誌を徹底的に調べ、この「日本＝自殺大国」という言説を分析したディマルコ（Di Marco）という日本研究者は、この言説を批判し、そしてこの言説が次の四つの議論から構成されていると指摘した。①「日本は世界レベルで非常に高い自殺率を占める」、②「日本人は自殺しやすい民族である」、③「日本における自殺のあらゆる側面の裏には歴史のある伝統的パターンが見られる」、④「自殺は日本では独特の現象であるから、その理解は日本人しかできない」（Di Marco, 2016, 2）。統計上では、確かに、他国に比べ、日本における自殺率が高いのは事実である。だが、日本の文化が独特、日本の伝統パターンがずっと変わらないことがその原因である、という説明のしかたは妥当だろうか。本章（特に第2節）ではディマルコの研究を引用しながら、「日本人の自殺の背景に日本文化がある」という言説の問題点について考えてみたい。そして、自殺の背景に日本文化があると議論し続ける人がなぜいるのだろうかを検討したい。

第２節　「日本人の自殺は集団本位的」という言論

「格差社会」や「パラサイト・シングル」（大学を卒業して、就職した後でも、実家で住み、親からの基礎的なサポートを受け続けている独身女性）という概念を作ったとして有名な社会学者の山田昌弘は、生命保険のお金で住宅ローンを返すために自殺をした失業者のサラリーマン[7]という仮想の事例を使って、日本では自殺という行為が論理的行為であり、かつ美徳化されていると、あるアメリカ人の記者に説明している[8]。つまり、日本の文化では集団本位的（利他主義的）自殺が認められているという議論である。これはどういうことだろうか？

自殺論として一番有名であり、あらゆる学問分野における自殺論に影響があったのは19世紀の社会学者のエミール・デュルケームの理論である。下記の図３で可視化されている通り、デュルケームの自殺論の中心は個人ではなく、社会である。つまり、デュルケームの考えでは、人間の行動は社会の規範、組織や分業から決まるものでもある。従って、自殺の主な要因は、心理的でも、生物的でもなく、社会的であるとされた。その結果、社会のタイプによってデュルケームは四つの自殺のタイプを定義した。社会の統合性が高い場合、自殺を「集団本位的」と呼び、統合性が低い場合、「自己本位的

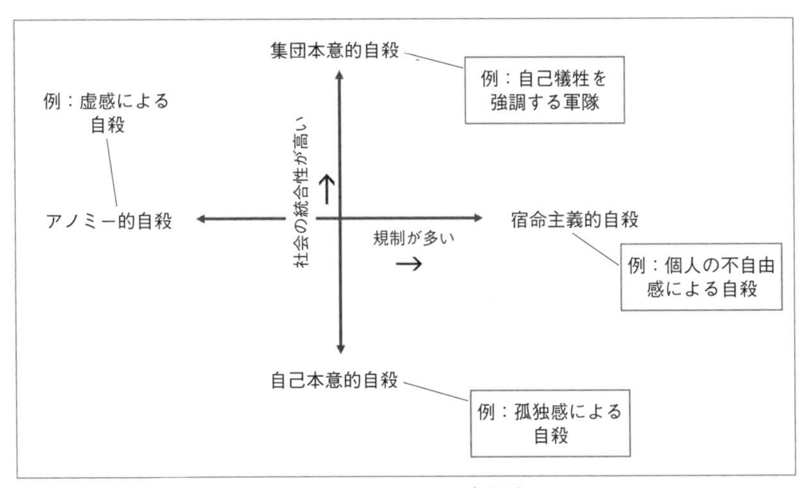

図３　デュルケームの自殺論

自殺」とした。つまり、縦軸は社会における人間同士の関係性の度合いを表しているといえよう。一方、社会の規制が多い場合は、「宿命主義的自殺」が起こりえるとし、社会の規制が少ない場合、「アノミー（無秩序）的自殺」が起こりうるとされた。社会のルールがどの程度があるかが横軸の基準となっているということである（デュルケーム［宮島訳］, 1985, 第 2 編）。この分類化に従えば、日本は統合性が高い国だから、侍や特攻隊のような自殺が起こるとの解釈になる。つまり、日本人は日本社会の統合性のために、自殺する傾向があるという議論につながるのである。だが、それはどういう意味だろうか？　自殺者が自分の「意志」で日本社会の統合性を守るために犠牲となっているということなのか。それとも、その統合性が高い社会に圧倒されて、自殺することしかなかったという意味なのか、という解釈の余地が生じる。そもそも、デュルケームが自殺の意図・目的がどうであれ、自分自身の手で自分の命を絶つという行為をすべて「自殺」と呼んだことが幅広すぎる定義と考えられる。第 1 節でみた精神病を自殺の原因とした場合と同じように、社会、そして特定の文化・伝統を自殺の原因とした場合も、結局、それは自殺者が自分の**意志**で自殺したのではないという結論にたどり着いてしまう。言い替えると、外圧的な状況に追い込まれた人間が自殺した場合、どの程度それが自身の意志による行動だといえるのか、という問題がまた登場するのである。

デュルケームの研究が初めて日本語に訳された 1932 年は、日本では自殺について既にある種の分け方が存在していた。それは個人の意志による自殺＝病理的自殺と、社会的・文化的規範を反映する自殺＝日本の伝統の理想を体現する自殺という 2 パターンであった（Di Marco, 2016, 58）。面白いことに、精神病としての自殺という解釈のほうは「伝統」としての自殺観の出現以前から存在しており、江戸時代にすでに自殺が「乱心」や「狐憑（きつねつき）」の人の行為であるとされていた（北中 , 2014, 第 2 章）。一方、明治以降の精神科医にとっては近代以前の日本社会を代表していたとされた「伝統的」自殺は、①宗教（主に仏教）的目的をもった自殺、②武士道を表す切腹と、③真の愛を表す心中の 3 種類であった（Di Marco, 同上）。その後、明治に入ってからも、ドイツの精神医学が日本で少しずつ定着してくると、自殺は遺伝による精神障がいとして説明されるようになり、薬や身体拘束で治療できると期待されていた。日本の精神医学の父と呼ばれた呉秀三（1865-1932）が書いた「精神病者の自殺症について」（1894年）では、521人の女性と830人の男性のケースの分析をもとに、自殺する可能性が高い人物のタイプはアルコール中毒や不倫などのような反社会的行為をとる者、あるいは身体的障がいをもつ者だと指摘されている。

明治時代後半、新聞や雑誌という業界の発展とともに、日本中の記者が心中や義理堅い男の腹切りなどを、報道すべき事件としてセンセーショナルに取り上げるようになった。例えば、20世紀初頭に活躍した小説家（川上眉山、有島武郎、芥川龍之介）の自殺は日本の独特の美として描写され、西洋の価値観に侵略されてしまった日本社会の「反応」として解説されるようになった（Di Marco, 2016, 33）。ディマルコは次の事例を取り上げている。1903年に16歳の藤村操（ふじむらみさお）が日光の華厳滝から飛び降り自殺を図る前に、近くの木の幹にシェイクスピアなどの有名な西洋の作家から影響を受けた詩を残したという事件が当時の新聞に大きく取り上げられた。そして、その後40件にのぼる模倣自殺を起こしたと指摘する（同上, 36）。藤村は第一高等学校[9]の学生、いわゆるエリート高校生だったということもあり、新聞記者や評論家は藤村の行為を「歴史的な事件」、「哲学的な自殺」や「自己の自由を表した行為」として評価した（同上, 35）。小説家であり早稲田大学教授の坪内逍遙（1859-1935）は、藤村を近代化の無理な抑圧に反対し、自由を選んだ少年として語り、武士道が日本からまだ消えていないという印であると議論した。このように報道関係者や知識人は精神医学や心理学の専門家に反対し、自殺には日本の独特の価値かつ自由行動の結果であると訴えはじめたのである。現在でも似たような

図4　江戸時代における切腹の再現[10]

日本人論的な議論が見られる（第1章を参照）が、その起源は、近代化がもたらした社会変化と日本文化論とを結び付けようとするこの20世紀前後の新聞記者や文化評論家の評論活動に見出すことができるのである。

この社会変化と日本文化論を結びつけるパターンはその後各時代にも見られる。まず、1936年には、戦争への道を開いた二・二六事件の影響を受けた軍関係者の切腹が報道されたが、同年は日本の年間の自殺者数の1回目の頂点の年だったことも忘れてはならない。その後、切腹に関する出版物が相次ぎ、自殺は場合によって国家への忠誠を表す行動として評価されるようになり、それは日本人の「民族性に基く特殊現象」を表していると報道もされた[11]。例えば、自殺した少年のことを伝える1937年の記者は、少年が「病気のため出征できなかったのを悲観して」いたことを強調し、お国に役に立つことができなかったという理由に焦点を当てている[12]。また、戦争中は、特攻隊の決死や「玉砕」と呼ばれた、敵に捕まらないように行われた集団自殺が、愛国心に基づく行為や日本人的責任感と道義心によるものとして見られた[13]。哲学者の井上哲次郎が1941年に出版した『戦陣訓本義』では武士道を改めて強調し、自爆が日本軍隊の特徴的手段として議論されたほどである（1941, 18）。このように、一個人の自殺に公共的役割が与えられるようになり、一個人の自殺には社会的意味だけではなく、政治的（国家的・民族的）な意味が付与された。残された家族や友人等からは理解しがたい自殺という行動には、どんな社会でも、どんな国でも上記のような意味付けがなされるが、戦中の日本ではこれが国民の統一性を再確認するために利用されたわけである。では、戦後はその傾向が変わっただろうか？

戦後になると若者の自殺が目立つようになった。例えば、13～22歳の910人の若者を調査した瀬川与四郎はその34％が「自殺しようと考えたことがある」と報告している（1959, 241）。その若者らが自殺を考えた理由の中で最も多かったのが「親との摩擦」だったことから、瀬川は「青年が戦後の新しい教育の下で育ってきたため」（同上, 251）と、明治時代後半でも使われていた「社会変化」という議論を使った。確かに、1950年代後半に日本の自殺率（10万人に25.7人）が世界一位だった[14]ことを受け、当時の新聞には「若者時代の自殺天国」（『朝日新聞』1956.4.25付）という表現が現れた。しかし、その時は愛国心をめぐる言論は当然ながら見られず、より社会学的な議論を使用した説明が主流となった。例えば、社会心理学者 南 博（みなみひろし）は、「伝統的な日本」でおきた政治的プレッシャーによる戦前の自殺と個人化した戦後日本社会でおきる自殺との違いを指摘した（南 , 1952, 18）。つまり、戦後日本の学者や評論家は自殺の非政治化を試みたのである（Di Marco, 2016, 112）。自殺は伝統的考え方や政治的イデオロギーを持った人がすることではなく、社会的なサポートを失った人の行為であると説明されるようになった。つまり、終戦から数年が経った時期には自殺は社会問題としてより意識されるようになっていた。だが、ここでディマルコが注目している通り、このように戦前と戦後を区別すると、戦前に自ら命を絶った人々の行動の意味を単純化してしまうという恐れがある。果たして、特攻隊の決死は政治的なプレッシャーの結果だけだっただろうか。戦争の責任、または個々の気持ちを過小評価しないように考える必要があるのではないだろうかという懸念である。

さて、個人化している日本社会を強調するようになった戦後日本の評論家の間では、自殺論を巡る議論は、さらに二極化したかのようにみえる。片方は、上記の瀬川が報告した通り、自殺は急激に変化する社会への不適応行為であるというスタンスである。これは 1958 年に国民皆保険が実現したことによる医療制度の充実と大都市への人口集中による核家族化がもたらした「病者の病院への収容化」という現象などから発生した言論である。つまり、急な社会変化は避けられないから、医学の力を借りて、この流動的な社会に不適応の人間を治すことはできるという視点である。一方、『人間失格』の出版とともに心中を図った太宰治（1948 年死亡）の考えを反映したかのように、自殺を人間のもっとも基本的な権利、自由の確保のための行動として訴えた評論家らもいた。これは、まさに、個人化した社会だからこそ個人の権利が尊重されるべきだというスタンスである。

だが、日本における自殺は人種的な行為である（稲岡 , 1959, 100）というような議論が表すように、戦後の自殺論からは、「日本人だから自殺する」という議論がまだ消えていなかった。例えば、心中が改めて美化される死に方として報道されるようになり、1950 年から 1960 年の間に朝日新聞と読売新聞で書かれた記事のうち、年間 250 件が心中を取り上げている（Di Marco, 2016, 118）。このように、評論家は、日本の美的観念、完全な自由の追求だと、心中を再び描写し、一見、戦前の日本人論的議論を繰り返していると見えるが、実は戦争と関係する特攻隊員の死は自分の意志による自殺ではなく、社会的・国家的プレッシャーによる殺人のような事件である（林田, 1951, 165）という議論も見られた。つまり、「日本の伝統的自殺行為」のタイプの中に見分け方が表れるようになり、先述した通り、戦前の「伝統的な」自殺行為が非政治化する試みが戦後まもなくみられるようになる。

そもそも戦後の日本人論の主な参考文献となった『菊と刀』においても、「日本人は自殺というテーマが好きのようである」（Benedict, 1946, 167）という系統の考えが既にあった。実は本節の冒頭に紹介した自殺論でエミール・デュルケームは、18 世紀のキリスト教伝道師の資料を参考にしながら、日本における自殺は集団本位型であり、日本人は自分の腹を切ることが得意であると議論している。ベネディクトもデュルケームも「武士」を代表的な日本人の姿としてとらえていたことがわかる。そして、残念ながら、今でも外国における「日本と自殺」の社会学・人類学的研究が非常に少なく、そのほとんどは 1984 年にフランス語で出版された、同上と同じような見方を示す一冊の本を参考にしている[15]（Picone, 2012, 392）。一方、日本では戦後の日本人論が広まる中で、早くも 1970 年に『切腹論考』で歴史小説家の八切止夫が腹切りを昔「異国人には理解もできなかっただろう」行為として語っている。そして、自殺学者の布施豊正（1931 年〜）のような、自殺を専門的に扱うようになった多くの学者の中では、自殺する日本人の忠誠心の対象が歴史の中で変わっただけだと指摘する。（江戸時代の）大名から（明治〜戦前の）天皇へ、そして（戦後の）経済発展する国家へという順番に変わっただけだというこの議論はじつは日本人論が前提とする日本の歴史的統一性（＝乱れの無い歴史観）が再び強調されているともいえる（Di Marco, 2016, 148-151）。

1970 〜 80 年代の新聞においても自殺に関する日本人論が目立った。例えば、朝日新聞が 1976 年から自殺の社会学という連載をはじめ、若者の自殺に焦点を当てていた。「自殺や心中は、その時の社会情勢と密接な関連があるといわれるが、『高度成長に慣らされ、甘やかされた体質が身についたいま、日本人は、過去の歴史を通じてももっとも死の誘惑にもろくなっている』との学者の意見もある。この " 心中多発社会 " の底に、いつ終わるとも知れぬ不景気や先行きに明るさのない『灰色の時代』が重苦しく流れているようだ」（『朝日新聞』夕刊 1976.1.27 付）。また、日本人論が全般的にピークを迎えた 1980 年代に「自殺」がいかに「日常」を混乱させる「演出」行為なのかという印象を与える報道が次々と登場した。「息子の学校の前でお母さんの自殺」（『朝日新聞』1982.5.5 付）、「スーパーでの自殺」（『朝日新聞』1982.7.1 日付）、「裸でデパートの通路で自殺」（『読売新聞』1982.9.3 付）などである。このようにマスコミにより「自殺」が日本人の独自の行為として象徴化されるようになったことがわかる。その結果、自殺の要因が「日本」という民族・文化・社会と一体化するようになる中で、個人の「こころ」や「精神」の問題よりも、近年、「日本」という存在を“邪魔”するような行為となりつつあると議論できる。この後の第 4 節では線路への飛び込み自殺に対する対応を事例にこの議論をさらに展開したい。

第３節　「日本は自殺大国」という説から排除される、あるいは新しく組み込まれる死者

各時代における自殺論と日本人論の関係を示すいくつかの事例から見えるのは、むしろそれぞれの時代に生きた日本人の不安と希望であるかもしれない。しかし、本教科書の他の章で示されている通り、日本人論を裏付けるようなデータの存在や事例の代表性を常に疑う姿勢が大事である。例えば、自殺行為に見られる「日本人性」や「武士道」を強調した「切腹」に関する議論には、具体的なデータが欠けている。切腹を「自殺」としてみるか、過ちを犯した侍への罰としてみるかすら、そもそもはっきりしない。そのうえ、法律上では切腹が 1663 年に江戸幕府によって禁止されてから、あまり行われなかったという実態もある。また、代表性の視点からの議論では、そもそも江戸時代は「武士」という身分を持った日本人は総人口の数パーセントにすぎず[16]、武士社会に理想とされていたとされる「価値観」を日本人全体の価値観にしてしまうことは妥当ではない。

一方、もっと重要なのは「日本的自殺」という議論が無視する自殺者のことである。いわゆる、「日本＝自殺大国」という言説は「日本人の大人の男の自殺」を中心に語られてきたものであるといえる。武士道や国への忠誠、また近代化による混乱という 20 世紀に見られる日本における自殺の要因と

して語られた議論には女性や同性愛者の自殺が含まれていないようである。むしろ、これらの自殺の場合、文化的要因よりも、個人的（精神的、性格的など）な要因や社会的不適応のほうが強調される傾向が見られる。例えば、ディマルコによると、女性の自殺を扱った新聞記事のうち、1900年から45年までを確認すると、その多くは「病弱」という言葉を使っており、これらの女性が「精神錯乱」あるいは「人生がつまらない」という理由で身を殺してしまったという説明がされている（Di Marco, 2016, 72-73）。また、戦後27年間の間に新聞で報道された心中の535件と情死の638件を分析した、越永重四郎と高橋重宏は母子心中を次のように説明している。「文化的には、主体性（アイデンティティ）を確立せず、共生共死の関係に埋没し、生活してきた母親のアイデンティティの病理の一つの極として、母子心中を考えることができる」と議論した（1974, 60）。同性愛の自殺の場合は、戦前は特にお見合い結婚に反対し、自殺する同性愛カップルの心中が自殺者の反社会的行為や育った環境の不適切さを理由にされることが多かった（Robertson, 1999）。母子心中に対する上記の議論を合わせて考えると、いわゆる「良妻賢母」というイメージに適応しない自殺はその人の個人的な問題とされる傾向があったのである。

一方、本章でみてきた日本人論的自殺論は、1980年以降注目をあび続けてきたいじめ自殺の場合にもみられるようになった。警視庁によると、2017年中は357人の小学（11人）・中学（108人）・高校（238人）生が自殺した[17]。この数値は21世紀に入って、増える一方（2001年の数値は287人）であり、いじめに限らず学校問題が原因だと明確に分かるのはその（平成25年を例に）40％程度だといえる[18]。だが、2018年に報道されたように[19]、遺族が事実と異なった原因（病死・事故死など）で学校に死亡のことを説明しているケースが多いため、小中高校生の自殺の3割程度は学校が死亡原因を把握できていないという状況が生じている。また、学校や教育委員会の隠蔽体質の問題も報道されている[20]。その中で、国内外でいじめの文化的背景を次のように説明される傾向がみられる。「日本の学校は、問題を解決するよりも和を重んじることを優先するようです」（イギリス人のジャーナリスト、デイヴィッド・マクニール[21]）、「自罰性が比較的強いうえに、日本でのいじめはほとんどが仲間内で起こるので、守り合うべき関係の中で攻撃されると、さらに自己の内部が強いダメージを受けると考えられる」（社会心理学者、NPO法人学芸大こども未来研究所理事の杉森伸吉准教授[22]）。やはり、「日本だから……」という物語は終わらないようである。

第4節　日本人論と「巻き添え被害」としての自殺

1990年代以降、線路への飛び込み自殺を報道する新聞記事が使う表現には大きな変化が見られた。それは日本国有鉄道の民営化とともに使われるようになった「人身（障がい）事故」という言い方が「飛び込み自殺」という表現の代役になったことである。表現の変更とともに、報道の仕方にも大きな変化があったと人類学者のフィッシュが説明する（Fisch, 2013, 329-330）。以前は「飛び込み自殺」があった際、その自殺者の精神的状況や飛び込む理由を含めて報道していた記者が、「人身事故」と扱うようになり、「事故」はいかに電車の遅れやJR利用者に迷惑をかけてしまったかを強調するようになったのである。つまり、電車の乗客定数を常に超えている東京の電車ネットワークにとっては、ラッシュアワーの際は特に、「自殺」はある意味で非正常的な状態の中の非正常事件であり、ダイヤの乱れを起こす出来事なのだ。また同時に、それは**非正常な状態であるからこそ発生してもおかしくない**ことでもあるといえる。満員電車に乗り込もうとする人、次の電車を待っている人であふれるプラットフォーム、毎日この「精一杯」な状態を電車の中だけではなく、職場でも感じる人は少なくない。社会が何らかの生命体のように全力で発展・成長しているかのようにみえているのではないだろうか。その中で、社会に適合できない人（細胞）を排除する（捨て去る）、という見方もある。悲観的で、極端な見方ではあるが、この状態の中では「自殺」は「巻き添え」被害としてとらえてもおかしくないかもしれない。

実は、この見方の根本には社会が生命体に例えられた「創発する社会」という議論にあたる見方でもある。「創発（emergence）」とは1970年代以降、情報工学をはじめ、あらゆる分野で使われるようになった概念である。つまり、生命体のように、社会がその各構成要素が果たす役割以上の全体的な役割をもち、予測できない動きも見せることはあるという考え方である（Cooper, 2008を参照[23]）。故に、社会的変化を創発的に捉えた観点からすると、その理由が理解しがたい現象（＝「自殺」）は想定内（＝「巻き添え」）被害として生じるという可能性が認められざるをえないのである。

だが、1990年代に自殺に関するもう一つの大きな認識の変化が起きた。それは不況や過酷な労働時間による「過労自殺」が社会問題として認識されるようになり、やがて2008年のリーマンショックの影響もうけ、イタリアやフランス、世界各地でも過労自殺が起きるようになった。つまり、それまで社会・文化全体の視点から自殺を説明しようとしてきた日本をはじめ、少しずつほかの国でも、自殺は病者の行為ではなく、現代社会がもたらしたあらゆるプレッシャーの結果であるという生物的かつ社会学的要因による行為だという認識がなされるようになったのである（北中, 2014, 213）。その認識と同時に精神医学的な解説の仕方が急に広まるようになった。その理由は医療人類学者の北中淳子が説明している通り、1990年代末からうつ病に関する理解が高まると、日本でも新世代抗うつ薬が用いられるようになり、うつ病が比較的に治療しやすくなってきた中で、自殺との関連を語ることもより安易になったということである（北中, 2014, 201）。つまり、ある意味でストレス⟶うつ病⟶自殺という単純化された、医療の目からみた「自殺」の解釈ができてしまったわけである。

図5　列車がお客様と接触したことを知らせるJRの案内板[24]

上記の認識変化の結果により、2006年に「自殺対策基本法」が制定され、過労死をはじめ、自殺と生活リズムの関連性に焦点が当たるようになったおかげで、自殺者数が減少してきているという現状は無視できない。また、政府は、職場における精神障がいの急増を受け、2014年に50人以上の労働者をもつ会社は定期的にストレスチェックを行う義務があるとする法律まで制定した。労働者の精神状態を監視・管理することが必要とされる中、ストレスに耐えられる人が目立つようになったり、ストレスに強くなる方法を勧める人などが増えたりするようになってくることは間違いない。ストレスだけが自殺の原因だということはあり得ないとしても、創発的社会では全体を管理することが常識となってしまい、個々のケースについて構う余裕はないようである。

だが、第1節で示した通り、不況や社会の劇的な変化によるストレスが原因となる自殺の解釈は、今でもたまに見られる「文化的」、いわゆる日本人論的な解釈とどう関連しているだろうか？　今までの議論を振り返りながら、最後にもう一度考えてみよう。

この章の冒頭でも述べたが、われわれは、豊かな社会で生活している人々は自殺する理由がないという思い込みを持っているかもしれない。自殺は先進国特有の問題では決してないが、豊かに見えると、より理解しづらいように見える問題ではある。その理解への扉を開いたのは間違いなく、第2節の冒頭で紹介したデュルケームの自殺論である。その中で、社会を4つのタイプに分けたデュルケームが日本における自殺は集団本位的であると結論付けた。自殺の要因は個体に求めるのではなく、全体に求めるべきだという考え方は「日本人」という国民性が成立する近代化の中では、ある意味で、便利な解説の仕方であるといえる。つまり、高い自殺率は他の社会と比べて、日本社会の特徴を定義するための手がかりの一つとなった。そして、第二次世界大戦中と戦後の高度経済成長中にも国の方針のために使われた、武士道の倫理観を表すと安易にされた特攻隊やサラリーマンが経済のために犠牲になる傾向というような議論が見られるようになった。

第1節と第2節でも議論した通り、日本文化の関連で議論しても、日本の社会的変化の関連で議論しても、結局日本における自殺の背景にはまず、国や社会全体の現状があるという考え方は今でも変わっていない。言い換えると、「日本＝自殺大国」という表現を通して日本の同質性を強調する姿勢も見てとれる。ただ、その一体化から排除される者は常におり、それは女性と若者、そして同性愛者、外国人などである。これは日本人論の対象となっているほかの領域でも（第1章を参照）起きる問題でもある。悲観的な考え方として、自殺に関する社会全体の特徴をとらえた議論をみると、社会の問題なのか、精神的病理の問題なのかというよりも、創発する社会の発展、すなわち本章では日本という生命体が生き続けるために、自殺という想定内の「被害」をどのように説明すればいいかという問題にみえる、という残酷な考え方もあるかもしれない。

注

1 警察庁の数字である。同年の厚生労働省の統計では32,109人だが、それは外国籍の人が含まれていないためである。厚生労働省の統計では、2000年代のピークは2007年（33,093人）となっている。

2 「第1表 総死亡数・死亡率（人口10万対）・自殺死亡数・死亡率（人口10万対）の年次推移」https://www.mhlw.go.jp/toukei/saikin/hw/jinkou/tokusyu/suicide04/index.html（2019年9月17日閲覧）。

3 http://www.who.int/mental_health/prevention/suicide/suicideprevent/en/（2018年9月3日閲覧）。参考までに、世界自殺率が一番低い国はカリブ海のバルバドス（183位、10万人に0.4人）である。

4 WHOのデータを使って、著者が計算した。2018年にOECDに新しく加入したリトアニアも含む。

5 「"自殺大国"の汚名返上へ……韓国自殺予防協会に聞く、韓国の自殺防止対策と日韓の共通点（後編）」https://news.yahoo.co.jp/byline/shinmukoeng/20180314-00082444/ （2019年9月17日閲覧）。

6 「Japan: ending the culture of the 'honourable' suicide」『The Guardian』2010.8.3日付 https://www.theguardian.com/commentisfree/2010/aug/03/japan-honourable-suicide-rate （2019年9月17日閲覧）

7 ピューリッツァー賞を受賞した作品、アーサー・ミラーによる1949年の『セールスマンの死』の主人公は家族のために生命保険を使いたいため、自殺することになるという残酷な結末にいたる。1940年代のアメリカ社会の批判として解釈されたミラーの戯曲をみると、このような行為は日本特有のものではないとわかる。

8 「Suicide epidemic grips Japan」『USA Today』2008.7.20日付 https://usatoday30.usatoday.com/news/world/2008-07-20-japan-suicides_N.htm（2018年9月6日閲覧）。

9 ちなみに、第一高等学校（中学校）医学部の「名前」は、1887年から1901年に存在したので、藤村の時はすでに「官立千葉医学専門学校」になっていた。

10 J. M. W. Silverの『Sketches of Japanese Manners and Customs』（1867）から引用 http://www.gutenberg.org/files/13051/13051-h/13051-h.htm#page26 （2019年9月17日閲覧）

11 「［社説］国家的不幸の一つ　自殺心中の頻出」『読売新聞』1936.4.21付。

12 「宮城前で自決　お国の役に立たぬを悲観」『読売新聞』1937.9.2付。

13 例えば、和田克徳（1943）『切腹』青葉書房、265, 278頁。

14 https://ourworldindata.org/suicide を参照（2018年9月15日閲覧）。

15　この本は Maurice Pinguet, *La mort volontaire au Japon* ［日本における意志的な死］(1984, Gallimard) である。日本語訳は『自死の日本史』竹内信夫訳、筑摩書房 1986／ちくま学芸文庫 1992／講談社学術文庫 2011 を参考。

16　関山直太郎（1958）『近世日本の人口構造』吉川弘文館。

17　平成 29 年中における自殺の状況資料　https://www.npa.go.jp/safetylife/seianki/jisatsu/H29/H29_jisatsunojoukyou_01.pdf　(2019 年 1 月 14 日閲覧)。

18　文部科学省の児童生徒の自殺予防に関する調査研究協力者会議作成資料（平成 26 年 7 月 1 日）「子供の自殺等の実態分析」http://www.mext.go.jp/component/b_menu/shingi/toushin/__icsFiles/afieldfile/2014/09/10/1351886_05.pdf　(2019 年 1 月 14 日閲覧)。

19　2013 年に「いじめ防止対策推進法」(いじめ防止法）が施行されて 4 年間の調査を紹介している記事を参考にした。「文科省調査 自殺の 3 割、学校把握できず死亡原因など」『毎日新聞』(2018 年 11 月 23 日閲覧)。

20　「仙台中 2 自殺　現場の隠蔽体質浮き彫り　体罰見抜けず『市教委、何を確認』 宮城」『産経ニュース』2017.5.20 付、https://www.sankei.com/region/news/170520/rgn1705200047-n1.html (2019 年 9 月 17 日閲覧)。

21　「いじめによる悲劇はなぜ繰り返される？　外国人記者が問題視する日本の『文化的背景』」『週プレニュース』2017.6.23 付、https://wpb.shueisha.co.jp/news/society/2017/06/23/86895/ (2019 年 9 月 17 日閲覧)。

22　「『日本型』いじめの構造を考える」『nippon.com』2012.10.24 付、https://www.nippon.com/ja/currents/d00054/ (2019 年 9 月 17 日閲覧)。

23　日本では社会自体はすでに創発的な「生命体」であるような議論があまりみられない。むしろ、「創発」という概念が動詞（創発させる）として議論されており、それはよりいい社会、または特により活発的なコミュニティを作るためにどのような創発的な状況が必要であるかという視点が一番多い。「新しいイデアの創発」や「過疎化地域の創発」などが日本の学界でみられる典型的なアプローチの例えである（國領編 , 2006 を参照されたい)。

24　2017 年 11 月 1 日に飛び込み自殺のイメージが強かった「人身事故」という表現の代わりに、JR 西日本が「列車がお客様と接触」と言い替えるようにしたようである。マッハ・キショ松「JR 西日本、『人身事故』を『列車がお客様と接触』に言い換え　飛び込み自殺のイメージが強過ぎる表現のため」2017.11.6 付、https://nlab.itmedia.co.jp/nl/articles/1711/06/news081.html　(2019 年 9 月 17 日閲覧)。

【参考文献】

Andrés, A. R., Hallicioglu, F., Yamamura, E. (2011) "Socio-economic Determinants of Suicide in Japan." *The Journal of Socio-Economics* 40, 723-731.

Chen, J., Choi, Y.J., Sawada, Y. (2009) "How is Suicide Different in Japan?" *Japan and the World Economy* 21, 140-150.

Cooper, M. (2008). *Life as Surplus: Biotechnology and Capitalism in the Neoliberal Era*, Seattle: University of Chicago Press.

Di Marco, F. (2016). *Suicide in Twentieth-Century Japan*, London: Routledge.

デュルケーム , E. 著、宮島喬訳（1985）『自殺論』中央公論社.

Fisch, Michael. 2013. "Tokyo's Commuter Train Suicides and the Society of Emergence." *Cultural Anthropology* 28 (2), 320-343.

林田茂雄（1957）『自殺論――自殺は人間の最期の自由である』三一新書.

稲岡順雄（1959）「日本における宗教と自殺の問題」『禪學研究』49, 92-109.

北中淳子（2014）『うつの医療人類学』日本評論社.

國領二郎編（2006）『創発する社会』日経 BP コンサルティング.

越永重四郎・高橋重宏（1974）「情死と親子心中」田多井吉之介・加藤正明編『日本の自殺を考える』医学書院 , 29-61.

Kuroki, M. (2010) "Suicide and Unemployment in Japan: Evidence from Municipal Level Suicide Rates and Age-specific Suicide Rates." *The Journal of Socio-Economics* 39, 683-691.

Liu, Y., Zhang, Y., Cho, Y.T., Obayashi, Y., Arai, A., Tamashiro, H. (2013) "Gender Differences of Suicide in Japan, 1947-2010. " *Journal of Affective Disorders* 151, 325-330.

南博（1952）『生きる不安の分析――自殺への誘惑は避けられないものだろうか』光文社.

Nakao, M., Takeuchi, T. (2006) "The Suicide Epidemic in Japan and Strategies of Depression Screening for its Prevention." *The Bulletin of the World Health Organization* 84, 492-493.

Picone, M. (2012). "Suicide and the Afterlife: Popular Religion and the Standardisation of 'Culture' in Japan." *Culture, Medicine & Psychiatry* 36, 391-408.

Robertson, J. (1999). "Dying to Tell: Sexuality and Suicide in Imperial Japan." *Signs* 25 (1), 1-35.

Russel, R., Metraux, D., and Tohen, M. (2017). "Cultural Influences on Suicide in Japan." *Psychiatry and Clinical Neurosciences Frontier Review* 71, 2-5.

瀬川与四郎（1959）「自殺に対する青年の態度」『岩手大学学芸学部研究年報』15（１）, 239-251.

第3章

日本の歴史には正しい見方があるのか

ビオンティーノ・ユリアン

第1節　歴史に対するステレオタイプを考える

日本における日本史と世界史の授業は、「暗記科目」「覚えるべき内容が多すぎる」というイメージが強く、「学生に人気がない」と言われる。確かにこれまで、日本における歴史の授業は教科書を絶対化し、試験でプロデュースしやすい「正解」を求める科目とされてきた。そのため、日本では「よい教科書」を作ることが歴史教育の第一課題と見なされ、「よい教師」の育成や「よい授業」のあり方、つまり、最大の知識・スキルを最短の時間で学べる授業については力を入れてこなかった（君島, 1996; 桃木, 2019）。このような経緯から、日本の歴史教育においては、教科書のあるべき姿についての研究や議論は進んでいる反面、「教師」や「授業」についての研究や議論はそれほど進んでいない点が多くの研究者によって指摘されている（中村, 1995; 佐藤, 2004; 今野, 2009/2014; 小嶋, 2014）。

文部科学省は、教育改革の一環として「歴史総合」という高校必須科目を新設し、これにより新しい歴史教育が2022年から開始される予定である。それは自国史（日本史）と世界史に分かれた歴史教育の終焉をも意味するといわれる（『毎日新聞』2018.2.14付）。この改革は、文部科学省という「上から」の改革である反面、ある意味では「下から」の「革命」でもある。なぜなら、教育現場の多くの教師にとって、「暗記科目」と悪評高い歴史授業にアクティブ・ラーニングを取り入れ、「面白い」科目へと変えていくことは長年の念願であり、歴史学者もこれを要求したからである[1]。従来の授業で行われてきた、史実と人物についての暗記型学習は封印され、これからの「歴史総合」ではグループディスカッションなどの討論や史料の分析などを学生自身が行うような授業になる予定である。もちろん、激変とも言えるこのようなアクティブ・ラーニング型の「歴史総合」の新設に対して教育現場や歴史教育学界から反対の声がないわけではない。しかし、例えばアクティブ・ラーニングを取り入れた歴史授業をすでに長年続けてきたドイツの歴史教育を例に考えると、授業の場で学生に歴史に関する知識やコンテンツを与えて歴史的思考力を育成し、史料学習によって学生の情報収集・分析・整理へのスキルを育成することは、決して無駄なことではなく、有意義、有益なものであるとも言える（川手, 2017; 原田, 2017）[2]。

この「歴史総合」による歴史教育の改革により、教師・教科書から歴史の「正解」を学習し、客観的・道徳的に歴史を判断して価値観を形成することよりも、今後はどの立論・論調に納得できるのか、どの根拠によって何が見えるのかを学習者が自ら把握していく過程が重視される授業になる。歴史学の様々な方法論が歴史の授業に取り入れられ、このことは学習者の歴史的コンテンツへの誤った解釈を防ぐための道具にもなる。学問としての歴史である歴史学は、簡潔に言うと過去を整理、分析、解釈することによって過去に「意味」を付与し、その出来事を「歴史にする」という作業である。そしてこのように「歴史にした」過去からよりよい未来を作るための教訓が産出されうるし、されるべきである。このように考えると、歴史学の方法論を学ぶ者は史料の選択が「客観性」に影響すること、史料の扱いによってある程度「客観性」を保つことができても、結局それを求めるのは歴史学の第一課題ではないことを理解しなければならない（須田, 2017, 5-10）。つまり、歴史学と同様に、歴史の授業には「唯一の正解」や「正しい見解」があるのではなく、史料を踏まえた上で「ありうる」答えや「説得力のある」答えが要求されるのである。

しかし、日本の歴史学自体は「自国史」「東洋史」「西洋史」に分けるのが一般的で、その学問としての限界は、いまだに「日本史」と「世界史」に分かれている歴史教育とも関係している。こうした歴史学、歴史教育の区分は、歴史をどう解釈するかに影響を与えるし、教科書を執筆する歴史学者の歴史観が歴史の授業に投影されることにもなる。その結果、歴史の授業で生徒に「正しい」と教えられるコンテンツは、その叙述がワンパターンになりがちである。

本章ではその現象を確認するために、日本近代史を取り上げる。日本近代史の始まりはどこまで遡れるのだろうか。ペリーの到来や幕末期から語り始める必要はあるが、近代日本の本格的な出発点は言うまでもなく1868年の明治維新である。ある歴史的出来事の「X周年」になるたびに、その出来事や時代に対する研究が盛んになり、再解釈が行われる。2004～05年の日露戦争100周年も2018年の明治維新150周年も例外ではなかった。2018年には1968年の100周年時と同様に、明治維新を「サクセスストーリー」としてのみ捉える語り方に問題があるとの指摘が歴史学者によってなされたが、その一方、多くの歴史家と大衆メディアは明治維新の「サクセスストーリー」としての評価をした。明治日本は隣国の中国や朝鮮よりもスムーズに近代化ができ、西洋から学んだ近代的技術を取り入れて、朝鮮を開国させ、中国の清朝やロシアに対する戦争により西洋列強と同盟を結んで、近代国家の形成を成し遂げたというような認識は、特に司馬遼太郎の小説によって日本の大衆に浸透したものと考える研究者もいるほどである（成田他, 2018, 20-47）。

しかし、その「サクセスストーリー」には裏の側面もある。教育の場では明治日本を理解するのに日清戦争と日露戦争が欠かせない要素として認められているのは確かであるが、学問の場では日清戦争を東洋史の領域に入れることに異論はないものの、日露戦争は西洋史にも東洋史にも区分し難い。それはロシアの地理的位置のためだけではなく、日露戦争の背景に列強の干渉が強かったためでもある。前述した通り、歴史学の学問的区分によって、日本史の授業では日清・日露戦争が日本にどのような影響を与えたかが取り扱われるのに対し、世界史の授業では、両戦争はさほど重要視されないか、日本史の授業で取り上げられるため比重が軽くなる。しかし、これからの「歴史総合」では、このような偏った取り上げ方はなくなり、明治時代に行われた帝国化がいかに大きな犠牲を伴ったか、日本の近代化の過程で初めて行われた近代的、対外的戦争であった日清・日露戦争がいかに人道を犯す側面を持っていたか、日本以外でこれらの戦争がどのように捉えられていたか、などの点がこれ以上見逃されることはなくなるだろう。2004～05年に日露戦争が100周年を迎えた際も、この戦争の研究史が問われ、その性格について改めて議論された。それは主に米国人、日本人、ロシア人研究者による共同研究の成果である *The Russo-Japanese War in Global Perspective. World War Zero.*（Wolf 他, 2005-2007）によって確認できる。この研究では、日露戦争はWorld War Zero（第0次世界大戦）ともいうべきグローバルな規模（global dimension）をもった戦争であったという日露戦争像が強調されており、このような研究成果も歴史教育の場に映し出す必要があるだろう。一方、日清戦争の意味については日露戦争と合わせて対照的に議論されることが多い。つまり、世界的な戦争であった日露戦争に対し、日清戦争は「文明的な明治日本」と「野蛮な清国」との戦いであったとの理解が固定的で、それを超える分析が少ない（大谷, 2014）。

本章では明治時代を「サクセスストーリー」としてではなく、多角的な視野によってより客観的に理解するために、日清戦争・日露戦争をケース・スタディーにして、歴史学の中の両戦争に対するステレオタイプとともに、その戦争によって歴史的に発生してしまったステレオタイプについて指摘・考察していきたい。

第2節　日清戦争・日露戦争とその歴史認識

現代の日清戦争と日露戦争についての歴史認識・集団的記憶は、もっぱら歴史教育と歴史のメディアコンテンツである小説や映画、つまりエンタメ・ポピュラーカルチャーにより形成されたものである。歴史の教科書の中では、明治時代が平均40頁を占めているが、日清戦争・日露戦争に関する記述はそれぞれ平均2頁ずつで、写真が多く解説文が少ない（東京書籍の『日本史A』『高校日本史A+B』）。学習者に日本史に対する誇りを育成することを目標として歴史修正主義者が執筆した『新しい歴史教科書』も量的には例外ではないが、内容としてはとくに日露戦争が「大成功」として語られている。エンタメ・娯楽の分野では、司馬遼太郎の『坂の上の雲』とその作品の映画化・ドラマ化の影響が大きいであろうが、その他にも『明治天皇と日露大戦争』（1957年）や『二百三高地』（1980年）などの映画もその時代に注目を集めた。また、日清・日露戦争の歴史を紹介する一般向けの書籍や雑誌も数多くある。

歴史教育によって得られる日清・日露戦争に対する共通の知識はおおざっぱにいえば次の通りである。まず学習指導要領における記述であるが、平成21年告示の高等学校学習指導要領では、日清・日露戦争については「国際関係の推移と立憲国家の展開」(文部科学省 a, 2009, 25) という側面が強調されていた。しかし、当該の指導要領の解説版においては「日本に関しては、日清戦争、日露戦争がこのような世界情勢の中で行われたことに着目させるとともに、この時期に近代産業が成立し、不平等条約の改正に成功したことにも触れる」という「成功」へと繋がる解釈が明記されている (文部科学省 b, 2009, 21)。そして、教科書では次のような解説が行われている。米国により開国された日本では明治維新が起こり、日本は開国当時に結んだ「不平等条約」による不利益な近代的国際関係を修正する課題に取り組み、朝鮮の開国を成し遂げた。それによって、清国と日本は朝鮮での権利を巡って競争関係になり、それは両国の間に結ばれた天津条約により一時解決されたが、朝鮮の内乱 (→甲午農民戦争／東学農民革命[3]) のため朝鮮王が清国に軍隊派遣を依頼した。それに応じた清国は日本に天津条約違反と訴えられ、日本が戦争行為を開始した。日本軍は早く旅順 (Port Arthur) を攻略し、北京への道を開いた時、中国は終戦を求めたが日本は列強の指摘があるまで戦争行為を続けた。結局は伊藤博文と李鴻章の間で結ばれた下関条約で戦争が終わるのだが、後にフランス、ドイツ、ロシアは下関条約で中国に厳しい要求をした日本に対し、その要求を和らげるように指摘した (三国干渉)。

このような解説から分かるように、当時、西洋列強の深い関わりがある中で、世界中の日本や中国に対するイメージは著しく変化し、西洋における東アジア全般についての認知度が向上したのであるが、これらの点が歴史の教科書で明示的に述べられることはなく、現在の授業で明治日本の帝国化が問われることはほとんどない。日本は日清戦争の戦利品として清国から台湾を譲られ、これを日本の支配下に置くことによって帝国化への道を歩み始めた。(日本史 A, 76-77)

日清戦争後、清国はそれ以上の日本の影響を防ぐために旅順をロシアに租借地として譲り、朝鮮では高宗王と朝鮮王后 (閔妃) がロシアに近い政治を選んだため、ロシアと日本の間では朝鮮への影響力を巡る競争がいっそう激しくなっていく。日本の浪人が朝鮮の王宮に入り閔妃が暗殺された後、高宗王とその息子はロシアの公使館で亡命生活を送るようになり、ロシアの影響力はさらに強くなったといえる。朝鮮半島での権利・影響力の他に、満州地方での権利についても日露両国の葛藤があり、日本は結局1904年2月に旅順を攻撃することで戦争を開始した。日清戦争で戦場となった朝鮮半島と満州地方は日露戦争でも再び戦場となった。日清戦争では日本軍が旅順を一早く支配したのに対し、日露戦争の場合は旅順の包囲戦が持久戦となり、戦争の性格は変わっていた。消耗戦として続いた日露戦争は結局米国の介入によってポーツマス条約[4]で終戦となった。日本はこのような形で一応「勝利」したが、日清戦争ほど得るものはなかった。そのため、日本の大衆がこの平和条約について抱いた不満は、日比谷焼き打ち事件という東京を大混乱させる事件を起こした。その一方で9月に終戦を迎えた直後の11月、日本は朝鮮を保護国にし、日本の朝鮮での権利はロシアをはじめ列強に認められた（高校日本史A, 88-89, 96-97）。

歴史の授業で得る日清・日露戦争の共通認識とは以上のような内容であるが、日本が帝国化するという歴史的現象の中で、日露戦争をいわば「大勝利」として語るだけでは、民衆の不満を解消できなかったことについての認識が足りないと言えよう[5]。

歴史小説やそれを映画化・ドラマ化した作品では、日清戦争は「華夷秩序」と呼ばれた前近代的システムにおいて、明治日本がどうしても無視できなかった中国に対する「勝利」として理解され、日露戦争は「黄色人」による「白色人」に対する「勝利」として見なされるのが一般的であろう。例えば、歴史小説作家司馬遼太郎（1923～96年）の『坂の上の雲』などはNHKの特別ドラマにもなり、いわゆる「司馬遼太郎史観」は、その時代の大衆の認識・イメージに影響を及ぼすようになった。司馬遼太郎史観の特徴としては、日清・日露戦争とその後に起きた戦争、特に第二次世界大戦とを比較し、前者を「よい性格」「明るい戦争」とし、後者を「くらい戦争」としたように、日清・日露戦争を美化した点が指摘できる（成田, 2003）。映画やドラマはもっぱら日本の視点が取られているため、「外から」の日本観はテーマになりにくいのは当然である。このように日清・日露戦争は、明治日本を列強に押し上げた「栄光の戦争」としてロマン化を遂げた。しかしそこでの偏った見解と、歴史の授業で両戦争の取り扱いに十分な時間が取られていないことから、戦争の問題点や人道に反する性格は背景に押しやられる。このような状況で「戦争とは何か」について十分に考えたこともないまま学習者が第一次世界大戦と第二次世界大戦について学んでいくことは、問題視しなければならない。それまで世界が知らなかった激しい戦いとなった第一次世界大戦は、日本では当時の総理大臣大隈重信に「天佑」と呼ばれたほど利益をもたらした戦争として理解されてきた。ドイツ帝国からドイツ租借地であった青島を取り、日本は「勝利者」として唯一の「黄色人」国家としてパリ講和会議に参加できた。そのため、この戦争は日露戦争の延長戦として語りやすく、もう一つの「栄光の戦争」としての叙述が少なくないのである（Sprotte, 2005, 108-111）。

日清・日露戦争がどう描かれ、どう理解され、どうイメージ化されたかについて究明すると、戦争自体が人間個人にとって、社会にとって何を意味しているのかが理解できるようになるはずである。筆者の考えによれば両戦争の歴史像には主に三つの問題点がある。一つ目は戦争の残酷さの忘却である。当時、日露戦争に対する反対の声が少なくなかったことは、例えば与謝野晶子の詩である「君死にたまふことなかれ[6]」で確認できるし、大衆の不満は日比谷焼き打ち事件で明らかである。戦争の暴力性や人道に反する行為としての戦争の捉え方は特に教科書にはほとんど現れない上、映画などで賛美的に描かれる場合が多く、兵士の死ぬ姿など戦争の残酷な面は見せない場合も多い。戦争の暴力性・残虐性を教育の場から除き、歴史を舞台にする映画やドラマでも表現しないとなると、学習者・鑑賞者には近代戦争の暴力性・残虐性対する認識は育成されないことになる。つまり、このテーマも歴史教育には不可欠であるが、全ての歴史教科書にこの分野の内容が含まれているわけでない[7]。戦争ではだれかが「勝利」し、だれかが「敗北」するという二分論ではなく、ドイツの歴史教育のように「戦争＝勝利者がいない」というスタンス、つまり戦争とは数多くの無意味な死をもたらすものという教えが教育の場に欠かすことのできない要素である。そして、これが平和への尊重感の育成のほか、戦争でなくなった祖先・国民への同感を招くものであろうと考える（川喜田, 2005）。二つ目の問題点は人種差別に関する忘却であり、三つ目の問題点はそれに伴う日清・日露両戦争、特に日清戦争の国際性の失念である。つまり、日露戦争を「黄色人」の「勝利」として認識してしまう結果、それに比較して日清戦争は三国干渉を除いてグローバルなインパクトが少なかったことが示唆されているのである。しかし、筆者はでそれを謬説であると結論づけ、日清戦争こそ国際的に注目を浴びたことを立証した(Biontino, 2016)。その内容を簡単に整理すれば次の通りである。「下関条約」と「ポーツマス条約」は名称に両方地名が使われ、前者は「日本で締結」され、後者は「米国で締結」されたとして位置付けされやすいが、それ以上の細かいポイントは見逃されがちである。例えば、下関条約のための講和会議の段階では中国がとりあえずドイツ人を交渉エージェントとして日本に送ったが、伊藤博文らは清国人と講和会議ができない限りする価値がないとした。三国干渉に至る過程で、その東洋での戦争に対する西洋での認識を授業で扱うことは学習指導要領に明記されているのに、それは教科書に十分に反映されていない上、その歴史を取り扱う漫画・ゲーム・映画などでも「西洋の認識」は対象にならない。つまり、日清戦争と日露戦争を例にしたら、歴史の中でいかにステレオタイプが生まれ、それはいかにプロパガンダ的な機能を果たしたのかについて容易に確認できるのに、まったくそうされていない。ただ、「蔑視があった」という形で済ませることになるが、西洋の史料から見ると、中国と日本の性格・特徴や朝鮮に対する関心も決して少なくはなかった。つまり、全てを「黄色人」として理解するのではなく、日本、中国、朝鮮とその国民の特徴を探る記事なども多かったのである。

このように、「外から」見た日清・日露戦争についての知識を加えることで、日本の相対化が可能になる。日本人自体は近代国家での「勝利」によって列強に等しい国としての理解が生じただけでなく、「怖がられる」対象になった側面もあった。しかし、次の節で説明するように、再び「野蛮化」されたことなどが両戦争で確認できる。

第3節　日清戦争・日露戦争の国際性を探求する

ここでは、歴史の授業で資料を用い、教科書で紹介している「ストーリー」を再検討する方法を紹介するために日清戦争と日露戦争を取り上げる。両戦争は「外から」どう観られていたか、そしてその「グローバルなインパク

資料1　日清戦争での日本の勝利を示す風刺画
（『Punch』107号, 1894年9月29日）

ト」を考える時に、当時の風刺画は明確なヒントを提供してくれる[8]。

最初の資料は、『パンチ』という風刺雑誌[9]の日本版とイギリス版からの例である。資料1の風刺画から、大国であった中国が小さい侍である日本に負けたことが、当時の大衆にとって意味深いことであったことが確認できる。巨人として描かれている中国の鈍重さ、小さい侍に比べて敏速に動けないことも目立つ。侍の姿や伝統的な武器が示す通り、前近代的なイメージが強調されているが、実際はそうでないことは以下に紹介する資料で確認できる。ただし、「小さい日本」が「大きい中国」を倒したことは明確である。

資料2　頭が痛いロシア皇帝　風刺画
（『Punch』128号, 1905年1月4日）

右の資料2ではロシア皇帝が砂時計を観ながら頭を抱えている。「The Sands are running out/The Tzardom was badly shaken by its war with Japan」と説明もあるが、全体的なイメージは戦争が始まったことを示唆した上で、この戦争が消耗戦争であったことも示す。風刺画自体に「日本」は存在していないが、字幕によって日本がロシアを「揺るがした」ことがわかる。国の擬人化をみせる資料1とロシアを皇帝の姿で代表する資料2では戦争を実際に戦う兵士、つまり人間は見せないので、戦争の本質が問われていないことも指摘しておきたい。だが、文字資料を見ると、同時代の報道で更に次のようなことがわかる。

1894年7月29日の『Atlan-ta Constitution』紙の記事である資料3を見ると、当時、日清戦争が少なくとも米国でChina-Japan Warとして注目を集めていたことがわかる。特にイギリスが中国での自国の利益を確保するため、日本と中国は軍隊の撤退について同意できず、戦争が開始されたこともこの記事からわかる。戦争の開始は日本の

CHINA-JAPAN WAR.

Particulars of the Sinking of the Chinese Transport.

ABOUT A HUNDRED PIGTAILS KILLED.

The Powers Will Attempt to Bring About Peace Between the Belligerents—The Dispatches from Shanghai.

Shanghai, July 29.—The Chinese official account of the recent engagement between the Chinese and Japanese warships says that the Chinese iron clad, Chen-Yu-En, which is one of the largest vessels of her class belonging to the northern fleet, returned to Kois and escaped the Japanese. The latter, the report adds, captured a dispatch boat and sank a transport. Six other transports escaped.

News has been received here that on the same day the engagement took place the Japanese troops ashore attacked the Chinese at Asan. No details of the attack have been received. The British twin-screw cruiser, Porpois, has sailed hence to protect the British at Cha-Foow, on the Shan-Toong promontory, a health resort of foreigners.

The principal division of the Chinese reinforcements sent from Tosu has reached its destination safely.

To Protect British Interests.

The British cruiser Porpoise sailed from Che Foo today to protect British interests in Corea. The Japanese minister in Seoul requested the king, before his capture, to demand the withdrawal of Chinese troops from Corea. He refused, and thereupon the Japanese troops advanced upon Seoul. After a brief encounter they routed the Coreans and occupied the royal palace. The king appealed to the representatives of European powers to intervene, but in vain.

iron weapon is high treason. One of
predecessors, Tieng-tseng-tai-oung, di
from an abscess in the neck in 1800 rat
than have it lanced. His present majes
presumably, shaves himself. On the ot
hand, any subject touched by the quee
hand has to always wear a brass plate

KING OF COREA.

commemorate the fact. His queen, w
belongs to the noble Min family, is nea
a year older than he. Their son, Li Tch
the hereditary or crown prince, was bo
February 4, 1873. Li Houi has a few ide
of modern ways, such as introducing t
electric light into his palace. His ti
is largely occupied in religious ceremoni

資料3　日清戦争での朝鮮の役割を示す記事
（『The Atlanta Constitution』1894年7月30日）

「朝鮮の王宮」の占領であったとの記述がある上、朝鮮の高宗王の風刺画があるので、日清戦争では朝鮮が大事なテーマであったことは一目で理解できる。また、この記事の見出しは歴史の中のステレオタイプの働き方についても教えてくれる。つまり、日清戦争は英国船の沈没事件で始まった（→高陞号撃沈事件）こと、犠牲になった中国人に対して、「pigtails」（→豚尾漢）という、髪型を元にした蔑視表現が使われていることなどである。

当時の西洋での議論を把握するには新聞が重要な史料だが、同種の史料を集中的に調査する場合、そのメディアの史料を批判的に分析する必要がある。当時の状況理解における世界観・価値観についてと、その限界を知るためである（Akami, 2012）。資料4は1894年9月30日の『Atlanta Constitution』紙に出た「Japan and China」という記事からの引用である。

ここでわかるのは日清戦争へ導いた政治の背景にロシアとイギリスの葛藤

資料4　Japan and China（『The Atlanta Constitution』1894年9月30日）

The Struggle between Japan and China is a contest between civilisation and semi-barbarism (…) about fourty years ago Commodore Perry negotiated a treaty with Japan which resulted in Christianizing (…) the country. The Japanese carried their newly developed ideas into Corea (…). The Chinese (…) gave Russia a coaling concession (…) in direct opposition to England.

（和訳）日中の闘争は文明と半野蛮主義（略）の間の争いで、約40年前にペリーは日本との条約を交渉し、その結果、日本をキリスト教（略）に改宗させた。日本人は最新の考え方を朝鮮（略）に持ち込んだ。中国（略）は、イギリスに直接抵抗し、ロシアに譲歩譲許（略）を与えた。

もあったことと、朝鮮がその戦争の大事な原因であったことだ。また、ペリーが日本をキリスト教に改宗させたという、事実と異なる記述もある。ここから、新聞資料の信頼性について疑問を持たなければならないことが確認できる。記事の最後に、中国は野蛮国であり、帝国とは言えない弱者であるのに対して、日本は文明化している新帝国であるとの記述がある。つまり、日清戦争に勝利しつつある日本の文明的・道徳・倫理的（→キリスト教）優秀性（対中国）が西洋でテーマになったことがわかる。

次の1894年9月10日の「朝鮮戦争から学んだこと」という『Chicago Tribune』の記事を見ると、日清戦争が朝鮮での権利を巡る戦争であったと西洋に理解されていたことが確認できる（資料5）。

西洋で作られた「フランケンシュタインの怪物」つまり新技術の武器、戦艦などは、それまで実践の場で使用されたことがなかったため、西洋の国々にとって日清戦争で実際に使われた際のその本当の力、戦略上の価値について、非常に関心が高かったことがわかる。この点は、メディアでは多少取り扱われているものの、教室ではほとんど触れられることのない日清戦争の側面でもある。日本の軍拡サプライヤーであるイギリスと、中国の軍拡サプライヤーであるドイツ帝国は、それぞれの技術が実際に戦争でどう使われ、どの程度のパフォーマンスであるのかを確認することに関心があった。例えば、イギリスと同盟を目指していた日本はイギリスの戦艦を使っていたのだが、日清戦争後、その戦艦は中国が使っていたドイツの戦艦よりパフォーマンスがよいと判断されたわけである。その他にも当時の様々な記事で、海上の戦略や戦争技術について詳しい記述があり、地図なども数多く載せられていた。例としては『New York Times』の1894年12月9日の「Japan's Great Victory」という日本の戦略分析があげられる。その際、日本の陸・海軍の軍官に対する紹介や絵もあった。日本側は伊東祐亨、中国側は丁汝昌が紹介されているが、その際、日本人が近代的制服の姿で、中国側が伝統服で描かれていることにも意図がある。同記事には、参戦兵士・軍艦の数などに関する統計まで含まれている。

LESSONS FROM THE COREAN WAR.

Some Things Which the Eastern Sea Struggle Will Teach the West.

Pall Mall Gazette: For years the naval architect has been turning out ships whose structure is based more or less upon hypothesis. At last the time has come when the monsters which our Frankensteins have given us will have to undergo the stern test of action. In the East there is a far more even balance between the combatants than we have seen for some time. Each side has a fairly numerous fleet. The Chinese ships are of modern, but not recent construction. The Japanese ones embody the newest theories and carry the latest weapons. The result of the naval war cannot but be instructive.

The two great questions which agitate the naval tactician today are in the value of battleships as contrasted with cruisers, and the danger of unarmored ends to ships. The jeune ecole in France, who represent the

資料5　日清戦争は朝鮮戦争だったことを示す記事
（『Chicago Daily Tribune』1894年9月10日）

日清戦争の講和会議、終戦の可能性と三国干渉の過程に関連した報道では、中国が平和の回復を希望したにもかかわらず、日本が戦争を続けたこと、平和条約を結ぶため来日した中国側のLi Hung Chang（＝李鴻章）に暗殺未遂事件があったことを知ることができる。見出しにさえ明確に西洋の日本に対する羨ましさが述べられており、特にドイツからの強い声が認識できる。終戦の際は『Manchester Guardian』紙では「朝鮮の独立が宣言された（Proclamation of Corean Independence）」[10]とあった。それはいまだに中国の影響を強く受けた、中国の伝統的な自民族中心主義的世界観・政治政策であった所謂「華夷秩序」という束縛からの「朝鮮の独立」であった。しかし、日本がなぜ朝鮮を独立させたのか、日本側にとってなぜ朝鮮の独立が望ましかったのか、などについては当時の資料では議論されていない。それは当時の西洋新聞の記者たちの理解力や知識が不足していたことを示すものである。朝鮮の独立、つまり中国の影響からの解放は、日本帝国の朝鮮での利益の確保のためであったことは、現代の歴史学では定説になっている（歴史学研究会, 2011）。

日清戦争によって黄禍論（yellow peril）[11]が新たな段階に入り「日本帝国」の強さに驚く世界は「中国」の無力を認識するようになり、ここから中国を

資料6　ドイツ皇帝の yellow peril 警告（Diosy, A.〔1898〕*The New Far East*. London: Cassell and Company, p. 327）

敵視するよりも日本を知る必要があると世論が変わっていったことが確認できる。キリスト教のシンボルである輝く十字架を背景に鎧を着用した女性たちが天使に示された方向を眺めているこの絵は、ドイツ皇帝ヴィルヘルム２世の図案をもとに、ヘルマン・クナックフース（1848-1915）が描いた寓意画（資料６）である。天使が指す東方には、仏陀が黒い戦雲の中で燃えている。ヴィルヘルム２世が「ヨーロッパの諸国民よ、諸君らの最も神聖な宝を守れ」と彼のいとこでもあるロシアの皇帝にプレゼントしたこの絵には、これから東アジアでは大きな戦争が予定され、ロシアが危ないというメッセージが入っているわけである。天使はキリスト教の大天使ミカエルで、「ドイツ人の守護天使」と考えられていた。女性は左から右にフランス・ドイツ・ロシア・オーストリア＝ハンガリー・イタリアとイギリスに比定されていたとされる（飯倉 , 2013, 51-53）。

このドイツ皇帝の「予言」が現実になってしまい、1904 年に日露戦争が勃発した。日清戦争からほぼ 10 年後の日露戦争までには新聞の技術も大分発達し、写真も載せることが可能になった。日露戦争によって、西洋の一部の人が（第一次）世界大戦が起きることを予感したことが 1904 年２月７日の『Atlanta Constitution』紙の見出し（以下の資料）でわかる。「東洋での戦いは高い可能性でバルカン地方での発生をもたらし、それは全ヨーロッパの戦火になりうる」との報道である。同記事では、写真技術の発達も確認できる（資料７）。

新聞では日本軍と天皇（ミカド）との関連についても報道され、日本の軍国主義化もテーマになってゆき（例 :『Boston Globe』1904.3.16 付）、戦争によって破壊された建物や橋の写真なども報道された。また、新技術についての評価もみてとれる（例：『Washington Post』1905.8.13付）。

日露戦争の諸海戦では日本の勝利、特に東郷平八郎の戦略が注目を集めた。『Washington Post』も『Chicago Daily Tribune』も東郷の「功績」を称賛する一方で、日本軍のことをもはや「Japan/Japanese」として取り扱うのではなく、「(the) Japs」として報道し始める（資料８）。

Japanese Staff Officers Reconnoitering Position of En

RUSSO-JAPANESE WAR
MAY INVOLVE WORLD

Almost Certain Fighting in Orient Will Be Followed by Outbreak in Balkans Which Will Result in a European Conflagration.

資料７　日露戦争関連記事①（『The Atlanta Constitution』1904年２月７日）

JAP VICTORY
IS COMPLETE

Togo's Achievement Without Parallel in Naval History of the World.

SKILL AND STRATEGY WIN

資料８　日露戦争関連記事②（『Chicago Daily Tribune』1905年５月30日）

そして、『Atlanta Constitution』紙では、ロシアが勝利した際にも、日本軍の一時撤退という戦略はロシアの戦略よりも優れているとの評価を受け、とくに消耗戦争に発展する日露戦争における日本軍の軍需品の扱い方が称賛された（『Atlanta Constitution』1904.11.12付）。結局米国の介入で1905年９月に締結された講和条約が10月に批准され、『Los Angeles Times』紙はそれを「Great war ends at last」と報道し、その戦争の規模の大きさを印象づけたのである（1905.11.26付）。同時に、ロシアに共感したドイツ皇帝は黄禍論を主張し続けたあげく、1914年からの第一次世界大戦では日本から宣戦を布告され、ドイツ租借地であった中国山東半島にある青島を日本に奪い取られるに至った。

以上のように、「外から」の資料を参考にして教科書や他のメディアで紹介されている「ストーリー」を再検討すると、複数存在している「ストーリー」の存在に気付くようになる。つまり、歴史の教科書が提供しているストーリーを資料で補完することにより、歴史はより「退屈」でなくなる。歴史学者の立場になり、自分で資料を分析することによってエンパワーメントを体験し、それは直接知識を養うことへとつながっていくだろう。

第４節　「グローバル」あるいは「外から」の問い直し

日本帝国が近代化を遂げ、西洋の蔑視の対象になっていた中国よりも、日本ははるかに良い評価を得たはずだが、日清戦争と日露戦争での勝利によって日本の力が西洋の列強に認められると同時に、日本も蔑視される対象にもなった。ステレオタイプが歴史の中で生産されていった。具体的に言うと、「flowery empire（華帝国）」や「celestial empire（輝く帝国）」と認められていた中国が「China」になり、無力な中国人が「pigtails」と呼ばれ、もともと世界帝国としてあった勢力は消えた。日本（「Japan」）は「Japanese Empire（日本帝国）」と見なされ、さらに「Mikado Empire（ミカド帝国）」として特徴化される一方、「The Japanese」が「Japs」として蔑視されるようになっていく。日本が近代的戦争であった日清・日露戦争に勝ち、西洋列強はその力を認めざるを得なかったにもかかわらず、新興帝国としての日本を西洋列強は自分たちと同一視はしなかったのである。[12]

日清・日露戦争によって、西洋で「黄禍論」が叫ばれるようになり、ついに黄色人に対するあらゆるステレオタイプが生じて行き、それが第一次世界大戦から激しくなった民族的国家主義、そして第二次世界大戦のそれまで例に見なかった程の暴力性の基盤とされる民族主義・ファシズム・超軍国主義にも繋がっていく。このようなステレオタイプや偏見の「本質」が他者への恐怖であったことは資料から読み取ることができる。19世紀から徐々に成立する国民国家では、自分の国家ならではの特徴が求められた。自国の特徴を探すには、他国との比較が簡単な方法だが、隣国が自国と同質的であれば、自国の特徴は探しにくくなる。日本は朝鮮半島と同じく中国の文化的影響を古代から受け続けてきたが、その伝統は日本と朝鮮では異なる方向に発達し、そして結局近代に入って異なった立場で解釈されてきた。本章では「グローバル」あるいは「外から」の見解でその問題を究明したが、その解釈の仕方もその国家の背景によって異なり、解釈方法自体もその国の特徴として見ることができるのではないだろうか。この章で示した事例では、資料は新聞報道なので、その資料は事実が簡単に拾えるものでないことを示し、資料＝未完成な情報、短編的な情報しか教えてくれないことも確認することができる。このようにして、これから学ぶことの前提となる認識を得ることができるのである。

近代日本は、帝国としての地位を確立するために、他の帝国と同じように隣国や遠い国を他者化し、それを「敵国」や「植民地」として解釈するようになった。日本は朝鮮人を「鮮人」と呼び、朝鮮人は日本人を「チョッパリ（적발이）」、つまり足袋と下駄を履くことから「豚の足」と呼び、お互いに蔑んだ。このようなやり方は、恐ろしい他者を「弱いもの」「可愛いもの」のように思わせる機能がある。例えば、かつてイギリス人が世界大戦でドイツの伝統料理ザワークラウト（酢漬けキャベツ）からとってドイツ人らを「クラウトたち（krauts）」と呼び、米国のトランプ大統領が北朝鮮の金正恩主席を「rocket man」と呼んだのも、その一つである。このような呼び名やステレオタイプは、米国・北朝鮮のシンガポールサミットで両国のトップが一緒に座り会談することで変化が見られたように、直接的な関わりによって解消できることもわかる。結局、他者化と自己を固定化する過程には、近代、現代を問わず、メディアがそのイメージ作りと利用・再解釈に機能し続けたということであろう。これから改革される歴史の授業では、アクティブ・ラーニングなどの学生を中心にした授業方法が行われることになるが、歴史学のあり方まで議論する時間を作ることは難しいかもしれない。しかし、歴史の中のステレオタイプがどのように産出されていくのかを学ぶことによって、それを乗り越えていける認識を育てる授業になることを私達は期待したい。

注

1　歴史は暗記科目であるという認識は歴史学へのステレオタイプとして見られる（加藤, 1991, 2007, 2016）。雑誌『歴史地理教育』は、授業のあり方、教え方を多様に掲載している。

2　「歴史総合」授業のあり方、問題点などについては帝国書院の『世界史のしおり』など参照されたい。

3　1894年（甲午年）に朝鮮で起きた内乱である。東学という教えの帰依者や農民が国家と地方行政の汚職に抗議したことが原因であった。

4　ポーツマス条約は日露戦争の講和条約を指す。米国のポーツマスで会議が開かれ、日本の講和団の中にはお雇い外国人であったヘンリー・デニソン（米国人）

もいた。
5　より詳しい両戦争についての説明は大日方（2002）を参照されたい。
6　与謝野晶子（1878-1942）は日本の有名な詩人で、1904 年、日露戦争をきっかけに詠まれた「君死にたまふことなかれ」は彼女の代表作の一つである。明治・大正時代に平和主義的なスタンスを取ったが、第二次世界大戦に導いた昭和前期では、対中国の戦争について肯定的な詩を残したこともある。
7　与謝野晶子とその詩に対する言及の有無が当該教科書の質について把握できる基準ではないが、「暴力に関する教育」の一つの基準とはいえるだろう。現在、東京都で採用中の歴史教科書の中で、中学校用の歴史分野の教科書は５件中３件、高等学校の場合は日本史Ａは６件中４件、日本史Ｂの場合は全く言及されてない状況である。日本史Ｂは歴史全般を取り扱う性格のためだと言えるが、２件に他の文学者による生活難・感情に関する例が紹介されている。
8　本章で使われているすべての新聞資料は Proquest Historical Newspapers データベース（https://www.proquest.com/products-services/pq-hist-news.html）から 2018 年 11 月 5 日に入手されたものである。
9　『パンチ』とは 1841 年に創刊され、1992 年まで発行されたイギリスの週刊風刺漫画雑誌である。
10　当時は英語圏では朝鮮のことを表すのに Korea ではなく、Corea というスペルがよく使われていた。
11　黄禍論（yellow peril）は 19 ～ 20 世紀に特に欧米で著しくなった差別的な黄色人種脅威論であった。黄禍論に関しては飯倉（2004）、ハインツ・ゴルヴィツァー（1999）も参照されたい。
12　以上のようなことは、紹介した新聞資料とその分析によって明らかになるのであるが、その過程では英語の解読力が必要になるので、歴史の授業を外国語学習と関連づけることも可能であろう。

【参考文献】

Akami, T. (2012) *Japan's News Propaganda and Reuter's News Empire in Northeast Asia 1870-1934*. Dordrecht: Republic of letters.
Biontino, J. (2016) "The First Sino-Japanese War (1894-1895) Seen Through Western Eyes Focused on Western Newspapers." *Tonghak hakbo* 40, 175-210.（原文韓国語）
ゴルヴィツァー , H. 著、瀬野文教訳（1999）『黄禍論とは何か』草思社.
飯倉章（2004）『イエロー・ペリルの神話――帝国日本と「黄禍」の逆説』彩流社.
飯倉章（2013）『黄禍論と日本人 ――欧米は何を嘲笑し、恐れたのか』中公新書.
加藤公明（1991）『わくわく論争！　考える日本史授業 教室から〈暗記〉と〈正答〉が消えた』地歴社.
加藤公明（2007）『考える日本史授業 3　平和と民主社会の担い手を育てる歴史教育』

地歴社.
加藤公明（2016）「歴史の広場　歴史はなぜ『暗記科目』と言われるのか」『歴史評論』792, 75-85.
川喜田敦子（2005）『ドイツの歴史教育』白水社.
君島和彦（1996）『教科書の思想——日本と韓国の近現代史』すずさわ書店.
小嶋茂稔（2014）「現行教員免許制度下における教員養成のあり方をめぐって：力量ある歴史教師を育てるための一提言」『歴史評論』774, 33-42.
今野日出晴（2009）「歴史教育と社会科歴史——『歴史教師』という問題」『歴史評論』706, 4-16.
今野日出晴（2015）「〈歴史教師〉の不在 —— なぜ「歴史教育」なのか」『歴史学研究』924, 19-28.
桃木至朗（2019）「歴史の『思考法』の定式化——歴史教育を滅亡から救うために」『歴史表論』828, 23-33.
文部科学省 a（2009）『高等学校学習指導要領』、https://www.mext.go.jp/sports/content/1304427_002.pdf（2020 年 2 月 5 日閲覧）.
文部科学省 b（2009）『高等学校学習指導要領：地理歴史編』、https://www.mext.go.jp/component/a_menu/education/micro_detail/_icsFiles/afieldfile/2014/10/01/1282000_3.pdf（2020 年 2 月 5 日閲覧）.
中村哲（1995）『歴史はどう教えられているか——教科書の国際比較から』NHK ブックス.
成田龍一（2003）『司馬遼太郎の幕末・明治』朝日新聞社.
成田龍一・須田努・姜尚中（2016）「討議：光と影／光は影：明治維新 150 年：重層化する歴史像」『現代思想』46(9), 19-47.
大日方純夫（2002）『はじめて学ぶ日本近代史（上）』大月書店.
大谷正（2014）『日清戦争』中央公論新社.
及川英二郎（2003）「戦争と責任をめぐる選択」方法論懇話会（編）『日本史の脱領域——多様性へのアプローチ』森話社 , 208-221.
Paine, SCM. (2002), *The Sino-Japanese War of 1894-95. Perceptions, Power and Primacy*, Cambridge: Cambridge University Press.
歴史学研究会編（2011）『「韓国併合」100 年と日本の歴史学——「植民地責任」論の視座から』青木書店.
Sprotte, M. H., Seifert, W., Löwe, H. D. (2007), *Der Russisch-Japanische Krieg 1904/05, Anbruch einer neuen Zeit?*, Wiesbaden: Harrassowitz.
佐藤雅之（2004）『歴史認識の時空』知泉書館.
須田努（2017）「現在『歴史を学ぶ人々のために』を出版するということ」東京歴史科学研究会（編）『歴史を学ぶ人々のために——現在をどう生きるか』岩波書店 , 1-16.
Wolff, D., Steinberg, J.W., Marks, S.G., Menning, B.W., van Der Oye, D. S., Yokote, S. (2005-2007), *The Russo-Japanese War in Global Perspective: World War Zero*, (vol.1,2) Leiden: Brill.

第4章

日本人と人種差別は関係ないのか

小林 聡子

第1節　日本で「人種」は課題なのか

米国[1]大統領であるトランプ氏（2019年2月現在）に関わるニュースなどでも目にするかもしれないが、「人種差別」という時、多くの人が思い浮かべるのは米国社会における白人警官による黒人銃殺事件など、「白人」と「黒人」の対立だろうか。もしくは、世界史で学ぶ奴隷制度や人種隔離政策の歴史だろうか。日本国内の主要ニュース番組や新聞では、人種問題は対岸の火事としてすら扱われることが稀有である中、最近「人種」について大きな話題になったできごとがあった。とあるバラエティ番組にて1980年代のハリウッド映画での黒人俳優のキャラクターを、お笑い芸人が顔を黒く塗ってコスプレしたのである。世論は大きく分かれた――「ブラックフェイス（黒塗り）」表現は黒人差別であることが世界の常識」「これはキャラクターのモノマネであり、黒人差別ではない。そもそも日本には人種差別の歴史はない[2]」。この話題は日本の情報番組だけではなく、「日本における人種問題」として海外メディアにおいても議論を呼んだ[3]。数週間でその話題もすっかり下火になり、テレビ局側は問題ではないとして再放送もしたものの、少なくとも今の時代は人種の表象が国内外で議論になりうるということは明るみに出た。

人の移動や情報の行き来が容易であり流動的であるトランスナショナルな状況下において、人種問題は米国に限った話ではない。例えば、主要メディアでは一目おいた「外国」の代表として「白人（らしき人）」を起用しがちであることは、読者も経験上わかるだろう。日本テレビの「スッキリ」[4]のレギュラーコメンテーターとして火曜日はロバート・キャンベル氏、木曜日はモーリー・ロバートソン氏が出演しているように（2019年2月現在）、ニュース番組で知識人として登場したりする他、バラエティ番組のホストやモデルとして活躍する「外国人」は、主に日本語を話す「白人」あるいは「白人と日本人のハーフ（らしき人）」が多く挙げられるのではないだろうか。また、Googleの画像検索で「外国人」を調べてみると、明るい背景に写る「白人（らしき）」人々の写真が主として並ぶが、このような検索システムがユーザー側の認識を助長するという研究（Noble, 2018）もある。実際に日本で最も多い外国籍は中国出身者なのだが、日本語で「外国人」の画像をネット検索する人は、「白人」の写真を主に目にしている（選んでいる）ことを示している。では、そのほかの人種の位置付けはどうだろうか。読者は「黒人」はどのようなイメージとリンクするだろうか。「アジア人」ではどうだろうか。

もちろん、日本において「白人」がステレオタイプの対象にならないわけではない。「アジア人」が米国において「永遠の外国人」（Tuan, 1998）だといったように周縁的なイメージがつきまとうように、日本で生まれ育ったとしても「見た目日本人以外」は「外国」や「英語話者」のイメージがつきまといがちだ。「見た目日本人以外」で「白人以外」にはそのほかのイメージもつきまとう。2017年1月22日の『Japan Times』の記事[5]でも日本在住の黒人男性に対する職務質問の多さを取り上げていた。その他にも、職業の選択の余地についても限定されてしまったり、部屋を借りたくとも「外国人お断り」という家主は未だに多かったりと、見た目や名乗りによって色々な制限に直面しがちである。

そもそも「人種」とは何であり、我々一人一人にどのような関係があるのだろうか。本章では、多人種多民族として知られ、日本国外にて日本国籍を持つ人口が最も多く居住している米国社会を事例に「人種」について考えていく。特に、日本から移住していった一世やその子孫である日系米国人らの歴史と今日の状況を事例に、「人種」がどのように形成され、制度上それがどう機能し、人々の生活に影響しているのか、多角的に解体していく。そこから、「海外在留邦人」「帰国者」「外国人」「ハーフ[6]」など多様な人口の増加が見られる今日の日本社会における「人種」という概念、そしてその関わり方を再考していくきっかけとしたい。

第2節　定義される「人種」

日本で人種として一般的に想像されるのは「白人」「黒人」「黄色人種」といったところだろう。この節では、人種がどのように想像され、国家の制度において定義され、社会的な事実として創造されていったのかを考えていく。

日本の国勢調査には国籍を問われる欄があり、「外国の場合には、国名も書いてください」とある。つまり、戸籍は別として、今現在は日本国籍保持者であれば、人種的・民族的ルーツを国勢調査で聞かれることはない。一方、米国のUS Census（＝国勢調査）の質問項目はかなり詳細に分けられており、人種を問う箇所[7]もある（図1[8]）。「白人」「黒人、アフリカ系アメリカ人、あるいはネグロ」「アメリカンインディアン、あるいはアラスカ原住民」それ以降は、「アジア系インド人[9]」やその他のアジア系や太平洋の島々の民族が列記されており、最後に「その他の人種」とあり、それがどの人種か具体的に何かを明記するような欄が設けられている。分類の仕方が自分の思った「人種」と違うと感じた人もいるかもしれない。「白人」や「黒人」と違い、アジア・太平洋諸島系の人々はいわゆる「民族」が、「人種」項目

9. What is Person 1's race? *Mark x one or more boxes.*

☐ White
☐ Black, African Am., or Negro
☐ American Indian or Alaska Native – *Print name of enrolled or principal tribe.*

☐ Asian Indian	☐ Japanese	☐ Native Hawaiian
☐ Chinese	☐ Korean	☐ Guamanian or Chamorro
☐ Filipino	☐ Vietnamese	☐ Samoan

☐ Other Asian – *Print race, for example, Hmong, Laotian, Thai, Pakistani, Cambodian, and so on.*

☐ Other Pacific Islander – *Print race, for example, Fijian, Tongan, and so on.*

☐ Some other race – *Print race.*

資料1　2010年度US Censusの人種に関する質問

として列記されているのだ。一方、この自分で回答する人種と、統計分析に使われる人種カテゴリーは異なっており、以下のように定義された6つの人種カテゴリーが用いられている（資料2）。

つまり、大陸的にはアジアである中東出身者は「白人」であり、大陸としてはアフリカである北アフリカ出身者も「白人」となる。また、アメリカ大

『白人』とは、ヨーロッパ、中東、北アフリカの原住民のどれかに起源をもつ人を指す。自身の人種が『白人』とするもの、あるいはアイルランド人、ドイツ人、イタリア人、レバノン人、アラブ人、モロッコ人、コーカサス人等と記載する者のことを指す。

『黒人もしくはアフリカ系アメリカ人』は、アフリカの黒人グループのどれかに起源をもつ人を指す。自身の人種が『黒人、アフリカ系アメリカ人、あるいはネグロ』とするもの、あるいはアフリカ系アメリカ人、ケニア人、ナイジェリア人、ハイチ人等と記載する者を指す。

（略：ネイティブアメリカン、アラスカ系原住民について）

『アジア人』とは、極東、東南アジア、もしくはインド亜大陸の原住民のどれかに起源をもつ人を指す。例えば、カンボジア、中国、インド、日本、韓国、マレーシア、パキスタン、フィリピン、タイ、ベトナム。自身の人種が『アジア人』とするもの、あるいは「アジア系インド人」「中国人」「フィリピン人」「韓国人」「日本人」「ベトナム人」「その他のアジア人」あるいは他の詳細なアジア系の回答を記載した者を指す。

（略：ハワイ原住民、その他の太平洋の島民について）

「その他の人種」とは、上記に記載されている白人、黒人ないしアフリカ系アメリカ人、アメリカンインディアンないしアラスカ原住民、アジア人、ハワイ原住民ないしその他の太平洋の島民以外の全ての回答を含む。多人種が混ざっている [multiracial]、二人種が混ざっている [interracial]、あるいは（例えばメキシコ人、プエルトリコ人、キューバ人、スペイン人）ヒスパニック系ないしラテン系のグループがこのカテゴリーに入る。

資料2　2010年度 US Census の人種カテゴリーの定義

陸の東中央にあるカリブ海に浮かぶハイチの人は、地理的にはキューバ（→「その他の人種」の「ヒスパニック系」）に近いにもかかわらず、「黒人」に分類されている。「その他の人種」は奇妙で、「混血」と「ヒスパニック系ないしラテン系[10]」が一括りにされており、ヒスパニック系にはブラジルを除く中南米の国々とヨーロッパに住むスペイン人も入っている。要は、ヒスパニック系はスペイン語話者と文化を括ったグループとなっているのだ。また、実際の統計分析では、「その他の人種」という括りは使われず、「二人種以上の混血」と「ヒスパニック系あるいはラテン系」は別に扱われている。ちなみに、この「ヒスパニック系あるいはラテン系」は「見た目」には肌の色のグラデーションが様々であり、白人だと認識する人も当然いる。そこは、US Censusでは「白人（非ヒスパニック系）」と明記することで、「ヒスパニック系ないしラテン系」と「白人」を区別している。

ここまでの説明で、人種のカテゴリーというのが、地理、見た目、言語文化的な要素から成り立っているものの、揺らぎがあることがわかるだろう。しかしながら、読者の中には「いや、遺伝子レベルで黒人と白人、黄色人種は違うだろう」と思う人もいるかもしれない。これも、分子生物学者のベルトラン・ジョルダンが著書『人種は存在しない――人種問題と遺伝学』（2013［2008］）のタイトルにもしているように、現代科学では成立しない主張なのである。人類の遺伝子は99％似ており、残りの１％は「同じ人種」とされる中でも多様なのである。つまり、黄色人種だから遺伝子が似ているということはなく、見た目にはかけ離れているように見えても、遺伝子が似ている人もいる。逆に、遺伝子を見ただけで各人種に分けることなどできない、というのが現代科学でわかっていることである。

そもそも、人種という概念自体は17世紀に出現したと言われており、それは奴隷制度を正当化するため「彼ら（白人以外）」を「我々（白人）」よりも劣っている種であると「科学的」に示すように出現した論理であった（つまり、この本を読んでいる方々の多くは、「彼ら」の側に位置付けられている）。最も影響を与えた書籍の一つが、1854年に外科医のジョシア・クラーク・ノット（Josiah Clark Nott）とエジプト学者のジョージ・ロビンス・グリドン（George Robins Gliddon）が出版した『人間の種類』（Types of Mankind）である。図１はその中に載っているものだが、この著書が人間の起源は複数の形があり、根本的に違うのだという多元論を広めるのに貢献した。このように、当時の「科学」は、オラウータンと見た目や骨格が似ているかを人種の存在の裏付けとしていたが、そこにあったのは明らかに白人優位のイデオロギーの正当化に他ならなかった。

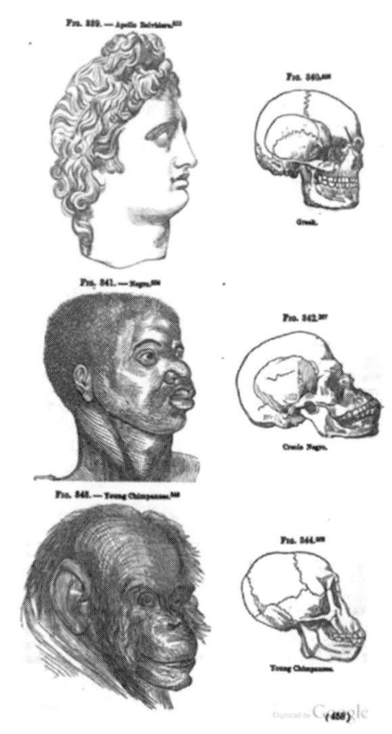

図１　『人間の種類』に掲載された図
(Nott & Gliddon, 1854, 468)

一方、同じ頃の日本では「天は人の上に人を作らず」でも馴染みの深い、福沢諭吉が著書『掌中萬國一覽』(1869) で人種について触れている。欧米の思想に大きな影響を受けていた福沢の論によると、人種は「白哲人種[11]」「黄色人種」「赤色人種」「黒色人種」「茶色人種」の５つに分かれており、全ての人種の中で見た目も知能も最も優れているのが白人だと記している。一方、黒色人種は身体は強壮だが怠惰な性質であるとし、黄色人種は我慢強く、勤勉だが、知恵が足りないと記されている。福沢がここで黄色人種の事例に、「支那 (中国)」「フィンランド」「ラップランド (現在のフィンランドの北部)」のみを挙げていることも興味深い点だろう。どこからどこまでが人種の各カテゴリーに含まれるのか、そして国家間の境界線がどこかも、まさに時代の流れとともに変化することを示しているといえよう。また、福沢の門下生である高橋義雄が優れている西洋人と子孫を作るという「日本人種改良論」(1884) を説いていたように、西洋の思想は日本の知識人に学ばれることで、日本の中の哲学や思想、政治、そして科学[12]にも影響を与えていた。ここからもわかるように、アジアである日本は黄色人種であると認識しながらも、西洋優位思想の強さから、アジアが劣等であるという考えを当時の知識人の多くが内面化していたのだ[13]。

このようなことが、ここで取り上げた米国や日本だけではなく、多くの国で起こっていた。人種が生物学的なものではなく、グローバルな歴史の流れの中で、社会・政治・経済的な背景から想像・創造されてきた概念であり、それが各国の内情と絡み合いながらよりローカルな「人種化」、すなわち人種として想像・創造され、社会構造的に、文化的に表象されていったのである。2018年現在、US Censusは人種カテゴリーに関する備考として以下のように追記している。「使用されている人種カテゴリーは、本国における一般的な社会的定義を反映するものであり、生物学、人類学、遺伝学的に定義しようとしているのではない」（US Census, 2018）。人種は科学的には存在しない。では、人種や人種差別も架空のものであり、存在しないのか。科学的に存在しないのなら、なぜまだ人種カテゴリーが使われているのか、疑問に思うだろう。次の節では、米国における「黄色人種」の歴史と現在を事例に、法制度や生活上でどのように「人種」という概念が影響しているのか、なぜ未だにこの概念があるのか、米国における日系住民の歴史を事例に考えていこう。

第３節　「白人ではない」黄色人種――制度・表象・生活

人種に関する議論で見逃されてしまうのが、アジア人の人種関係における位置だ。一つの理由は、「アジア系は経済的にも教育的にも高い地位を築いている『モデルマイノリティ』（模範的マイノリティ）」だという1980年代以降の米国において出て来たステレオタイプにあるといえよう。実際にはアジア系と一括りにされていても経済的にも教育的にも非常に多様であり、ステレオタイプ化はできない。しかしながら、このイメージによって、他のマイノリティという位置付けの人々からすると「あの人たちは置いておいて」となってしまう。また、マジョリティ的立場や視点からは「あの人たちができるんだから、他のマイノリティもできるでしょ」という社会的不均衡の正当化に使われてしまう。このように人種に関わる議論の中で見逃されがちなアジア系も、実際にはこれまでの米国の制度やメディアにおける表象において人種化され、様々な課題に直面してきた。

19世紀半ばの米国は、移民にあふれ、土地の開拓や建設、経済的発展など活気にあふれていた。この頃がまさに第２節で述べた人種カテゴリーを

「科学的」に正当化していた時期である。

大陸横断鉄道の建設を目的とした国家間の取り決めにより、清（現在の中国）から多くの男性単純労働者が米国本土へ移住した[14]。一方、日本では明治時代に経済的機会を求めた政府と労働力が必要だったハワイ王国との間で取り決め[15]が結ばれ、多くがハワイへ渡り、その後1898年にハワイが米国に占有されると、米国本土西海岸への移住が本格的に始まった。当時、白人以外に制限を加えることで、白人[16]の地位を守る法的整備がなされていった。その一つが、従来黒人差別の象徴とされてきた南部のジム・クロウ[17]法（1876-1964）である。ただこれは実は黒人のみを対象にしたのではなく、白人以外、つまりアジア系も当然含んだ「有色人種[18]」を対象にしていた。南部以外では事実上の差別があったのだが、南部ではジム・クロウ法により白人と他の人種は居住地域、学校、レストランなどの公共の場も合法的に隔離されていた。さらに、連邦政府レベルでは、奴隷として連れてこられた黒人以外の白人でない移民は、帰化する権利を与えられず、土地所有も禁じられるなど様々な規制があった。

経済が好調な時には外国人労働者が必要で、悪くなれば不要となるのは日本でもよく聞く話だろう[19]。当時も米国の経済が落ち込むと「異質」であるアジア系移民は、西洋（つまり白人）に与える経済的、軍事的、社会的脅威である（Knüsel, 2012）という「黄禍論」（黄色人種脅威論）にさらされ、「我々（白人）の仕事を横取りしている」として批判や排除の対象となった[20]。その後、第二次世界大戦（1939～1945）の最中に起こった1941年12月の真珠湾攻撃をきっかけに、敵国である日本からの移民、そしてその子孫である日系米国人の多くは、1942年2月の大統領令9066により強制収容所[21]に収監されることになった。同じように敵国であったドイツ人やイタリア人は、帰化することもできた「白人」であり、その人数や政治経済的地位も大きかったことから、日本人や日系米国人のような十把ひとからげに強制収容されることはなかった。

この頃、図2のアジアに出向する海軍兵向けの冊子や、Life Magazine[22]の特集など、「どうやって中国人とジャプ（Jap）を見分けることができるか」をテーマとしたものが多く描かれた。日本でも「黒人は見分けがつかない」といったような「他人種」の見た目に対する偏見[23]が聞かれることがあるが、

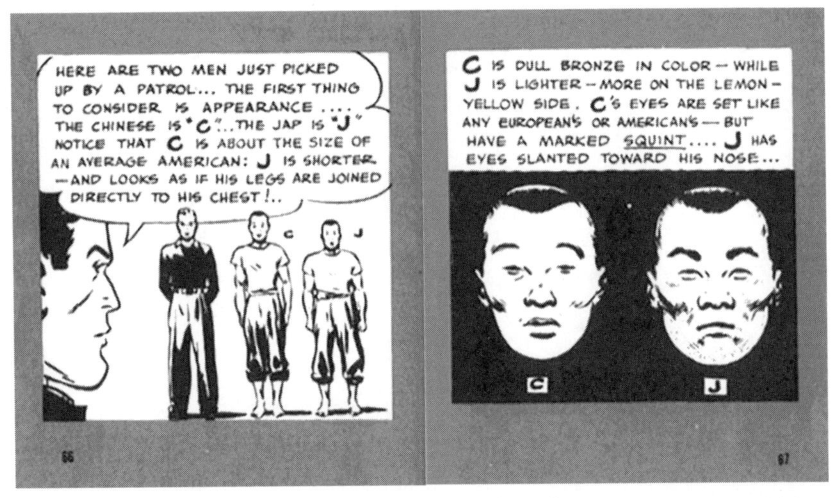

図２『どうやってジャップを見つけるか』(US Army, [1942] *How to Spot a Jap*, p. 66-67)

米国では「アジア人はみんな同じに見える」という偏見がよく聞かれる。そもそも国境で人の見た目が決定されるわけはないが、それらの著書では、骨格の差異など人種的な差異を人体測定データをベースに説明したり、性格や文化の違いなど一般化し、中国人と日本人の見分け方をマニュアル化していた。一方、子ども向けのTVでは「アジアっぽい」ドラの音と軽快な音楽にのせながら、ポパイやドナルドダックが東條英機を模したメガネで出っ歯で間抜けでずる賢く、訛りの強い言葉を話し、日本とも中国ともとれる服装をしたようなキャラクターをテンポよくやっつける様子が描かれた。つまり、政治上、日本と中国を差別化することは重要だったものの、その根底には「他者化」つまり「日本も中国も似ていて、『我々』とは違う『他者』だ」という前提があった。

このような「日本人」の表象は、戦争が終わったからといってすぐに消えるわけではなかった。例えば、日本でも有名なオードリー・ヘップバーンの代表作の一つ「ティファニーで朝食を」(1961) では、白人コメディアンのミッキー・ルーニーがメガネで、出っ歯で、すけべな日本人の大家「Mr. ユニオシ」役として「イエローフェイス（黄色塗り）」をして登場する[24]。こうした日本人に対する偏見は日系人ら自身にも内面化され、日本という民族的な出自、見た目、言語、慣習などへの否定的で複雑な思いも合わさり、自民族以外との関わりを広げていくことの後押しをした。

もし自分の「属性」について上記のような政治状況やメディアでの表象が当たり前な環境で生まれ育っていたとしたら、どのような人生を歩むだろうか。読者にも想像してみて欲しい。例えば、筆者が2004年から2005年に行った調査の協力者であるロサンゼルスで生まれ育った日系三世のハロルドさんの話だが、彼は強制収容所に入っていた二世の父親と日本から写真花嫁[25]として渡ってきた母親との間に戦後すぐに生まれた。強制収容所から解放された日系人らは、不動産も資産も失っていたため、もともと地理的にコミュニティを形成していたリトル東京（ロサンゼルスのダウンタウン）のような場所に戻ることもできず、色々なところに分散して行った。ハロルドさん一家も、メキシコ系が多く居住するロサンゼルス東南部に移り住んだ。母親は日本語しか話さなかったが、ハロルドさん自身は日本語を話すことを拒絶し、日本食も嫌った。十代の頃には、母親とはコミュニケーションをしっかりと取ることもできなくなっていた。その後、同じように米国で育った日系人の女性と結婚し、家族を育てるために白人の多いさらに東南部の郊外に移り住んでいった。このように、地理的なコミュニティの崩壊、他人種他民族との居住地域の共有、自民族への否定的な思いの内面化、他人種・他民族との婚姻[26]の増加などにより、メインストリームである白人社会への日系人の周縁的な同化が進んだといわれる（Espiritu, 2007）。実際、US Censusにおいても、アジア人の中で他人種ないし他民族にもルーツのある割合が最も多いのが日系人だという統計が出ている。

ここまで読むと、米国は何て差別的な国だろうかと思うかもしれない。では、日本ではどうだろうか。「白人」と「非白人」という対立カテゴリーではなくとも、社会構造の中に人種差別的構造は存在していた。明治時代に同化政策により狩猟という生業を禁じられ、創氏改名によって名前を取り上げられたアイヌの人々について聞いたことはあるだろうか。1923年の関東大震災の際に起こった朝鮮人への迫害や虐殺はいかがだろうか。また、「穢多」「非人」という身分制度や「部落」について、歴史の教科書で読んだことがあるだろうか。人種差別とは異なるが、明治初頭まで制度的に士農工商といった正当な身分の外に置かれ、死にまつわる仕事に従事させられ、居住地を隔離され、差別の対象となっていた。その後、呼称自体は「新平民」と改められ、法的には部落差別が禁じられるようになったものの、戦後から広がった部落解放運動は未だに続けられており、その差別の根深さを物語っている（黒川, 2016）。このように、「白人」「黒人」といった一般的に想起される人種ではなくとも、出自や見た目、ことばをベースにした人種差別は、その歴史や今日においてまで決して他人事ではなく、日本においても多角的に、そして当事者として考える必要がある問題なのだ。

第4節　社会現実としての人種――表象と内面化の課題

アジア人が異質であるという想像は、映画を始めとするメディアの表象との連動が影響しているといわざるをえない。オノとファム（Ono & Pham, 2009）や岩渕（2016等）らがこれまでにも指摘してきたが、1920年代から現代に至るまで、単純に統計的に出番が少ないだけでなく、その描かれ方も「英語が話せない／たどたどしい」「勤勉だが間抜け」「武術の達人だが即その技術を身につける白人に負ける」といったように偏った傾向がある。これに加えて性別によるイメージの差異があり、アジア系男性は性的な魅力がないあるいは性的なこととは無関係のように描かれる一方で、アジア系女性は（誤った「芸者」のイメージのように）過度に性的で、男性に尽くすと描かれる傾向があった。南カリフォルニア大学の研究チームによると、2007年から2016年までに米国で制作された900の映画のうち、セリフのあるアジア系の登場場面があるのは44のみとされる（Smith, Choueiti & Pieper, 2017）。このような状況の中で、本書の冒頭にも出てきたカラーフェイスの問題は大きな議論となるのだ。オノとファム（2009）らは、人種と民族の二つの観点からイエローフェイスの種類を挙げている。

1. 顕在的イエローフェイス（Explicit Yellow-Face）：元々の役柄とは異なる人種の俳優が起用され、演じること。そこには異なるExplicit Yellow-Faceの段階がある。
   a. 異なる人種の役者が、役柄に沿った人種に化粧などをして演じること（例：「ティファニーで朝食を」［1961］のユニオシは白人俳優が日本人の役を演じている）

b. 原作があり、それと異なる人種の役者が起用されること（例：「ハリウッド版ドラゴンボール」［2009］の悟空は原作はアジア人のはずが、白人俳優が演じている）

2．潜在的イエローフェイス（Implicit Yellow-Face）：元々の役柄の人種と演じる俳優の人種は合致しているものの、その民族的背景が合致していないこと（例：Memoirs of a Geisha［2005, 邦題『サユリ』］のサユリは日本人の役を中国人の役者が演じている）

このようなイエローフェイス化や数少ないアジア系のメディア露出における表象の偏りは、アジア系が「『米国人』とは違うエキゾチックな『外国人』」というイメージを強固にしてきた。世界中に配信される米国の映画の与えるイメージの影響は非常に大きいことも想像がつくだろう。こういったメディアの傾向から、多様であるアジア系の「正しい表象」が未だに大きな課題とされているのだ。それは、本章の冒頭に出てきた日本の TV における数少ない「外国人」の表象の課題と正に重なるものがあるのだ。

ここで難しいのは、「正しい表象」とは何なのかという部分だろう。果たしてそれを突き詰めることができるのか。人種の他にも障がいのある役を障がいのない役者が演じたり、トランスジェンダーの役を実際にはそうでない役者が演じたりすることについて、「実際にそうである役者」を使うべきであるという批判が上がることも多い。となると、この議論における「役者」や「演技」の位置付けは一体どうなるのか。そもそも「正しい表象」はあり得るのか。それは人種がまるで生物学的に存在するのだ、「本物」の「人種」や「民族」がいるのだ、といったような議論に繋がってしまう危うさを孕んでいる。では、「正しい表象」を求める意義はあるのか。これは、先述した「人種」が遺伝生物学的に存在しないのであれば、それについて今考える必要があるのか、という疑問につながる。

ここまで読んでみて、「米国にいる『日本人』にとっては『人種問題』があるのかもしれないけど、日本国内においてはやはりあまり関係ない」と思うだろうか。確かに、日本では人種について身近に語られることは少なく、「日本人」対「それ以外の民族」の問題といった方が馴染みやすいかもしれない。US Census ではアジア系民族が人種項目にリスト化されていたことに第２節で触れたが、実際には人種と民族をはっきりと切り分けることはできず、そもそも各概念の定義自体が専門分野、時代や文脈により異なる。ただ、ここで読者に再考して欲しいのは、人種そのものというよりもそれをめぐる「考え方」である。米国における人種形成に関して論じた著書で、オミとウィナントは「人種とは、身体的特徴を元に社会的対立や興味関心を示唆・象徴する概念である。また、それは社会構造の要素であり、人間描写の一側面である」（Omi & Winant, 2015, 55, 筆者和訳）と述べている。一方で、李昇燁（2009）が日本の朝鮮植民地支配と当時の民族識別を例にして「見えない人種」の表象を論じているように、人種という社会現実の形成において重要なのは、他者を「見分ける」という行為だという点である。それは、肌の色といった一般的な人種のイメージだけではなく、「体格や容貌、服装、言葉、仕草、そして匂いまでもが『見分け』として機能（李, 2009, 148）」するということだ。例えば、日本のインターネットやニュースでも頻繁に話題になる外国人や在日韓国・朝鮮人への差別的発言や行為というのは、つまりこの「見分け」の問題が深く関わっているといえよう。

「自分はどこにでもいる普通の人」と認識する人々、例えば日本において「日本人」であることを問われない・問わない状況にある人々の多くは、「日本人以外」が作られる日常的な構造自体に気がつかない（「日本人性」[27]）。そしてそれは、「マジョリティ側がマイノリティ側を抑圧している」といった単純な二項対立的な構造ではないし、そういった批判で解決するものでもない。例えば、日本における外国人の居住地域の偏りは未だに大きく（Mizuuchi, 2003)、テレビでもよく取り上げられるのは、観光地として他者化されている横浜の中華街、コリアタウンとして知られる東京の新大久保（近年は他の国から来た人々のコミュニティも形成されている)、そして外国人（特にブラジルから来た人々）の数が日本で最も多い愛知県でのブラジリアンタウンの存在についても聞いたことがあるかもしれない。2018年11月に夕方のニュース番組[28]で、「外国人労働者の受け入れ」という政府の方針に絡めて東京都西葛西のリトルインディアの状況を取り上げていた。インドから来る人々がなぜこの地域を選ぶのかという理由として、荒川＝ガンジス川といった景観への親近感のほか、日本との食文化の差異により集住が便利だと語った部分が流れた。一方、日本人側は「インド人同士が固まっている」といった見分けに関する意見がハイライトされ、とかく相互が交わらない「我々」対「外国人（他者)」という構図になっていた。それは、番組のコメンテーターの一人であったパックンが「外国人」代表、そしてそれ以外のキャスターらを含む三名が「我々日本」といった位置付けで番組が進行されることによりさらに際立っていた。また、白人としてのパックンが語る側であり、インド人住民らが語られる側という構造にも、社会現実としての人種および民族の関係性が表象されていたといえる。こういった番組の内容や構造からだけではなく、社会制度、生活環境などに複層的に人種や民族という社会現実が形成される仕組みがあり、それを私たちは疑いもなく、そして知らぬ間に学ぶ。そして、私たち一人一人がその社会現実に沿った行動をとり続けることによって、社会現実は存在し続ける。ゆえに、「日本には人種差別の歴史はない」「人種は存在しない」「自分には関係ない」と蓋を閉じるのではなく、その制度、環境、メディア等における表象などについて具体的に再考し、社会現実を再構成してくことが必要なのだ。実際、トランスナショナルな状況下にある社会において、誰しもが「見分ける側」にも「見分けられる側」にもなりうる。自分がいつも生活している見慣れた土地を離れ、街を歩き、「他者」となり「見分けられる」ことについて考えてみてほしい。本章が人種をめぐる課題というものを他人事ではなく身近なものとして、また当事者として理解する手立てとなればと願う。

注

1　本章では、アメリカ大陸という地理とアメリカ合衆国という国を分けて論じる都合上、国の方は基本的に「米国」と表記する。

2「日本の大晦日お笑い番組で黒塗りメイク：怒りと反発も」『BBC News Japan』2018.1.5 付、https://www.bbc.com/japanese/42575151（2019 年 9 月 17 日閲覧)。

3　1980 年代の日本の TV では、多くのお笑い番組から歌手グループに至るまでブラックフェイスは当たり前のように存在していた。それが米国公民権運動の流れも受け、差別的とみなされるもの（ブラックフェイス、ダッコちゃん人形、チビクロサンボの絵本など）を排斥するというのが社会の主流となっていった。

4　日本テレビ「スッキリ」、HP http://www.ntv.co.jp/sukkiri/caster/（2019 年 9 月 17 日閲覧)。

5　McNeil, B.「Meet the man who gets frisked by the Tokyo police five times a year」『The Japan Times』2017.1.22 付 https://www.japantimes.co.jp/community/2017/01/22/our-lives/meet-man-gets-frisked-tokyo-police-five-times-year/（2019年9月17日閲覧）.

6 「ハーフ（Half）」という言い方は、「フル（Full）ではない」つまり完全ではないというように解釈されることもあり、これまでに多く批判されてきた。代替語として「ダブル」「ハイブリッド」などと言われることもあるが、近年は「ハーフ（ha-fu）」という日本語としてポジティブに捉え直す動きもあり、名付ける側も名乗る側もその解釈は変容し続けている。

7 10年ごとに実施されるため、次は2020年に統計が出る。

8 2010年度US Censusの質問紙は以下を参照。https://www.census.gov/2010census/pdf/2010_Questionnaire_Info.pdf（2019年9月17日閲覧）。

9 不思議な表記だと思うだろうが、インドを探していたコロンブスは、アメリカ大陸を（誤って）「発見」したときに原住民を「インディアン（インド人）」と読んだことから、いまだAmerican Indianと呼ばれることも多く、アジアにあるインドの人々と区別するためにAsian Indianと表記されている。

10 US Census（2010）によると米国で最も大きな移民人口はヒスパニック系およびラテン系である。一方、最も早いスピードで増えているのはアジア系である。

11 原文ママ。「白晳」ともいう。

12 日本における科学的な人種研究の歴史については坂野（2009）を参照されたい。

13 これを岩渕（2016）は「日本－アジア－西洋という三項の創造体を本質主義的に作り上げる中で、『アジア』に対する、言わばオリエンタル・オリエンタリズムを発展させていった」（9頁）と論じている。

14 バーリンゲーム条約（the Burlingame-Seward Treaty）：清国と米国間に結ばれた「平等条約」で、清国からの移民の制限を緩和などしたもの。

15 1886年日布渡航条約により10年間で3万人近くが官約移民としてハワイへ渡ったとされる。その後は民間の移民会社を通して本土への移住が盛んになった。

16 「白人」というカテゴリーも決して単一的で統合的な概念ではなく、当時はその枠の中でも東欧や南欧から来た人々は「ヨーロッパの中国人」と揶揄されるなど、蔑視されていたことも注意されたい。

17 『ジム・クロウ』というのは、1830年代に流行った舞台の登場人物の名前で、白人俳優がブラックフェイスをして演じたものであった。その後、『ジム・クロウ』が黒人の蔑称となった。

18 当時、異人種間で生まれる子どもをどうカテゴリー化するのか、特に南部では誰が「有色人種」かを州法で定めていた。「血筋」に32分の1黒人、そして16分の1ネイティブアメリカンあるいはアジア系であれば「有色人種」とされていたことからもわかるように、有色人種内のランク付けすらなされていた。

19 例えば、2008年に世界的な経済危機であるリーマンショックが起こった後、日本政府は日系ブラジル人労働者とその家族にブラジルまでの片道航空券と１人当たり20万から30万を渡す代わりに、日本へ戻って来ない約束をさせるという帰国支援事業を施行した。詳しくは以下を参照されたい。厚生労働省（2009）『日系人離職者に対する帰国支援事業の概要』［https://www.mhlw.go.jp/houdou/2009/03/dl/h0331-10a.pdf］（2019年9月17日閲覧）、「Japan to immigrants: Thanks, but you can go home now」『Time』2009.4.20付、［http://content.time.com/time/world/article/0,8599,1892469,00.html］（2019年9月17日閲覧）。

20　中国やインドからの移民を中心としたアジア系労働者は「苦力（クーリー）」と蔑称で呼ばれた。特に中国人排斥法は制度的差別の象徴で、1882年から第二次世界大戦中まで60年以上中国からの労働者の入国を禁じた。その中で、国際的軍事力を高めていた日本は1907年日米紳士協定により女性の移住に限り認められることになった。この際の女性移民の多くは「写真花嫁」といって、写真を送り合う形での見合いをしたため、異国の地で結婚相手の男性に初めて会うと、写真と様相が違っていたという話が多く残っている。

21　収容された12,000人の３分の２が米国生まれの日系米国人だった。資産や不動産を失い、収容所に持ち込んだのは両手に持てる荷物だけとされた。特に西海岸での収容が多く、ハワイでは日系人が多すぎることや、社会経済の重要な位置を占めていたということで収容は実施されなかった。戦時中に日系二世の兵士は他の部隊から隔離され、第442連隊とされた。その後、米国市民権運動も高まりを見せた1970年代、日系三世らの多くは自分たちの親や祖父母が受けた仕打ちについての運動（Redless Movement）を起こし、1988年にロナルド・レーガン大統領が戦時中の強制収容に関して日系人への公的な謝罪と補償をする「市民の自由法」の制定へと導いた。

22　http://digitalexhibits.wsulibs.wsu.edu/items/show/4416（2019年9月17日閲覧）.

23　自己人種バイアス（own-race bias）や内集団バイアス（in-group bias）といわれるが、内集団に対する差異には敏感である一方、外集団・他者とみなす場合に一般化しがちであることを指す。

24　2015年版の“Breakfast at Tiffany's”のDVDには、Mr.ユニオシの描写のされ方について、当時の社会的文脈や制作者らが今現在抱える後悔、そしてアジア系米国人らの思いがインタビュー形式で収められている。

25　注20を参照。

26　US Censusのここ数十年の統計においても、アジア人の中で、同民族間ではなく他の人種や民族的背景を合わせ持つ割合が最も多いのが日本人だとされている。

27　ここでいう「日本人性」とは、「白人性（Whiteness）」という概念から出てきたもので、社会におけるマジョリティというのは、その存在はすでに前提としてあり、説明を必要とせず、またその内容も取り立てて問われることはなく、暗黙の了解の下にある（佐藤, 2005）、という概念であり、これはPeggy McIntosh

（1988）の白人特権（White Privilege）の議論から派生したものである。
28　フジテレビ「報道プライムサンデー（2018.11.25 放送）」、https://www.fnn.jp/posts/00392490HDK（2019 年 9 月 17 日閲覧）。

【参考文献】

Espiritu, Y. L. (2008) *Asian American Women and Men: Labor, Laws, and Love*. Lanham: Rowman & Littlefield.

福沢諭吉（1869）『掌中萬國一覧』福澤蔵版、http://dcollections.lib.keio.ac.jp/ja/fukuzawa/a10/29（2019 年 9 月 17 日閲覧）.

岩渕功一（2016）『トランスナショナル・ジャパン――ポピュラー文化がアジアをひらく』岩波書店.

Knüsel, A. (2012) "Yellow Peril: The Chinese Exclusion Act (1882) to the Johnson-Reed Act of 1924." Hayes, Patrick J. (eds) *The Making of Modern Immigration: An Encyclopedia of People and Ideas*, Santa Barbara: ABC Clio, 749-773.

黒川みどり（2016）『創られた「人種」――部落差別と人種主義（レイシズム）』有志舎.

李昇燁（2009）「『顔が変わる』――朝鮮植民地支配と民族識別」（竹沢泰子編）『人種の表象と社会的リアリティ』岩波書店 , 136-159.

McIntosh, P. (1988) "White privilege: Unpacking the Invisible Knapsack." *Peace and Freedom Magazine*, July/August, 10-12.

Mizuzuchi, T. (2003) "The Historical Transformation of Poverty, Discrimination, and Urban Policy in Japanese City: The Case of Osaka." In Mizuuchi, Toshio (ed.), *Representing Local Places and Raising Voices from Below*, Osaka: Osaka City University, 12-30.

Noble, S. U. (2018) *Algorithms of Oppression: How Search Engines Reinforce Racism*. New York: New York University Press.

Nott, J. C. & Gliddon, G. R. (1854) *Types of Mankind*. Philadelphia: Lippincott, Grambo & Co. [https://ia800301.us.archive.org/27/items/typesmankindore01pattgoog/typesmankindore01pattgoog.pdf]（2019 年 9 月 17 日閲覧）.

Omi, M., & Winant, H. (2015). *Racial Formation in the United States*, (3ed.), New York: Routledge.

Ono, K. A., & Pham, V. (2009). *Asian Americans and media*. Polity.

坂野徹（2009）「混血と適応能力――日本における人種研究 1930‒1970 年代」竹沢泰子編『人種の表象と社会的リアリティ』岩波書店 , 188-215.

佐藤郡衛（2005）「海外子女教育にみる「日本人性」の問題とその再考――トランスナショナルな海外子女教育の可能性」佐藤郡衛・吉谷武志編『ひとを分けるものつなぐもの――異文化間教育からの挑戦』ナカニシヤ出版 , 7-34.

Smith, S. L., Choueiti, M., & Pieper, K. (2017) *Inequality in 900 popular films:*

Examining portrayals of gender, race/ethnicity, LGBT, and disability from 2007- 2016, The Media, Diversity and Social Change Initiative, Annenberg Foundation and USC Annenberg.

Tuan, M. (1998) *Forever Foreigners or Honorary Whites?: The Asian Ethnic Experience Today*, London: Rutgers University Press.

US Census Bureau (2010) *The Asian Population: 2010*. https://www.census.gov/prod/cen2010/briefs/c2010br-11.pdf （2020年1月31日閲覧）.

U.S. Census Bureau (2018) *About Race*. [https://www.census.gov/topics/population/race/about.html] （2019年9月17日閲覧）.

U.S. War Department (1942) "How to Spot a Jap." In *Pocket Guide to China*, War and Navy Departments, Wshington D.C., 66-67. (https://commons.wikimedia.org/wiki/File:US_Army_How_To_Spot_AJap_Page_70.jpg#/media/File:US_Army_How_To_Spot_A_Jap.png)

第5章

日本に「本当の難民」はいないのか

佐々木 綾子

第1節　「難民」とは誰か——二極化されるステレオタイプ

シリア内戦やロヒンギャ危機を背景に、「難民」はグローバルな問題として日本でも頻繁にメディアで取り上げられるようになった。通学中に何気なく取り出したスマートフォンで友達がリツイートしたTwitterに小さな子どもの遺体が海岸に打ち上げられた写真が掲載されていたり、天気予報を見ようとたまたまつけたテレビ上で、ミャンマーからバングラディシュに避難しようとする人々の様子や、「ノーベル平和賞受賞者」であるアウンサンスーチー氏のロヒンギャ危機への対応に関する批判的意見が報道されていたりして、思いがけず「難民」という用語に触れることになった人々もなかにはいるだろう。命からがらの状態で逃げてきた「難民」たちの置かれた悲惨な状況、家族と離れ離れに避難せざるを得ず、またいつ元の生活に戻ることができるのかも分からないと絶望に打ちひしがれる姿、これまで過ごしてきた家が、学校が、街全体が突然廃墟と化すなかで、顔面に火傷を負った子どもが目の前で親が殺されたことを語る姿などは、世界中から「かわいそう」という同情を誘った。一方で、嫌イスラーム的な思想をもつフランスの『シャルリー・エブド』が亡くなった子どもまでをも題材として「難民」を風刺の対象とするイラストを掲載し[1]、それを批判する投稿がSNS上で相次いで世界中に拡散される様子を日本のメディアが報道したり、日本の漫画家が「そうだ難民しよう！」という散文[2]つきのイラストをインターネット上に掲載して「炎上」したりもした。「難民」は、もはや国際政治や国際人権法などの教科書にしか見当たらない難解な用語ではなく、日常生活のあらゆる場面で様々な感情を煽りながら誤解や偏見を生み出す用語へと変化したのである。

「難民」とよばれる人々は、なぜ発生するのか。そこには歴史的、政治的、地理的、経済的、宗教的、社会・文化的背景が幾重にも重なって存在する。シリアからの「難民」が発生し、長年にわたる大きな問題となった直接的背景としては、まず、2011 年から中東や北アフリカ地域の各国で起こった「アラブの春」が挙げられる。その一環として始まったはずの反政府路上抗議運動が暴力化してシリア内戦へと発展した。そして、その政治的混乱のなかで IS（いわゆる「イスラム国」）が台頭し、さらには欧米と露中、サウジアラビア対イランに加えてトルコやカタールが介入して、シリア国内の反体制諸派とアサド政権という三層構造の対立図式下での「代理戦争」状態となってしまった[3]。一方、ミャンマーからの「難民」が発生した背景としては、ミャンマー西部ラカイン州において宗教的少数派として差別され続けてきたロヒンギャをめぐる歴史や政治、そこに起こった暴動が直接のきっかけとして挙げられている[4]。

このような、紛争や紛争後の新しい政治体制への反発、宗教や民族の違いを背景とした差別などによって迫害や迫害を受ける恐れがあったり、戦争や紛争そのものによって居場所を追われて国境を越えた移動を余儀なくされたりした人々が国際社会からの注目を集めるようになったのは、第一次世界大戦後のことである。そして、第二次世界大戦と植民地支配の終結、その支配下にあった国々の独立、それに伴う紛争や米国とソ連による冷戦状況下の「代理戦争」が、さらなる「難民」を生み出すことになった。例えば中東においては、イスラエルの建国[5]によってパレスチナからの「難民」が問題となり、1949 年には彼らの救済を目的とした国連パレスチナ難民救済事業機関（UNRWA）が設立された。翌年 1950 年には、第二次世界大戦によって避難を余儀なくされたり、家を失ったりしたヨーロッパ人を救済することを目的として、国連難民高等弁務官事務所（UNHCR）が設立されたのである[6]。1956 年のハンガリー革命や 1960 年代に次々と起こったアフリカ諸国の独立、1970 年代の冷戦下におけるベトナム戦争やカンボジアの内戦、1980 年代以降から 2012 年のシリア内戦に至るまでにも、ソマリア、コソボ、ルワンダ、東ティモール、イラン、イラク、アフガニスタン、スーダンなどからは戦争や紛争の影響により、多くの「難民」が生み出されてきた。「難民」とは、決して新しい現象ではないのである。

UNHCRによれば、シリアから他国へと逃れた人々は2018年末現在で660万人を超えた（2019, 14）。EU諸国においては、シリアからのみならず、これまでも多くの「難民」を受け入れてきたが、2015年には大量の人々が海路や陸路で一気に欧州へと押し寄せ、受け入れ許容量をはるかに超えて混乱が起こった。また、「難民」を装ったテロリストや、家族が「移民」という背景を持っている、現地社会に生まれた二世や三世の人々が暴力的イスラーム思想に惹かれて暴力行動に加担するような事態が相次ぎ、「難民」ないし「移民」という用語やそのような背景を持つ人々の存在全般が人々の恐怖心や怒りの感情と簡単に結びつくようになってしまった。「難民」＝「危険」というステレオタイプはSNSを通して拡散し、「反難民」の声を次第にまとめあげ、複数の国々で「反移民・難民」を訴える政党の勝利を支えることにもなった。

このようにステレオタイプ化された「難民」のイメージは、当然ながら日本でも幅広く流布している。例えば、大学の授業において「難民」を取り上げると、「テロリストが混じっていそうで怖い」「社会秩序が乱れて治安が悪化しそう」「難民より国民の安全が大切」などといった、「難民」をネガティブなもの、国の安全を脅かすものとして捉える意見が多く返される。一方では、「過疎の村で難民に仕事をしてほしい」「人口減少社会には難民の労働力が必要」といったように、人口減少や少子高齢化という難題を抱える先進諸国において経済成長を遂げ続けるための救世主となり得るかのような意見が出されることもある。「難民」について議論しているはずが、「テロの危険」や「社会秩序の乱れ」と「日本の地方創生」や「労働力の確保」の天秤の上で「受け入れ側の経済的メリット」に議論が回収されていくことがしばしばあるのだ。これは、現在の日本政府の政治や政策に関する議論の反映そのものでもある。つまり、「難民」について、とりわけ日本における「難民」の受け入れについては、人権や人道的な観点から論じられることはほとんどなく、人口減少社会における経済成長を考えるなかで、「国民」を第一に考えながら「外国人」をどう活用するかといった議論、あるいは「国民」や「日本人」で構成される日本社会へのメリット・デメリットとセットでの議題として取り扱われる傾向にあるということである。

しかし、そもそも「社会秩序が乱れる」と心配するほどの「難民」や過疎地域の活性化に貢献してくれるだけの「難民」が日本に来ているのだろうか。法務省入国管理局（略称：入管）[7]がまとめた『平成29年における難民認定者数等について』によれば、2017年（平成29年）の難民認定申請数は19,629人で過去最高を記録した。確かに5年前と比較すると、申請者数は約8倍となり激増しているが、混乱が起こったEU諸国や「難民」の受け入れが多い国々と比較してみると、その圧倒的少なさがわかる。UNHCRによれば、2017年末現在、強制的な移住を余儀なくされた人々は約6,850万人で年々増加しているが、その85%は「途上国」が受け入れており、同年末の「難民」受入数上位3カ国はトルコ、パキスタン、ウガンダである。人口当たりの受入数が最も多いレバノンでは、1,000人あたり164人の「難民」を受け入れている（2018, 2-3, 21）。

また、EU諸国での新規の「難民」申請が激増した2015年のドイツにおける「難民」申請数は約442万人で、そこをピークに2017年では約20万人にまで減っている。一方、フランスでは増加し続けており、2017年は9万人以上が新規に「難民」申請を行った（UNHCR, 2018, 41）。EU諸国全体としての2017年の新規申請者のうち、「難民」として認定されるか、それに近い形での保護を受けることができた人々の割合は約45%であるが、その値が最も高いアイルランドでは新規申請の89%を「難民」認定ないし「難民」に近い形で保護したという報告もある[8]。

こうした国々と比較し、2017年の日本では「難民」申請数は約2万人、認定数は20人（「異議申し立て」による認定を含む）、「人道的配慮」によって日本での滞在を許可された者は45人である。申請数も認定数も「社会秩序が乱れる」と心配するほどの数ではないうえ、過疎地域を活性化してくれるだけの力もなさそうなのが現状である。

日本が認定する「難民」はこれほど少なく、また実際に「難民」の人々とのトラブルを経験したわけでもないのに、なぜ非常にネガティブなイメージが拡散しているのか。以下では、歴史的背景や過去の解釈を基につくられた制度上の課題と社会における人々の相互行為が、いかに「難民」をステレオ

表１　日本における「難民」申請者および認定者数の推移

西暦	2008	2009	2010	2011	2012	2013	2014	2015	2016	2017
申請数	1,599	1,388	1,202	1,867	2,545	3,260	5,000	7,586	10,901	19,629
認定数 *	57	30	39	21	18	6	11	27	28	20
人道的配慮	501	501	363	248	112	151	110	79	97	45

＊ 認定数には「異議申し立て」による認定も含む。
（出典：法務省入局管理局　統計に関するプレスリリース各年より筆者作成）

タイプ化し、また「難民」のスティグマ（ある「属性」や「性質」に烙印を押すことによって引き起こされる、アイデンティティのネガティブなズレ）を強化しているのか、について詳しく検討していきたい。

第２節　「難民」の認定をめぐる歴史的背景

前節では、2017年の日本における「難民」認定数は20人であり、この数字は他国と比較すると圧倒的に少ないことを見た。日本において「難民」の認定は入管が行っているが、その判断は、国際条約である難民の地位に関する条約（通称：難民条約）および難民の地位に関する議定書（通称：難民議定書）[9]において規定される「難民」の定義に基づき行われている。その定義とは、「人種、宗教、国籍、政治的意見やまたは特定の社会集団に属するなどの理由で、自国にいると迫害を受けるかあるいは迫害を受ける恐れがあるために他国に逃れた人々」であり、この定義に当てはまる人々は「条約難民」とよばれる。問題となるのは、この条約上の「理由」と「迫害」の解釈である。例えば、これを狭義に解釈した場合、紛争や内戦から逃れてきた、という人々を「難民」として認めることはできない。そのため、「条約難民」には該当しないが「難民」と事実上同じような状況に置かれた人々を補完的保護という概念で捉えて、保護を受けることのできる者の範囲を拡大し、内戦から逃れてきた人々を受け入れている国も多くある。日本でも補完的保護に関して「人道的な配慮が必要な者」という概念で在留特別許可を与えているが[10]、その数は、先述の通り、年に数十人程度である（2017年は45人）。

日本における難民認定制度は、1980年代から始まったインドシナ難民の受け入れ時に成立している。1975年、ベトナムの共産化を阻止する名目でアメリカが軍事介入を行ったベトナム戦争が終結し[11]、カンボジアのプノンペンおよびベトナムのサイゴン、ラオスのビエンチャンが陥落すると、新統治体制に反対する国民への弾圧や迫害の恐れから、沢山の人々が海路や陸路によって日本を含む近隣他国へと逃れるようになった。特にベトナムからボートに乗って日本に漂着した人々はボート・ピープルと呼ばれ、日本政府の難民条約への加入を後押しする役割を担った。当時の日本政府のなかには、定住を前提とした「難民」の受け入れに踏み切ることに慎重な意見もあったが、最終的には難民認定機関を独立した機関としてではなく入管の一部署とし、「国際社会に対するポーズ」（明石, 2010, 81）として「難民」の受け入れを開始することにしたのである[12]。

ある国際条約に加入している国々は、その条約との整合性を考慮し、国際条約で定められていることを具体的に国内で実施するために必要な国内法や各種制度を整備しなければならない。そのため、申請者が条約に規定されている「難民」であるかどうか、その該当性を判断し、保護措置を与えるか否かを審査するための難民認定制度が新設され、それまでの出入国管理令にかわって出入国管理及び難民認定法（通称：入管法）が制定された。難民条約では、「難民」が入国しようとしている国の「国民」と同等の待遇を「難民」に保障するよう、「内国民待遇」を規定しているため、日本では難民条約と難民議定書の発効に伴い、国民年金法や児童扶養手当法における国籍条項が撤廃され、大幅な改定が行われた。

しかしながら、インドシナ三国の政情が落ち着きを取り戻し始めた頃、流入ピークをはるかに凌ぐ数のボート・ピープルが漂着し、そのなかに出稼ぎ目的の人々が多数紛れ込んでいることが発覚したのである。当時、政治的混乱のなかでの迫害よりはむしろ、それに起因する経済的な事由を最大の理由とした「経済難民」[13]の増加が他国でも問題化していた。1989年9月には、閣議了解により、難民資格審査（スクリーニング）認定制度が開始され、入管はボート・ピープルの大半を「偽装」とみなすこととなり（明石, 2010)、「偽装難民」は送還されるようになったのである[14]。

現在の日本では、「第三国定住」という枠組みでの「難民」受け入れ[15]に加え、「条約難民」は従来通り独立した認定機関ではなく、入管が業務内でその該当性の審査や認定を実施している。しかしながら、こうした難民認定関連業務を「出入国管理」を主目的に実施する入管の業務内で行おうとすることの限界は度々指摘されており[16]、「難民」申請者の審査過程や判断そのものにも疑問を抱かせる一因となっている。例えば入管は、UNHCR によって判断され、国連の保護を受ける資格をもつ「難民」(「マンデート難民」[17]という）であるクルドの人々を本国に強制送還[18]したことがある。難民条約第 33 条には、いかなる方法によっても迫害の危険のある地域への追放及び送還を禁止する規定（ノン・ルフールマンの原則）があり、難民条約に加入している国々が当然守るべきルールとして定められている。しかし、日本は「出入国管理」という業務を厳格に遂行しようとするあまり、ノン・ルフールマンの原則に反して「マンデート難民」を強制送還したり、「難民」申請者を「不法滞在者」とみなして長期にわたって収容したりすることがしばしばあり、国連や国際社会からの批判を受けているのである。

こうした国際社会からの批判に基づき、日本における「難民」の支援者のなかには、国際基準に従うべきであると主張する者もいる。入管の解釈による「迫害」の定義は狭すぎ、証拠書類すべてを日本語で提出しなければならず、中立的な通訳も手配されないといった個々の理由も含め、事実上「保護目的」ではなく「排除目的」で運用されている難民認定制度に対する改善要求も相次いでいる[19]。入管で収容された人々の自死、強制送還中の死亡、長期にわたる収容や未成年の子を日本に残したままでの本国への強制送還なども頻繁に起こっているため、状況を改善し、国際人権法や国連条約に基づく保護支援を実施しようとロビイング活動や署名活動、デモなども行われている。例えば、2018 年 6 月 20 日の「世界難民デー」に際しては、「難民」認定されずに「退去強制処分」とされた人々が収容されている東京入国管理局前に、収容された人々の家族や支援者 30 人近くが集まり、雨の降る中、「息子を返せ」「お母さんを返せ」と声をあげ、プラカードを手に「不法滞在者」として「難民」を長期収容することへの抗議活動を行った[20]。支援を担う人々は、権力や世論に対する要求表明にあたって、入管の収容施設の劣悪さや「難民」申請者のおかれた絶望的な状況を強調することがある。時には、支援者たちが日々接している「難民」が、どれほどの苦難を経験し、どれほど理不尽な状況におかれているのか、個々で異なるケースを「難民」として落ち度がないようなステレオタイプに当てはめて訴えざるを得ないこともある。その抗議文や要求表明を行う姿もまた、SNSやテレビなどのマスメディアを通して拡散していく。ここに「イノセントな難民」像ができあがる余地が産み出される。

一方、こうした国際社会や支援者側からの批判に対し、日本の入管は自らの主目的である「出入国管理」に重きを置いた「難民」認定制度を維持させることを前提に、制度の課題を解釈する。つまり、日本における「難民」申請者の大多数が本来は「難民」の定義には当たらない人々であるから、出入国管理業務をむしろより厳格に実行し、「偽装難民」に制度を悪用させないようにしよう、というのである。日本の「難民」の大半が「偽装」であるという根拠として、入管は「難民」申請者の国籍が一定の国籍に偏っており、UNHCRが毎年発行する『グローバル・トレンズ』において、避難を余儀なくされている人々が多い国々（シリア、コロンビア、アフガニスタンなど）からの申請者は「わずか36人」にとどまっており、「我が国で急増する難民認定申請の大半が、大量の難民・避難民を生じさせるような事情がない国々からの申請者によるもの」である、という説明をしている。また、「欧州では男女ともに脆弱性の高い年少の申請者が多く存在する一方で、我が国では働き盛りの年齢の申請者が多数を占めている状況」にある、といった比較をする。さらには、借金や近隣とのトラブルなど、「難民」として認定すべき迫害や迫害の恐れがあるとは認められない理由による申請が多数を占める、というのである[21]。

なぜ、このように異なる解釈が生まれるのか。草柳（2004）は、ある出来事や経験がどのような「社会問題」として解釈されるか、あるいは「社会問題」としてではなく「個人のわがまま」などとして処理されるかは、既に社会にその「経験」や「出来事」を言い表せるような語彙があるか、またそれらの語彙を的確に使うことが可能かどうかに大きく影響されると述べる。「難民」が不法滞在者、テロリスト、犯罪者などという語彙と容易に結びついて記述されたり、外国人の活用、労働力の確保、経済的メリットといった語彙を用いて安易に語られたりするのは、そのような「問題解釈の枠組み」が自然と作動してしまう社会に私たちが生きており、そうした枠組みを使って社会におきている「出来事」を解釈しているからに他ならない。解釈は、その「出来事」や「経験」を誰が語っているのか、どのような聴衆に対してどういうタイミングで語っているのか、にも影響される。政府、入管、NHK、日本の大手新聞社といったカテゴリーに属する人々と、支援団体、NGO、国連人権理事会、海外メディアなどのカテゴリーに属する人々の発言は、「日本国民」にとってどちらが「信憑性」があると考えられているだろう。適切な聴衆に対して、より適切なタイミングで語ることができるのはどちらだろうか。

例えば「偽装」という入管による解釈は、過去に起こった、ボート・ピープルのなかに「偽装難民」を発見し、スクリーニング認定制度を導入したという類似の経験に大きく影響を受けているとも考えられる。過去の経験が現代に起こっている類似の問題を解釈する際の重要資料として活用され、「難民」の大半を「偽装」とみなすことを正当化するのだ。そうした解釈を入管が行い、日本のメディアが発信することによって、社会には「偽装難民」像が流布していくのである。

第3節　「難民」カテゴリーのスティグマ化

こうして日本社会には、困難な状況に置かれ、絶望的なまでに無力でかわいそうで保護されるべき「イノセントな難民」と、社会秩序や治安を脅かす「偽装難民」といった、両極端にて周縁化されたステレオタイプが混在している。そしてまた、このように二極化された「難民」イメージは、民族、出身地、宗教、信条、ジェンダー、性的指向、職業など、本来問われるべきであるはずの「迫害された／されるかもしれない恐れ」を作り出した出身国における社会構造とそのもとでの個々の経験を不問としつつ、避難国での「難民」の「スティグマ」の強化にも加担することになる。本節では、この「スティグマ」についてもう少し考察してみたい。

「スティグマ」という概念を使用し人々の行為とアイデンティティを論じた社会学者のゴフマンによれば、スティグマとは「人の信頼をひどく失わせるような属性をいい表すために用いられる」(2016, 16) が、「属性」それ自体ではなく、ある人の社会一般から想定されているようなアイデンティティと、本来の自分を言い表すアイデンティティの間に、ある種のネガティブな乖離を構成しているときに用いるにふさわしい概念である（2016, 15-16）。つまり「難民」という属性に当てはまる人々に付与されるスティグマとは、社会において「『難民』とはこうである」と思われている特徴や「難民らしい」装いと、彼ら本人が感じている「本当の自分」の間に起こるアイデンティティのネガティブなズレをあらわす際に用いるにふさわしい。

スティグマは、社会における人々の相互行為のなかで生成される。そしてまた、スティグマが付与されるような「属性」（「難民」をはじめ、障がい者、がん患者、性暴力被害者などもそうした「属性」となり得る）というのは、その人の構成要素の一部でしかないにもかかわらず、多くの場合に、その人のアイデンティティそのものとなってしまう傾向がある。同じ「属性」を持つ人々でも、個々人は様々な性格をもち、違った環境で育ち、異なる経験をしてきたはずだが、社会には「難民」というカテゴリーに対する「あるべき姿」や「らしさ」が存在し、そのカテゴリーに属すると見なされた人々は、その想定にそって振舞うことを期待されるのである。

スティグマをもつ人々は、自分たちが帰属を求める集団から拒絶されたり、追放されたりするなかで、三つの反応を示す可能性があると言われている。ひとつは、自尊心を大きく傷つけられ、「屈辱」や「恥辱」や「自己軽蔑」を示したり、うつ状態や無気力状態に陥ること、もうひとつは、スティグマ化されたことを不当だと受け止め、復讐をよびかけたりその行為を正当化したりすることである。そして、もうひとつの可能性として、自らの正当性への承認を求め、帰属集団を探すこともあるといわれている（バウマン, 2017, 43-44）。この「帰属集団」となり得る集団のなかには、「テロリスト集団」も含まれ得る。欧米に以前から存在していたイスラーム教蔑視を背景に、とりわけ2001年にアメリカのニューヨークとワシントンで起こった同時多発テロ以降、「テロリスト」と「イスラーム教」は事あるごとに結び付けられて語られてきたが、とりわけムスリム人口の多い国々からの「難民」や「移民」のなかには、「犯罪者」や「テロリスト」の「同胞」としてのスティグマをもちながら日々を暮らさなければならない状況に置かれている人々が少なくない。移住してきた人々ではなく、国内で育ったホームグロウン・テロリストが起こした事件は、その国に生まれ、その国の「文化」や「価値観」を共有して育ち、その国への帰属を求めているにもかかわらず拒絶され、排除されるという、国内の社会的排除問題の帰結とも捉えられている（塩原，2017, 57-58）。

こうした議論を踏まえ、日本における「難民」の人々が抱えるスティグマを、難民申請の過程を例に考えてみたい。移動を余儀なくされ、居場所を失った人々が他国において「難民」申請をすることは、自分たちの経験は「偽装」ではない、自分たちは「本当の難民」であることを証明することに他ならない。そして、認定制度に基づいて「難民」を受け入れるという決まりを持っている国では、認定するにふさわしい人物かどうか、その条件を満たしているかどうか、様々な角度から調査する必要があり、申請をした本人が迫害を受けた、あるいはその恐れがある人物である、ということがあらゆる書類によって、主観的ないし客観的に立証されなければならない。しかし多くの場合に、「難民」は自らが迫害されていた、あるいはその恐れが十分にあるということを証明するものを準備することは大変難しく、「客観的な証拠」やそれを裏付ける書類の提出は困難であるとされている（森，2018）。

特に日本では、第三者機関ではなく、申請者がその証拠を集めることを求められているため、「難民」を含め彼らを支援する団体や弁護士など「難民」申請側の立場にいる人々は、申請者の出身国におけるマイノリティ性や迫害され得る「属性」、「異質性」、「逸脱性」ないし「有罪性」をも強調せざるを得ない立場におかれている。彼らは、元いた社会においてマジョリティではない、マジョリティの宗教とは別の宗教を信仰する、マジョリティとは異なる性的指向性のある、権力と敵対する過激な政治活動をしているような「普通ではない」人々であることを証明しなければならないのだ。ここに、「難民」の人々の一つ目のアイデンティティのネガティブなズレが起こり得る。

一方、避難先の国に対しては、彼らが全くの「無罪」であることを同時に証明する必要もある。「難民」が避難国にとって「危険」ではないことを証明する必要性は近年益々大きくなっている。バウマン（2017）は、近年の「難民」や「移民」の受け入れ賛成反対という議論は、異質なものから如何に「国家」や「国民」を守るかという文脈において「安全保障化」されており、「国民」の間に「セキュリティ・パニック」を引き起こしていると指摘する。また、そうした反応を公式に支持する政府が力をもつ現在の世界情勢のなかでは、「難民」は「犯罪にかかわる前から有罪」というスタンスで処遇されていると述べる。日本においても同様に、「難民」申請者たちは、彼らの経験が決して「偽装」ではなく、しかし自分たちは日本社会においては「無罪」であることを証明するために、自らの「難民らしさ」の証拠をかき集め、「難民らしく」振舞わざるを得ない状況におかれている。支援者たちはそのように彼らをプロデュースすることを余儀なくされ、「難民らしく」支援者に依存しなければ生きていけないような状況を作り出してしまう。ここに、本人たちの二つ目のアイデンティティのネガティブなズレが起こり得る。

このように「難民性」をめぐって行われている、母国における「有罪性」と日本における「無罪性」を同時に証明するという、二つのベクトルをもった矛盾した相互行為が「イノセントな難民」とその対極にある「偽装難民」といった両極端なステレオタイプを生み出し、同時に二つのベクトルをもったアイデンティティのネガティブなズレを生じさせる。「難民」は、完全に「イノセント」でも完全に「偽装」でもない、一人ひとり名前をもち、家族を持ち、友人を持ち、日々を生きるなかで個々の理由で迫害を受け、これまでの生活を続けることが「困難」になり、自らの居場所から「避難」せざるを得なかった、多様なアイデンティティをもつ一人の人間であるのにもかかわらず。

第4節　「難民」のアイデンティティとカテゴリーのもつ社会的意味

本章では、問題解釈の枠組みの在り様によって現象が解釈され得るということ、また社会的な相互行為が「難民」のステレオタイプやスティグマを生成し、それらを維持・強化していることを考察してきた。このように見てくると、「難民」というカテゴリーをなくしさえすれば、問題は解決するのではないか、という結論に至ってしまうことも多い。しかしカテゴリーをなくすこと自体は、必ずしもステレオタイプやスティグマの消失にはつながらず、構造化された差別を是正することにもならない。したがって、本章の最後に、「難民」というカテゴリーが持つ社会的な意味を的確に理解し、「難民」を生み出す背景にある社会構造の変革を試みる支援活動や社会運動の重要性についても同時に指摘したい。

「難民」のなかには、自らが「女性」であることや「同性愛者」であることをその事由とする者もいる。UNHCR 執行委員会は、1985 年に社会の「しきたり」から逸脱したために非人道的扱いを受ける女性の庇護申請者を「特定の社会集団の構成員」として解釈するよう各国に養成し、1991 年には、難民女性の保護に関するガイドラインを公表して、ジェンダーに基づく迫害を受ける恐れがある庇護申請者が「難民」認定される可能性があることを指摘した（長島 , 2007, 13)。実際には、条約に加入している国々の主権的裁量にゆだねられているものの、オーストリアでは、女性性器切除（FGM）[22] が行われることになっている国の「女性」や男性の家族の眼からみて不名誉な行動（例えば「女性」の婚前性行為や不倫なども含まれる）をしたとして殺される「女性」、年配の一夫多妻の男性との強制結婚を恐れた「若い少女」を「特定の社会集団の構成員」とみなした事例もある（廣瀬 , 2011)。また現在でも「同性愛」であることを罰する国は世界に 70 カ国以上あり、UNHCR では、「同性愛」を事由とする「難民」を認めるよう呼びかけを行っている [23]。

ここに、「女性」や「同性愛者」といった「特定の社会的集団」そのものを貶める社会構造や政治性を暴き、変革を促す支援活動や社会運動の必要性が浮かび上がる。「属性」をめぐるステレオタイプやスティグマには十分に留意しながらも、「属性」の持つ社会的意味を考え、そこに根差した差別意識を変えることが重要なのだ。「特定の社会集団」に属する人々の人権や諸権利の否定、法制度にも組み込まれた構造的差別を支える政治的責任を問うには、それら集団の歴史的、社会的、政治的位置づけを理解し、「属性」が持つ社会的意味との関係において個々人の経験を解釈し、その文脈を変えていくことが必要だからだ。形だけに留まらない異文化理解、多様性の承認、多文化共生社会の実現は、それぞれの「属性」がもつ社会的意味の理解とその物理的な状況改善抜きには為しえない。同時に、私たち一人ひとりが、「難民」と「国民」、「男性」と「女性」といった二項対立的な捉え方ではなく個々人に寄り添い、個々が置かれた文脈を変えていけるよう何らかのアクションを起こしていく必要があるのである。

私たちは、「難民」問題の解釈枠組みをどのように変更し得るだろう。「難民」に関する「出来事」や「経験」をどのような語彙を用いて新たに捉え得るだろうか。そしてまた、「難民」の置かれた歴史的、社会的、政治的位置づけとその社会的意味をどのように理解し、個々人の経験やアイデンティティに与えている影響を解釈することができるだろうか。「難民」問題を解釈する際に準拠し得る枠組みの選択肢を増やし、そこから生まれ得るステレオタイプやスティグマの生成過程を理解すること、一方で「難民」を生み出す背景となる人々の「属性」そのものが置かれた歴史的社会的政治的な位置づけを理解し、「属性」の持つ社会的意味との関係において個々の「現状」を共有することができたとき、日本における「難民」問題は別様のあり方を示すのかもしれない。

注

1　シャルリー・エブド社は、その嫌イスラーム的編集姿勢から、「移民」の背景をもつがフランス国籍のイスラーム教徒によって2015年1月に襲撃されたが、その行為に反対して言論の自由を護るという名目で「私はシャルリー」というプラカードを掲げた人々によるデモが行われた。

2　散文には、最後にいくほど大きな文字を使って以下のように書かれている。「安全に暮らしたい　清潔な暮らしを送りたい　美味しいものが食べたい　自由に遊びたい　おしゃれがしたい　贅沢がしたい　何の苦労もなく　生きたいように生きて生きたい　他人の金で。そうだ　難民しよう！」

3　末近浩太「これでわかる『シリア内戦』の全貌〜そしてイスラーム国が台頭した——絶望が世界を覆い尽くす前に」『現代ビジネス』、https://gendai.ismedia.jp/articles/-/48257（2019年2月17日閲覧）。シリアや中東、ヨーロッパへの難民流入の状況の変遷に関しては、例えば酒井啓子氏による一連のコラム「中東徒然日記」『Newsweek日本版』に詳しい。https://www.newsweekjapan.jp/column/sakai/（2019年2月17日閲覧）。

4　例えば、「『民族浄化』の声も——ロヒンギャ問題をいちから解説」『朝日新聞』2017.9.26付、https://www.asahi.com/articles/ASK9S5CR2K9SUEHF001.html（2019年2月17日閲覧）。

5　第一次大戦中にユダヤ人の「民族的郷土」をパレスチナにつくることに合意するという内容の「バルフォア宣言」をイギリスが行った一方、アラブ側にとってのパレスチナは、フサイン・マクマホン協定によって独立を約束されていたアラブ王国の一部であった。ヨーロッパが国民国家の時代を迎えるのと同時に、ユダヤ教徒に対する差別・迫害が広がり、ユダヤ教徒をユダヤ人とし、ユダヤ人のための国家を樹立しようというシオニズム思想と相まって、パレスチナに「ユダヤ人の国」としてイスラエルが建国された。結果、アラブ民族であることとユダヤ教徒であることの間に二律背反性が生まれることにもなった。詳しくは、酒井啓子（2010）「第2章パレスチナ問題とは何か」『〈中東〉の考え方』講談社現代新書、74-126頁。

6 UNHCR駐日事務所ウェブサイト、https://www.unhcr.org/jp/history-of-unhcr（2019年2月21日閲覧）。

7 平成30年12月8日、第197回国会（臨時会）において「出入国管理及び難民認定法及び法務省設置法の一部を改正する法律」が成立し、翌年4月1日より、入国管理局は出入国在留管理庁となった。

8 Eurostat. (2018) *Statistics Explained: Asylum Statistics*, Luxembourg: Eurostat. https://ec.europa.eu/eurostat/statistics-explained/index.php/Asylum_statistics#undefined,（2018年9月30日閲覧）.

9 当時の難民条約では、「ヨーロッパ」で「1951年1月1日前」に起こった事件という地理的制約及び時間的制約が設けられていたが、難民議定書ではそうした制約が取り除かれた。

10 実際の在留資格は「特定活動」または「定住者」となる。

11 アメリカ軍がベトナムから撤退したのは1973年である。

12 一方、政府はUNHCRに多額の拠出金を支払うなども含め、既に国際基準以上の実務を行っていると認識し、難民条約加盟によって国境管理がむしろ実効的になると想定していたという見方もある（小池, 2011, 53）。

13 近年では、「難民」と「移民」を政治的事由か経済的事由かに明確にわけて議論するのではなく、難民は様々な要因が複合的に作用して拡大するグローバルな人口移動の一部と捉えることが適切との考え方が主流になっている。政治的社会的暴力の構造が経済的困難の背景には存在するからである（本山, 2007）。

14 スクリーニング制度の導入や「偽装難民」の送還については、元難民事業本部・元定住支援センター施設長の寺本氏による資料と講演に基づく。シンポジウム『難民が開く日本社会——インドシナ難民の受け入れから40年を経て』（2019年11月9日、上智大学にて開催）。日本における「インドシナ難民」の受け入れは、家族の統合のための受け入れを経て、2006年3月末に国際救援センターを閉鎖し事実上終了している。

15 「第三国定住」とは、難民キャンプ等で一時的な庇護を受けた「難民」を、当初庇護を求めた国から新たに受入れに合意した第三国へ移動させること。日本においては、2010年からタイの難民キャンプに滞在するミャンマー難民を毎年30人（家族単位）、5年間にわたって受け入れるパイロットケースを実施、2015年度以降はマレーシア国内のミャンマー難民の受入れと、これまで第三国定住によりタイのキャンプから受け入れた難民の親族の呼び寄せを実施している。難民事業本部ウェブサイトより。http://www.rhq.gr.jp/japanese/know/daisangoku.htm（2019年2月25日閲覧）。

16 例えば、全国難民弁護団連絡会議代表世話人の渡邊彰悟弁護士へのインタビュー

（全日本民医連ウェブサイト https://www.min-iren.gr.jp/?p=26108［2018年11月5日閲覧］）や「新しい外国人労働者受入れ制度を確立し、外国にルーツを持つ人々と共生する社会を構築することを求める宣言」（日弁連大会宣言 https://www.nichibenren.or.jp/activity/document/civil_liberties/year/2018/ 2018_1.html［2018年11月11日閲覧］）など。

17「マンデート難民」の庇護手続きはUNHCRによる「難民認定基準ハンドブック」に記載されているが、日本政府は「ハンドブックに法的拘束力はない」「入管法上の難民認定とUNHCRによるマンデート難民の認定とは必ずしも一致しない」などの見解を示している（小池, 2011, 55-56）。

18 2005年1月、入管は「マンデート難民」であり、日本に庇護を求めていたトルコ出身でクルド難民の親子2名を本国に強制送還した。詳細は難民支援協会声明「国連マンデート難民：クルド難民（トルコ出身）の本国への強制送還に対する難民支援協会声明」（2005.1.18付）、https://www.refugee.or.jp/jar/report/announce/2005/01/18-0000.shtml（2018年10月1日閲覧）。

19 例えば、志葉玲「認定率は0.2%『難民に冷たい日本』――専門家、NPO、当事者らが語る課題と展望」2018.5.9付、https://news.yahoo.co.jp/byline/shivarei/20180509-00084621/（2018年9月30日閲覧）。

20 毎日新聞「東京入管　支援者ら30人が抗議活動　収容者を激励」2018.6.16付 https://mainichi.jp/articles/20180617/k00/00m/040/075000c（2018年11月2日閲覧）。

21 法務省入国管理局『平成29年度』における難民認定者数等について』http://www.moj.go.jp/content/001257501.pdf（2018年9月30日閲覧）。ここでは、「支援者」と「入管」を対比して論じたが、実際には「支援者」も一枚岩ではなく、「入管」と近い考え方をする者もいる。

22 女性性器を切除することで、女性は性的欲望をコントロールすることができるとの考えに基づき、アフリカや中東、アジアの一部の国々で行われている慣習。詳しくは、日本ユニセフ協会の説明を参照のこと。https://www.unicef.or.jp/about_unicef/about_act04_03.html（2018年11月4日閲覧）。

23 田中志穂「LGBTと難民」難民支援協会ウェブサイトより。https://www.refugee.or.jp/jar/report/2015/05/08-0000.shtml（2019年2月25日閲覧）。日本においても、2018年に初めて「同性愛」への迫害を理由に難民認定を出したことが報じられている。産経新聞「同性愛迫害で難民初認定　出身国で逮捕、保釈中来日」（2019.7.1付）。http://www.sankei.com/affairs/news/190701/afr1907010039-n1.html（2019年11月18日閲覧）。

【参考文献】

明石純一（2010）『入国管理政策――「1990年体制」の成立と展開』ナカニシヤ出版.

バウマン , J. 著、伊藤茂訳（2017）『自分とは違った人たちとどう向き合うか　難民問題から考える』青土社.
ゴフマン , E. 著、石黒毅訳（2016）『スティグマの社会学　烙印を押されたアイデンティティ』せりか書房.
廣瀬和子（2011）「『人権』の国際化、難民・国内避難民・無国籍者、人間の安全保障」『学術の動向』16 (8), 89-92.
法務省入国管理局（2018）「平成 29 年における難民認定者数等について」http://www.moj.go.jp/content/001257501.pdf（2018 年 9 月 30 日閲覧）.
小池克憲（2011）「日本は変わったか――第三国定住制度導入に関する一考察」『難民研究ジャーナル』1, 48-64 頁
草柳千早（2004）『「曖昧な生きづらさ」と社会――クレイム申し立ての社会学』世界思想社.
森恭子（2018）『難民のソーシャル・キャピタルと主観的統合――在日難民の生活経験への社会福祉学の視座』現代人文社.
本山央子（2007）「特集『難民』　強いられた移動とジェンダー　イントロダクション」『女たちの 21 世紀』50, 3-6.
塩原良和（2017）『分断と対話の社会学――グローバル社会を生きるための想像力』慶應義塾大学出版会.
UNHCR (2018) *Global Trends Forced Displacement in 2017*, http://www.unhcr.org/5b27be547.（2018 年 9 月 30 日閲覧）
UNHCR (2019) *Global Trends Forced Displacement in 2018*, http://www.unhcr.org/5d08d7ee7.pdf.

追記：本稿の執筆は、2018 年～ 2019 年の比較的長期間にわたっており、その間、社会情勢や入国管理、収容に関する様々な事件や変化も起こった。本稿の主旨は変わらないが、統計や情報については最新のものを反映しているとは言えないため、読者各自で情報の更新に努めて頂ければ幸いである。

第6章

日本の女性は専業主婦、男性はサラリーマンになりたいのか

デール SPF

第1節　国際基準から日本の現状を見る

「ジェンダー」(gender) という言葉は、女性と男性の社会的な状況について語るための言葉であり、1970年代に社会学や心理学などの分野において、女性と男性の社会的な役割は生物学的なものではなく、社会的、歴史的、文化的な文脈において作られているものだと強調するためにできた概念である (木村・伊田・熊安, 2013)。「ジェンダー」は、「性別」という言葉と同じものを指しているといえるが、「性別」と違って、特に社会的な場面で使われる。例として、2018年に報道された東京医科大学の入学試験を巡る事件を参考にする。女性と一部の男性の点数が減らされ、女性にとって女性であることだけで合格しにくい状態だった。この場合、「女性」という性別が原因で男性と違う扱いをされたとはいえるが、それより、「女性」と関連する思い込みや期待されている役割、つまり「女性」というジェンダーが原因であった。女性の点数を減らす理由として、結婚や出産したら現場から離れることになり、職場には悪影響があるという理由が挙げられた (奥田, 2018)。このような問題は、ジェンダーに関するものである。「女性」と言いながら、社会的な役割や期待を指している。日本語では、ジェンダーという言葉はアカデミックな文脈で使われることが多いが、ジェンダーに関する話題は幅広く、我々の日常生活にも及ぶ。女性または男性であることによって期待されていることや機会、役割などは、すべてジェンダーに関する話題である。最近で

は、LGBT（レズビアン、ゲイ、バイセクシャル、トランスジェンダー）などの性的少数者のことも注目を浴びるようになったが、こちらもジェンダーに関わりがある。

ジェンダーに関する社会運動は、世界的にこの数年で拡大し、大きく注目されるようになった。性的暴力の終わりを呼び掛けて2017年に米国で始まった#metooの社会運動や、男性と女性の格差や性別に基づいた不平等な扱いへの抗議（例えば、2016年にフランスやアイスランドの女性が男女の賃金差に反対するためデモを行った）、同性カップルの結婚権利などが注目されるようになった。この中で、日本におけるジェンダーにまつわる事柄は他の国からどう見られているだろうか。一口に「外国」と言っても、多様な国、多様な文化があるので、そもそも「外国」といわれる視点が存在しないことと同じように、日本の状況も外から見たら、様々な解釈がある。本章では、その様々な解釈を大きく二つの見方に分け、国際的な視点から日本のジェンダーを考える。その二つの見方は選択の「自由」に関するものであり、(1) 日本人は「自由」に専業主婦またはサラリーマンになろうとしているのか、または (2) 社会的な状況によって導かれているのかということに基づいている見方である。その見方を詳しく述べる前に、まずは国際比較統計という視点から日本の現状を見てみよう。

2006年以降、世界経済フォーラムが世界の男女平等を図るためのジェンダー・ギャップ指数を毎年公表している（World Economic Forum, 2019）。男女平等を測る方法は様々なものがあるが、ジェンダー・ギャップ指数では四つの分野（経済、教育、政治、保健）を中心に、女性と男性の活動および機会を数字で測っている。例えば、ひとつの指標である「政治」においては、女性と男性の政治家の割合から各国における女性と男性の格差を図っている。この指数では、女性と男性の割合が半分ずつであることが理想で、様々な分野で女性と男性が平等な割合で活動していることが平等を指している、ということになっている。2019年には、153カ国が調査された。153カ国の中で、日本の順位は何位だろうか？　答えを読む前に、日本の順位について考えてみてほしい。なぜその順位になると思うのか、一位となる国はどこだと思うのか。

1位になった国は、アイスランドである。理由としては、教育や健康だけではなく、政治や経済分野においても、女性が上位の立場で活動しているからである。政治だけを見ると、1980年にアイスランドに世界で初めて国民の選挙で選ばれた女性の元首が登場した。しかも、その女性は離婚したシングルマザーであった。2009年以降、アイスランドの内閣において、女性は必ず4割程度を占めている。女性が政治で活動できた結果として、女性が社会においても活動できるような政策が作られ、様々な分野において女性も男性も自由に職業を選ぶことができ、育児に関しても、性別に関係なく親が子どもの世話が可能になる政策ができた。2009年にも、世界初のレズビアンの元首がアイスランドに登場した。女性の政治的な参加から社会的な変化がみられるということは、アイスランドの例からわかる。

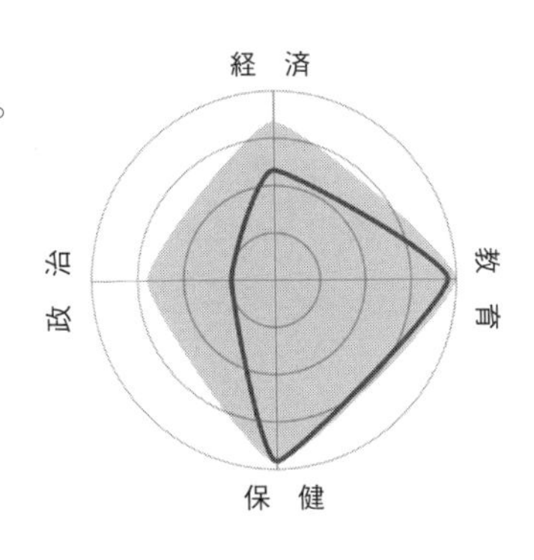

図1　アイスランド

アジアの中で上位となった国は16位のフィリピンである。理由としては、政治、経済の分野における女性の割合の高さが挙げられる。フィリピンの女性は、経済的に家族を支えるために仕事をすることが一般的である。また、お金を稼ぐために海外に出て、海外で働いているフィリピンの女性も多くいる。管理職で勤めている女性も、他のアジアの国より高く、国内の管理職全体の4割以上が女性である。女性が働くことが一般的であることから、管理職に女性の存在も一般的となったと見られる。

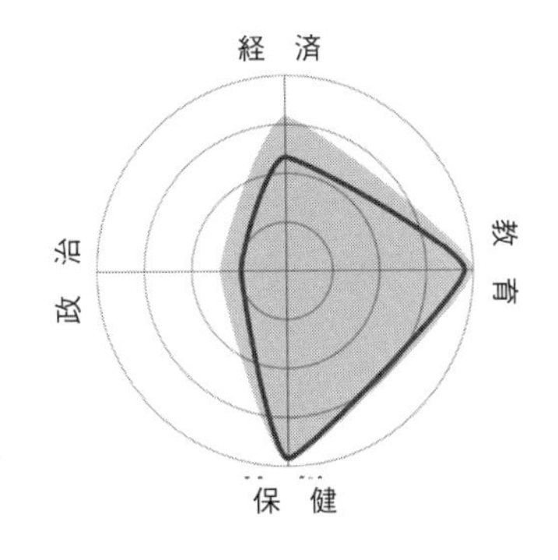

図2　フィリピン

では、日本はどうだろうか。153カ国の中で、日本は121位となった。経済と政治分野への女性の参加は、平均より低い。2013年に、安倍政権が「すべての女性が輝く社会」を作ることを宣言し、2020年までに官民の指導的地位に女性が3割程度を占めることを目標とした。しかし、その目標達成を諦め、2015年には目標の女性の割合を15%（企業）と7%（公務員）にした。女性の政治的な参加については、世界の国会議員が参加する「列国議会同盟」による、各国議会の女性進出に関する2017年の報告では、日本は先進国の中で最低水準であり、193カ国の中158位で、他のアジアの国よりも極めて低かった（Inter-Parliamentary Union, 2018）。

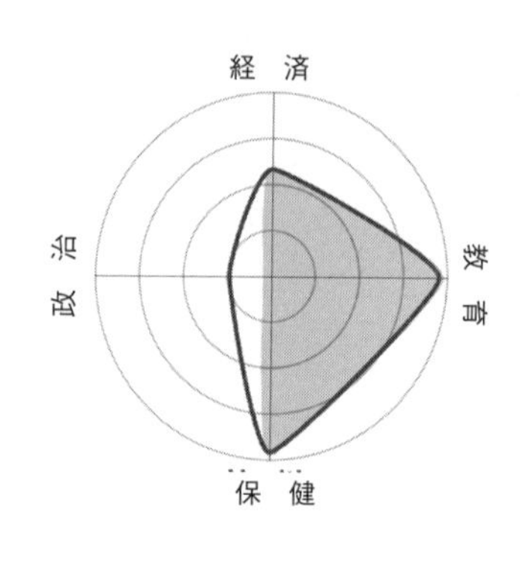

図3　日本

日本において、女性の政治的・経済的な参加が男性と比べて圧倒的に少ないということは現実であるが、その格差をどう理解するかは人によって違う。日本の現状を批判的に見ている国際機関や海外メディアなどがある一方、その格差を文化的な違いとして説明しようとする国内外の人もいる。ここで、日本のジェンダーを見るための二つの極端な見方を紹介する。

1. 選ぶ余裕はあるが、それでも、欧米の女性と違って日本の女性はキャリアより家族を優先している。それは個人の自由だから、何も悪くない。文化は違うので、欧米と比べてはいけない。

このような意見は、学術的な論文やニュースの記事より、インターネット上の掲示板やブログ記事等にも登場する（Rodica, 2017;Scottee, 2015）。また、私が教員としてこれまで担当してきた授業の中で日本に来たばかりの一部の留学生から聞いたことがある意見でもある。

1970年代の欧米などでのフェミニズムや女性解放運動において、女性を「専業主婦」という役割から解放することが大きなスローガンとなった。女性を「母」「主婦」というカテゴリーから解放し、男性と同じように仕事ができる機会を増やし、男性に頼らない自由な人生を組み立てることを可能にすることが当時の運動の目標であった。「専業主婦」というものは社会的な

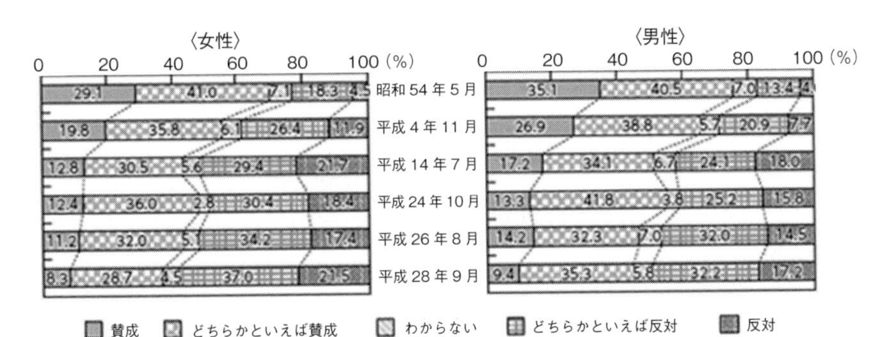

［備考］1. 内閣府「婦人に関する世論調査」（昭和54年）、「男女平等に関する世論調査」（平成4年）、「男女共同参画社会に関する世論調査」（平成14年、24年、28年）、及び「女性の活躍推進に関する世論調査」（平成26年）より作成。
2. 平成26年以前の調査は20歳以上の者が対象、28年の調査は、18歳以上の者が対象。

図4　「夫は外で働き、妻は家庭を守るべきである」という考え方に関する意識の変化

期待に縛られている女性の象徴で、女性が自ら望んでなったものではなく、選択肢がないなかやむを得ずなったものであると指摘された。確かに日本にも1970年代からフェミニズム・女性解放運動はあったが、一部の海外の国ほど社会的な変化は起こせなかったといえるだろう（江原, 1990）。女性の社会運動を背景に、様々な国において女性の社会的な立場が改善され、性別に関わらず人生に関する選択肢も増えた。日本でも現在は、法律上では女性と男性は平等であると見られている。その現状から、日本の女性は自由に職業を選ぶことができ、自由に仕事をしない、政治家にならない、専業主婦になるなどを選択している、という意見が存在している。

実際に日本の女性と男性はどう考えているかを参考にするため、内閣府が2016年に行った世論調査の結果を見てみよう（内閣府, 2017）。「夫は外で働き, 妻は家庭を守るべきである」という考え方に対して、賛成または反対かを聞いた結果として、賛成の割合は女性で37%と男性で44.7%、反対は女性58.5%と男性49.4%であった。反対する割合は多く、また2014年の結果と比べると反対は増えてもいるが、同時に2016年の時点で賛成している女性と特に男性がまだ多くいるという結果である。また、2013年の厚労省調査によると、15～39歳の独身女性の3人の1人が専業主婦になりたいと希望していることがわかった（厚労省, 2013）。その後は変わったのだろうか？

日本の現状では、女性の収入、管理職や政界の女性の割合は、数字だけを見ると欧米や他の先進国と比べて圧倒的に少ない。しかし、一部の海外から

の意見として、これ自体は問題ではないとされる。つまり、ジェンダー的な平等を図るための調査などは欧米中心に作られているものとなっており、平等な状況になるために女性と男性の割合がすべての分野において同数である必要はないということである。また、日本において国際的なプレッシャーや国内のジェンダー的平等に関する方針があるにもかかわらず、女性の社会的な立場が変わっていないということは、単純に女性が専業主婦になることを自ら望んでいるからである、という意見もある。つまり、仕事でキャリアを積むよりも専業主婦になることを選ぶことは女性の自由であり、日本において女性が自由にその選択ができることこそが平等の証明である、という意見である。しかし、この選択肢は本当にすべての女性にとって「自由」なのだろうか？

2. 日本において、女性はキャリアを優先したくてもできない状態である。家族の世話をすることがまだ強く期待されている。

現在日本において、政治的および経済的な権力を持っているのは主に男性であり、男性は女性の活動を発展させるより自分の有利な立場を維持しようとし、現在の日本文化を変えずに表面的に女性の活動を呼びかけているだけ、という海外からの厳しい声がある（例えば、Larmer, 2018）。つまり、1で紹介した意見と比べて、多くの女性が専業主婦になりたいといっても、それは自由な選択肢を示しているのではなく、逆に圧力を受けている証拠である、という考え方である。

以上の二つの見方をよく見ると、いずれも「選択する自由」の有無という理論から成り立っているとわかる。つまり、日本の女性は自ら政治家になることを選んでいない、専業主婦になることを選んでいるのでその選択を重視すべきという考え方と、日本の女性は選んでいるように見えるが実は社会的な状況によって自由に選ぶことができない、選択肢さえ見えないという考え方である。もう少し深く日本のジェンダーの現状を理解するため、日本におけるジェンダーに関する制度および法律、伝統と差別、個人の経験というものを中心に、考えていこう。

第2節　制度と法律

国の制度を理解するために、出発点として戸籍制度について考えてみるとよい。日本人（つまり国籍が「日本」）であれば、戸籍に入ることになる。日本人の中で皇室だけは例外で、戸籍に入っていない。実は日本以外の国で、戸籍制度がある国は少ない。個人を単位とするマイナンバーのような制度を取る国が多いのである。戸籍制度の特徴は、国民を個人として見ているのではく、「家族」を単位としていることである。「家族」を単位とすることによって、多くの法律や方針などが「家族」を対象にしており、社会的な「家族像」への期待があるといえる。しかし、法的に「家族」になれない、または「家族」という形式を選ばない人もいて、戸籍制度そのものが実は一部の人たちを排除している現状がある。例えば、現在、戸籍制度は戸籍上の女性と男性の間での婚姻しか認めていない。異性愛者ではない、例えば戸籍上の女性二人のカップルは結婚できないことは周知のことである。つまり、多くの性的少数者は当該の理由から異性愛者と同じ権利を与えられていないということになる。性別と関係なく好きな人と結婚できる権利は、近年世界中に増えているが、日本の国会レベルでは話題にはまだなっていない（Takao, 2017）。

戸籍による「家族」では、各家庭に「筆頭者」が必要である。その筆頭者は、家族の代表となり、他の家族は筆頭者の「配偶者」および「扶養家族」となる。結婚をするときに、誰が筆頭者になるかは結婚する夫婦の自由である。法律において、筆頭者の性別は指示されていない。しかし、ほとんどの場合、筆頭者は男性となる。その理由は、なんだろうか？　夫婦の自由なのか、期待されている通りに選んでいるのか、夫婦によってその理由は様々かもしれない。女性でも筆頭者になれるが、多くの人はそれに気づいていないということだろうか？

日本において、夫婦で別姓を使うことは不可能である。戸籍上の家族であれば、同じ姓を使うことが民法で定められた義務である（民法750条）。2015年に、一部の女性が別姓を利用するための権利を求めるために裁判を起こしたが、現在の民法は「合憲である」という判決がくだされた。[1] しかし、15

人の裁判官の中の５人（女性３人と男性２人）が「違憲」と判断し、「婚姻の自由を侵害する」という判断を示した。興味深いことは、裁判官の女性全員が違憲だと判断したことである。別姓を使えない国は、世界の中でとても少なく、結婚の際に姓を選ぶ権利があることが重視されている国も多い。例えば、フランスやイタリアでは、結婚をして姓を変えることは個人の自由だが、姓を変えても結婚前の姓を必ず公的な資料に残す必要がある。また、カナダのケベック州では婚姻によって姓を変更することは禁じられており、生まれてからの姓を一生使うことが法律で決められている。

戸籍が求めているような「家族像」から、他の問題も登場している。日本では、「150万円の壁」（2018年までは「103万円の壁」だった）というものがある。夫婦どちらかの収入が150万円以内であればその収入には課税されないという制度である。この方針は性別を特定していないが、この税法ができた理由は、家族での子育てを支援することであり、一人（女性）が子育てに集中できるために経済的な支援として税金の免除を行う制度なのである。戸籍と同じように、性別は明示されていないが、多くの場合女性が稼ぎ手にならないことが前提になっている。結果として、「150万以内までしか働けない」「150万以内で働いてほしい」という言説を生み、収入を気にしながら働く量や職業を選ぶ必要があり、好きなように職業を選択して働けない女性も多い。同時に、家族を経済的に支えなくてはいけないというプレッシャーを感じている男性も多いだろう（田中, 2015）。

仕事に関して、女性（または男性）が差別をされないための法律は日本にある。1999年に施行された「男女共同参画社会基本法」はその一つで、性別と関係なく人は同じ扱いをされる、同じ機会を与えるべきである、と述べている法律である。しかし、法律上で差別が禁じられていても、実はこの法律は「努力義務」が課されているだけで、法律に反して（努力をしない、という意味）も、罰則はない弱い法律なのである。近年、日本において、マタニティーハラスメント（マタハラ）、つまり妊婦が仕事で受ける不適切な扱いが注目されている。多くの場合、妊婦を「自分の意志」で退職させることがマタハラの目的であると言われていて、現在でも大きな問題となっている（NHK, 2013）。一方で、「パタニティーハラスメント」（パタハラ）という概念も最近登場した。これは育児休暇を取ろうとしている男性が経験する不適切な扱いを指していて、男性の場合、休暇を取らないように嫌がらせを受けたり、上司に休暇が許可されなかったりすることが事例として存在している。この二つのハラスメントの例からも、男性と女性に関するステレオタイプが見られる。女性は妊娠したら仕事をやめるべき、男性は育児休暇を取るべきでないという、女性は世話役、男性は稼ぎ手という固定概念が働いていることがわかる。他にも、この問題からは職場環境のジェンダーに関する意識、およびワークライフバランスの軽視が見られる。職場環境の問題は、多くの場合ジェンダーに限らず、もっと根本的に職場そのものの構造にある。例えば、残業が多い職場は、誰にとってもよい環境だといえない。そのような環境は、社員にストレスを与え、社員同士の関係を悪くする原因にもなる。

以上のように、制度上で性別は特定されていないものの、家族の中で一人が代表または稼ぎ手になることが期待されている。つまり、家族の中で「上位」といえるような立場があるといえるだろう。そして、多くの場合男性がその「上位」になる。夫婦が自分でそういうことを決めたともいえるが、同時にそうなるような様々な社会的な期待などがあるといえるだろう。仕事などに関しても、性別と関係なく社員は同じ扱いをされるべきだが、職場環境によって平等な関係が作れなかったりすることがある。制度は大きく人の人生に影響している。差別を禁じる法律も、影響力はあるはずだが、「努力義務」だけにするとその効果が疑問になる。法律や制度において、女性と男性の平等な扱いが求められているように見えるが、文化や職場環境などを変えない限り、表面的な努力に過ぎないともいえるだろう。

第3節　「伝統」から「男性・女性限定」へ

伝統について考えるための出発点として、国家の象徴である天皇について考えてみよう。現在の日本において、天皇になれるのは男性だけだ。現在、天皇の譲位や皇室の男性の数の少なさで女性でも天皇になる可能性について議論されているが、安倍内閣では「男系男子に限る」という方向性を示した(阿比留, 2017)。挙げられた理由として、日本の皇位継承の伝統だそうである。しかし、歴史を見てみると、日本にも女性天皇が存在したということがわかる。18世紀の後桜町天皇まで歴史を遡ることになるが、女性の天皇は確かに存在していて、飛鳥・奈良時代まで遡ると6人の女性天皇もいた（吉村, 2012)。つまり、日本に存在していた「伝統」より、現在の政府が維持したいのは「男系男子」という習慣である、といえるだろう。

日本以外の王族に関しても、継承とジェンダーについての議論はこれまでにも行われてきた。国によって継承の制度は異なるが、過去はほとんどの王位継承が「男系男子優先」であった。つまり、男系で男性がいた場合、男性が継承するが、男性がいない場合女性が継承することになる（イギリスのエリザベス女王はその一つの例である)。しかし、その習慣があった国の多くは、21世紀に入ると継承の制度を変更し、性別と関係なく生まれた順番で継承することになっている。ヨーロッパの王位の継承は、全てそうなった。例えば、イギリスの場合、2012年以降女性か男性かに関係なく、生まれた順番に基づいて王位継承順位が決められている。継承順位の変更については、これらの国において女性への差別をなくすためであった。伝統であるとしても、現在の社会においてふさわしくない習慣だと思われたからである。

「伝統」を理由に、男性と女性に対し違う扱いをするとき、その「伝統」の由来について考える必要がある。「伝統」というものは、永遠に存在するものではなく、歴史的な背景があり、そしてその「伝統」を現在に維持するための理由がある（Hobsbawm & Ranger, 1983)。「伝統」だけで違う扱いを認めていいのか？　「伝統」だから別にいいのではないか、という声もあるかもしれないが、その伝統は象徴的に女性と男性の社会的な位置を表しているのではないか？　また、単なる「伝統」だといっても、女性（または男性）の社会的な活動を認めない場合もある。例えば最近相撲業界で起きた事件はその一つの例である。

2018年4月に、大相撲の春巡業のあいさつの途中で、土俵にあがった京都府舞鶴市の多々見良三市長が突然倒れた。緊急対応として土俵に関係者などが上がったが、観客の中から救急救命を行うために複数の女性も土俵にあがった。その一人が市長に心臓マッサージをしている最中に、「女性の方は土俵から下りてください」と日本相撲協会の場内放送で繰り返して呼びかけられた。市長の命に係わる状況にもかかわらず、「伝統」を維持することを優先しようとした。

女性が土俵への立ち入りを禁じられた問題は、それ以前にもあった。2000

年に、当時の大阪府知事の太田房江氏が、府知事賞を優勝力士に直接手渡すことを希望したが、女性であるため許可されなかった。他にも、2018年に宝塚巡業で同じ問題が行われ、宝塚市長である中川智子市長はあいさつのために土俵に上がることが許可されなかった。中川市長は「女性という理由でできないのは悔しい。変革する勇気も大事ではないか」と、自らも相撲協会の習慣の変更を求めた（石川・鈴木, 2018）。相撲の「女性禁止」は「伝統」だといわれているが、皇室継承と同じように、過去を探ってみたら実は過去に女性が禁じられていない例もあったようである（吉川, 2018）。

「男性」だけの文化について「伝統」以外の文脈で考えてみよう。例えば、男性しか正会員になれないゴルフ場の存在だ。最近話題となったのは、霞ヶ関カントリー倶楽部で、2020年の東京オリンピックの会場として予定されていたことから、この問題が明るみに出た。このゴルフ場では、男性しか正会員になれない。メディアでゴルフ場に関してのニュースが上がった際、SNSなどの反応では男性しか正会員になれないことは「女性限定」のフィットネスクラブなどの施設と何が違うのか、「女性限定」で問題なければ、なぜ「男性限定」で女性差別になるのか、という声が上がっていた（Naverまとめ, 2017）。また、「男性限定」のゴルフ場は「女性限定」の専用車両と何が違うのか、という意見もあった。

女性と男性の社会的な扱いについて語る場合、女性専用車両の存在がよく男性の差別の例として出されている。しかし、これは本当に差別なのか？女性専用車両がある国は、日本だけではなく、インドやマレーシアなどにも存在している。

女性専用車両がなぜできたのか、その成り立ちの理由についてまず考えてみよう。女性に対する特別扱いとして見る人がいるかもしれないが、本来の理由は女性への痴漢行為を防止するためである（堀井, 2009）。痴漢をされる人は女性に限られていないが、多くの被害者は女性である事実がある。また、痴漢するのは男性に限られていないが、事

図5　女性専用車両のステッカー

実として、多くの痴漢行為は男性によるものである。女性専用車両は、痴漢行為を防止するための緊急対応だといえる。女性と男性を分けることによって、すぐに痴漢行為は減るのではないか、という論理に基づいている。この状況から、女性は女性専用車両で「のびのびしている」ように見えるかもしれないが、女性専用車両の存在は女性が気持ちよく移動できるためにできたものではなく、痴漢に遭わずに「安全に移動」できるためのものである。これは、男性への差別といえるだろうか？

痴漢行為を止めるために、女性専用車両を設置することは、完璧な解決方法ではない。むしろ様々な問題を残したまま、根本的に痴漢という行為を止めるのではなく、痴漢行為の可能性を低くするために女性を保護した、という対策である。痴漢行為を減らすために他の対策も可能だが、断続的な努力が必要になるだろう。例えば、教育の場などで痴漢行為や性的な同意についての研修や授業から理解を深めたり、痴漢やセクシュアルハラスメントがなぜだめなのか、他人にどんな不愉快な思いをさせているかなどについて学ぶ機会を増やすことが必要である。

また、痴漢行為に関してメディアの影響もあると議論されている（Allison, 2000）。例えば、現在の少年向けの漫画やアニメで、女性キャラクターへの痴漢は頻繁に行われているが、多くの場合その行為は単なる「ネタ」として扱われている。男性のキャラクターが女性の胸を触ったり、パンツをこっそり見ようとしたりすることは、読者の笑いを取るかもしれないが、実際に読者が同じような行動を起こそうとしたら、される側はどう思うだろう？　このようなセクシュアルハラスメントは、許されるべきで、許していいのだろうか？

ここで「男性のみ」のゴルフ場と「女性のみ」の専用車両の違いに戻ろう。根本的な違いは、できた理由である。女性専用車両ができた理由は痴漢行為の防止だが、男性のみのゴルフ場はなぜ作られたのだろうか。思い浮かべる理由としては男性だけで気楽にゴルフができることであるが、その理由だったら、女性への差別になるだろうか？　ゴルフは、社会的に特別な役割を果たしているといえる。例えば、トランプ大統領や安倍首相が首脳会談でよくゴルフをしていることがメディアで取り上げられている。政治家だけではなく、影響力を持っている企業の人なども、よく交渉の場としてゴルフを使っている。今回のゴルフ場は一つの例だが、そのような交渉の過程から女性を排除しているという見方もできるだろう。

しかし、女性だけの場所や施設は必ず女性の安全のためであるとは言い切れない。例えば、女性のみの料理教室は、違うといえるだろう。また、女性限定の割引も、安全のためだとはいえない。それより、客を呼ぶためのマーケティング対策にすぎない場合もある。その場合、もう少し深く、平等と違う扱いをする理由について考える必要はある。

「男性だけ」「女性だけ」という「伝統」および施設やサービスは、日本において（または海外でも）まだたくさん存在している。女性と男性の違う扱いをする場合、その理由について深く論理的に考える必要があり、それが女性に向けられたものであれ、男性に向けられたものであれ、はっきりとした差別の場合も存在していると認める必要がある。

第４節　個人、「自由」とジェンダー

生まれる前から、人は性別に基づいて違う扱いをされている。子どもの性別がわかった時点から、その性別に基づいて親が子どもの未来を計画する。部屋や服を何色にするのか、どのようなおもちゃを買うのか、名前など、性別によって人生が想像される。名前だけで、期待や想像が見える。例えば、「大地」と「さくら」を比べてみると、親が子どもにどのような人生を想像していると思うだろうか？　「大地」だったらのびのびと活動的な子どものイメージが思い浮かぶだろうが、「さくら」は花のように美しく素直に育つ、というようなことが想像できるのではないだろうか。このように、名前からすでに性別によって異なる期待がみられる。

日本社会において、一人の人間として成長する過程で、様々な人やメディアから指導や指摘をされることがあり、自分がどのような人間になればいいのかは、社会から学んでいく。そして、その社会が提供している選択肢から、生き方を決めていく。すでに述べたように、家族および国民を認知するために日本では戸籍制度というものがあり、その制度による「家族」の形は固定的な狭い定義を持っている。その「家族」に当てはまらない人々は、様々な権利を与えられておらず、今の社会においてはそもそも国が指摘している

「家族」の形以外の在り方もあると想像されにくい。また、その「家族」の形によって、法律的に女性と男性の役割が明確に述べられなくても、税金の制度や戸籍の構造などから性別によって期待されている役割を読み取ることができる。

以上述べたように、日本において女性と男性の格差は存在しており、社会的に同じ場で活動しようとしても違う扱いを受けることがある。しかし、この格差を人が選んだ「自由な選択肢」と見るのか、「限られた選択肢の中から選ばせた」ものと見るのか、大きく二つの見方がある。

選択するという行動は、必ず何かの文脈において行われている。選択肢はその文脈によって限られ、自分の立場によってどちらかの選択肢を選ぶことが期待され、その期待に従うか従わないかは個人の「自由」だといえても、従うまたは従わないことによる異なった社会的な対応は、その「自由」な「選択」にきっと影響するだろう。また、本章では「女性」と「男性」という二つの性別を中心に語ってきたが、X ジェンダーなどの女性と男性以外のジェンダーおよび性自認が存在しており（Dale 2012; Label X, 2016）、そもそも「男性」「女性」は何を指しているかについての議論も必要である。性別というものは大きく人の生き方に影響し、なぜ「女性」と「男性」という分け方が社会にできたのか、その分け方は現在の社会にふさわしいのかなどの疑問を投げかけ、考える必要もある。

本章の冒頭で紹介した、国際的な視点から見た日本のジェンダーの二つの見方に戻ろう。日本では、たくさんの女性が専業主婦になることを望んでいる、多くの男性がサラリーマンになることを選んでいることが現実である。表面的に、自ら選択しているとはいえるが、同時に現在の社会の構造や制度を考えると、その選択へ導かれたともいえるだろう。ジェンダーに関する役割は、現在日本社会において「伝統」から「制度」、「個人」の選択まで、根強く社会に影響をしているということは、本章からわかったと思う。両方の視点は正しいと言えるが、「自由」というものは、現在日本社会においてどのようなものを指しているかを考察する必要はある。そして、ジェンダーに関して「自由」に生きることは、どのような意味を持つのかを、考える必要もある。

注

1 「夫婦同姓の制度は我が国の社会に定着してきたもので、家族の呼称として意義があり、その呼称を一つにするのは合理性がある」判決文一部抜粋（二宮 , 2016)。

【参考文献】

阿比留瑠比（2017)「待ったなしの男系継承　困難な課題、長期政権で道筋」『産経ニュース』2017.12.2 付、https://www.sankei.com/politics/news/171202/plt1712020011-n1.html（2018 年 11 月 15 日閲覧).

Allison, A. (2000) *Permitted and Prohibited Desires: Mothers, Comics and Censorship in Japan*. Oakland: University of California Press.

Dale, SPF. (2012) "An Introduction to X-Jendā: Examining a New Gender Identity in Japan." *Intersections* 31. http://intersections.anu.edu.au/issue31/dale.htm（2019 年 2 月 12 日閲覧).

江原由美子（1990)『フェミニズム論争――70 年代から 90 年代へ』勁草書房.

Hobsbawm, E. & T. Ranger (1983). *The Invention of Tradition*. Cambridge: Cambridge University Press.

堀井光俊（2009)『女性専用車両の社会学』秀明出版会.

Inter-Parliamentary Union (2018). "Women in National Parliaments." http://archive.ipu.org/wmn-e/classif.htm（2018 年 9 月 15 日閲覧).

石川勝義・鈴木健太郎（2018)「土俵下から協会に注文『変革する勇気も大事』」『毎日新聞』2018.4.6 付、https://mainichi.jp/articles/20180407/k00/00m/040/086000c（2018 年 9 月 15 日閲覧).

木村涼子・伊田久美子・熊安貴美江編著（2013)『よくわかるジェンダー・スタディーズ――人文社会科学から自然科学まで』ミネルヴァ書房.

厚生労働省（2013)「平成 25 年版厚生労働白書――若者の意識を探る」、https://www.mhlw.go.jp/wp/hakusyo/kousei/13/backdata/index.html（2018 年 9 月 15 日閲覧).

Label X 編著（2016)『X ジェンダーって何？――日本における多様な性のあり方』緑風出版.

Larmer, B. (2018) "Why Does Japan Make It So Hard for Working Women to Succeed?" *The New York Times Magazine*. https://www.nytimes.com/2018/10/17/magazine/why-does-japan-make-it-so-hard-for-working-women-to-succeed.html（2018 年 11 月 15 日閲覧).

内閣府男女共同参画局（2017)「男女共同参画白書　平成 29 年版」、http://www.gender.go.jp/about_danjo/whitepaper/h29/zentai/index.html（2018 年 9 月 15 日閲覧).

Naver まとめ（2017)「霞ケ関 CC の会員問題……『女性限定』が許されてる世の

中なのに『男性限定』はNG？」『Naver まとめ』2017.3.20付、https://matome.naver.jp/odai/2149000708553476901（2018月11月15日閲覧）.
NHKクローズアップ現代（2013）「出産・育児は“迷惑”？　～職場のマタニティー・ハラスメント～」、http://www.nhk.or.jp/gendai/articles/3411/1.html（2018年11月15日閲覧）.
二宮周平（2016）「家族法の立場から」『学術の動向』21:12, 90-93.
奥田由意（2018）「東京医大の女性差別を医師の65％が『理解できる』と答えた真の理由」『DIAMOND ONLINE』2018.9.3付、https://diamond.jp/articles/-/178670（2018年11月15日閲覧）.
Rodica (2017) "Why Are Many Women in Japan Stay-At-Home Wives? Here Are 6 Reasons." *Japan Info*, 2017.1.17付, http://jpninfo.com/66836（2018年11月15日閲覧）.
Scottee, S. (2015) "Is Japan More or Less Feminist Than the West?" i-D, 2015.10.20付, https://i-d.vice.com/en_uk/article/gygk5m/is-japan-more-or-less-feminist-than-the-west（2018年11月15日閲覧）.
首相官邸（2018）「すべての女性が輝く社会づくり本部」https://www.kantei.go.jp/jp/headline/brilliant_women/（2018年9月15日閲覧）.
Takao, Y. (2017) "The Politics of LGBT Policy Adoption: Shibuya Ward's Same-Sex Partnership Certificates in the Japanese Context," *Pacific Affairs* 90 (1), 7-27.
田中俊之（2015）『男がつらいよ――絶望の時代の希望の男性学』角川文庫.
吉川慧（2018）「土俵の女人禁制は『伝統』なのか？　相撲と女性をめぐる問題提起は過去にもあった」『ハフィントンポスト』2018.4.5付、https://www.huffingtonpost.jp/2018/04/04/sumou-woman_a_23403382/（2018年9月15日閲覧）.
吉村武彦（2012）『女帝の古代日本』岩波新書.
World Economic Forum (2020) *The Global Gender Gap Report 2020*. https://jp.weforum.org/reports/gender-gap-2020-report-100-years-pay-equality（2020年2月2日閲覧）.

第7章

日本人は性的逸脱を好むのか

ガイタニディス・ヤニス

第1節　日本アニメの海外発信とその批判

宮崎駿監督の『千と千尋の神隠し』（2001年）のアカデミー賞受賞をきっかけに、アニメをはじめ、日本の「アキハバラ文化」「オタク文化」が海外で人気をさらに集めるようになり、国内でもその付加価値が一般に認められるようになった[1]。しかし、他方で、アニメ文化のグローバル化とともに日本のアニメや漫画における暴力・性的表現とコンテンツが批判されるようにもなった。例えば、フランスでは1980年代後半にテレビで放送されていた『北斗の拳』の暴力シーンが批判を浴び、2007年の選挙で史上初の女性大統領を目指すようになった政治家セゴレーヌ・ロワイヤルは日本のアニメをフランス人の若者にみせてはいけないと議論する本を1989年に出版した。その結果、アニメのセリフが検閲されるようになり、複数のシーンがカットされ、ストーリーの流れを理解できなくなるまでになった[2]。

一方、国内においても、2002年にマンガがわいせつ罪に問われるという、日本出版史上初の裁判が行われた。被告側の出版社である松文館は無罪を主張しつづけ、最高裁まで上告したが、2007年に罰金150万円の判決が下された。その理由としては「本件漫画本は、もっぱら読者の好色的興味に訴えるものであり、今日の健全な社会通念に照らし、いたずらに性欲を興奮又は刺激させ、かつ、普通人の正常な性的羞恥心を害し、善良な性的道義観念に反するものであると認められるから、刑法175条のわいせつ物に該当するものと認められる」とされた[3]。この裁判を報道した英国放送協会（BBC）の記者は「日本ではポルノが、映画・パソコンゲーム、コミック、そして頻繁に報道されているように、マンガとアニメなど、あらゆるフォーマットにたくさん登場する。そういうマンガを堂々と電車で読んでいる男性が日常的に見られる」[4]と訴えた。それ以降、海外のメディアでは、アダルト漫画や抱き枕を恋人代わりとするオタク[5]というトピックを扱い始め、ＪＫビジネス、痴漢[6]などが逸脱行為として頻繁に取り上げられるようになっただけではなく、「日本文化」との関連で「解説」されることも多くなった。このようなことから、日本は「児童ポルノの帝国」[7]と言われたり、海外から日本を訪れる女性へ注意事項（例：会ったばかりの男性の部屋に入らないように、痴漢や公然わいせつに注意を払うようになど）をリストアップするようなウェブページ[8]が現れたりした。

本章では、まず、性をめぐる逸脱行為とされる行為はどのような行為なのかを探りながら、「逸脱」というラベル付けに大きな影響を与えるメディアの役割を、「援助交際」を一つの事例として考えていきたい。援助交際のような現象は海外のメディアで報道された時、日本人の男性は「変態」だというステレオタイプと関連づけられることも無視できない。しかし、海外のメディアは日本国内のメディアの言説を元に語っていたわけなので、第２節では国内では「援助交際」がどのように見られたか説明する。第３節ではメディアに登場する逸脱的とされる行為がどのように定義され、そこにはどういう要素がみられるのかを考察する。そして、第４節では、「日本」と「変態」イメージの関係性についてさらに考察しながら、出発点となった違法的な行為を否定せず、このステレオタイプの二面性・矛盾性に焦点を当てていく。

第２節　「逸脱」の根本的要素とメディアの役割
――「援助交際」の事例

社会学者によると、人間が共有する価値観を侵害した行為を「逸脱」行為と呼ぶのは単純すぎる定義だといわれている。なぜかというと、人間の行為自体には特別な意味がなく、われわれの行為に意味を与えているのはわれわれが住んでいる社会のルール、法律、またはその価値観であるからだ。しかし、社会の秩序を構成するそのルールや価値観は時代や場所によって違うため、人がとる行為に与えられる意味とその行為の実践者に見られる動機は当然異なってくる。言いかえると、逸脱は存在しないということではないが、社会に作られるものであるということである。これを理解するには、「今は逸脱的行為だが、昔はそう認識されていなかった行為」の事例を考えてみるといい[9]。

例えば、今日、報道でよく耳にする「不倫問題」、あるいは「同性愛」の発覚といったタブーと思われる行動は、江戸時代には必ずしも現代と同じように社会的批判を浴びる行為ではなかった[10]。だが、男女同権や近代的一夫一婦の結婚制度を基礎とする今日の社会では不倫が逸脱的行為として見られるのは当然かもしれない。一方、同性愛者の結婚は認められつつあるとはいえ、依然として認められていない社会が多い。個人の自由や人権を重視する現代社会においてでさえ俳優の誰誰さんが「同性愛者」だったという「発覚」が未だに話題になるのはなぜだろうか。それはおそらく不倫問題を問題視している一夫一婦という結婚制度と同じところからくる。ただし、同性愛者の結婚の場合、一夫一婦の「一」、つまり一人の男性が一人の女性と結婚するという価値観が問題なのではなく、一夫一婦の「男一人と女一人」、いわゆる異性同士の結婚が前提となっているということが問題視される。このように一つの価値観（一夫一婦）から外れたら、同じ社会の中で多数の逸脱的だと思われる行為（不倫、同性愛）があり得るのである。

社会学者エリクソン（Erikson, 2014）はある社会における逸脱行為とそうではない（規範的）行為の境界線が唯一見られる場面がある。それは、人間が他の人間と接した時にみせる行為であると議論する。

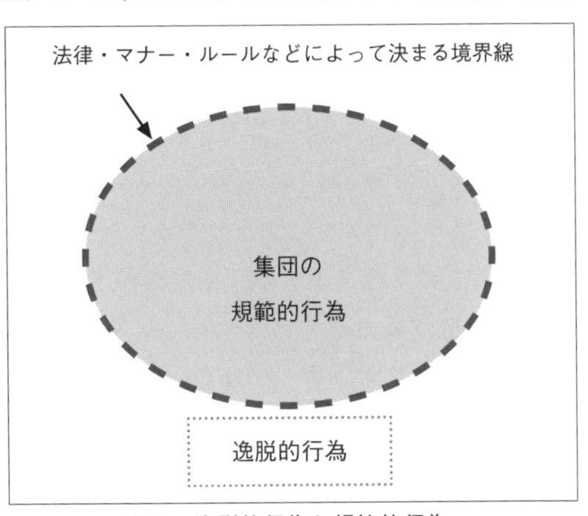

図1　逸脱的行為と規範的行為

メディアはそういう人間が接触する場面にフォーカスすることによって、この社会にとっての規範的行為が何かを私たちに教えてくれているのである。例えば、暴力団が起こした事件がテレビニュースで扱われることによって、視聴者はそういう犯罪グループの存在に気づくだけでなく、現代日本ではどういう行為が犯罪とされるのかを知ることができる。このように我々の「集団生活」の外縁を示すことによって、逸脱的とされる行為は集団生活の範囲も間接的に指定し、その集団の文化的特徴として捉えられたり、アイデンティティをも構成したりするといえる。ヤクザの例でいえば、日本の暴力団であるだけではなく、近代日本文化の一要素として、映画やテレビドラマにも登場しているからこそ、海外でも暴力団というイメージではなく、ヤクザが日本文化の一つという認識が広まっている。だからこそ、第1節で見たようにアダルト漫画が逸脱的現象として国内で報道された時に、海外のメディアはそれが日本の文化の一面として取り上げるようになることは不思議ではない。

一方、メディアが逸脱行為を執拗に強調する報道によって、道徳的恐怖（モラル パニック）が起こることがある。それは簡単に説明すると、モラルに反するような事件を受けた社会全体が現実に見えている状態よりも深刻な状態が隠れていることを恐れ、時代の道徳性を疑いながら、関係ないことでももともとの不道徳の事件に関連させてしまうようなパニックのことである。その典型的な事例と考えらえるのが「援助交際」であり、それは現在の「JKビジネス」という社会問題にも繋がっている。

1996～98年の間、「援助交際」は新聞や週刊誌をはじめ、テレビ番組、そして漫画にまでトピックとして毎週のように登場した。国民への注意喚起のためのポスターが駅や車内にも貼られ、「援助交際」が人々の注目を集めた。「最近の女子高生はお金やショッピングのため、おそらく性的行為を含めた、大人の男性とデートする傾向が出てきた」というものである。その報道の際に主に証拠として使われていたのは、1996年に公表された東京都青少年健全育成基本調査（回答者1291人）である。この調査によると、「あなた自身がそういうこと（援助交際）で大人からお金をもらったことがありますか」（回答者人数＝1221人）という質問に対して、「ある＝3.3％、ない＝87.5％、無回答＝9.2％」との回答があった。その後、他の調査も実施され、メディアを通し日本の女子高生の４％は売春しているという認識が広まるようになった。そして、日本研究者キンセラ（Kinsella）によると、1997年だけでこれについて50点以上の新聞・雑誌記事が出された。こういった中で、女子高生は「あやしい」「暴走する」「過激」などと呼ばれ、現在のJKビジネスにおける彼女らへの批判とそっくりに、「女子高生の道徳観念が足りない」という社会批判が毎日のように報道された。

しかし、小説家の村上龍は当時の週刊誌で「お金とブランド品っていうのは、この日本全体の価値観で、彼女たちはそれを実践しているだけだよね」[11]と論じ、援助交際をしている女子が消費にしか興味がないという傾向は日本社会全体の問題だと訴えた。「援助交際」は、既存のあるゆる社会問題・社会変化が背景となっている逸脱的行為を一つの社会的グループ（＝女子高生）のせいにしてしまう社会的恐怖であるといえる。社会的恐怖には一般に六つの要素があるとライナルマンが指摘している（Reinarman, 2014）。以下ではキンセラの学術書（Kinsella, 2014）に描かれた援助交際をめぐる知見をライナルマンの要素に当てはめて、分析する。つまり、これらの要素（①〜⑥）は、他の逸脱行為がメディアを通してモラル・パニックになった時にも関わるものなのである。

①　**事実の範囲を確定するのは難しい**：売春のような行為をしていた女子高生が存在したことは否定できないが、その人数を確定させることは難しい。その一つの理由は「援助交際」という言葉は当時の若者の間では多様な意味で理解されていたからである。「援助交際」を最も早く研究した社会学者の宮台真司によると、「今街頭で女の子たちが２人で男をゲットしたり、男が声をかけたりするときの援助交際は、ただちにはセックスは含めません」というのである[12]。また、東京都青少年健全育成基本調査の「援助交際」についての質問に、「ある」と答えた学生の中には男子中学生もいたとみられる。そういった男子にとっての「援助交際」の意味が、メディアの描いていたものと同じであるとは限らない。

②　**メディアによる拡大効果**：1980年代から1990年代前半にかけて、いくつかの成人向けの出版社が『Elleteen』、『Pastelteen』や（2000年代に大人気となった）『Popteen』のような女子向けの雑誌も発行していた。

その中で初めて女子高生の売春の話が扇情的に扱われたのだが、そのような雑誌の影響が『週刊現代』や『週刊ポスト』のような週刊誌にもみられるようになり、コギャルファッションを含め、若い女性モデルが表紙に使われるようになった。このように、「暴走した女子」という流行的トピックにのった週刊誌は、1990年代中旬に日本の週刊誌出版史上最高の発行部数[13]に達するという歴史的成果すら残している。

③ 意図をもった知識人・利益団体の介入：先述の宮台真司は90年代後半にあらゆるラジオやテレビ番組、また雑誌に登場し、保守的な社会通念が「性」を不健全や不自然なことと捉えていた状態から女子高生が解放されつつあると論じた。また、河合隼雄は心理学の視点から高校生を語り、フェミニストの上野千鶴子が十代の女子の社会的役割を強調し、批評家の大塚英志はそれまで日本社会で無視されていた女子高生の政治性について分析した。このような議論の影響も受け、他の文化人らも動いた。『新世紀エヴァンゲリオン』で有名になっていた庵野秀明が援助交際をテーマとしていた映画『ラブ＆ポップ』（1998年）の監督を務めた。女子高生の「逸脱」にフォーカスした他の芸術家には監督園子温（『うつしみ』［1999年］、『自殺サークル』［2000年］）もいた[14]。このように、「援助交際」は知識人が日本社会についての自分の主観を国民に発信する機会となった。

④ 逸脱行為の歴史的文脈：1970年代以降、犯罪統計に初めて女性による性犯罪が含まれるようになり、1980年代以降はその犯罪率が徐々に高くなっていった。90年代末の多くのコメンテーターの話では、性犯罪に手を染める女子の動機は「お金がないから」というものから、「もっとお金がほしいから」という理由へ変わったと

図2 『ラブ＆ポップ』（1998）
SR版DVD表紙

図３　『援助交際読本　好奇心ブック 10 号』（双葉社、1997 年 12 月 20 日）

説明していた。しかし、日本の女性の労働史の視点からみると、若い女性は昔から工場やカフェで働いたり、出稼ぎで実家から離れたりすることはよく見られたことであり、男性よりも低い給料をほとんど仕送りしていたと記録されている。戦後は特にバイトや派遣というタイプの仕事を女性に頼ることが多かったにもかかわらず、その時給は男性と比べて低いといわれている。厚生労働省の賃金構造基本統計調査によると、常勤で働く女性の賃金は男性の賃金の58.8％（1976 年）から 73.3％（2018 年）まで上がったとされるが、未だに平等ではないことが見て取れる。「もっとお金がほしいから」以外の社会的文脈、いわゆる「お金が足りない」というコンテクストが当時も今もあるのではないかと思われる。

⑤　逸脱的行為と「危険」と思われる社会階級との繋がり：「援助交際」の社会的恐怖の対象は間違いなく未成年の女性だった。その中で教育制度が理想としている「平等性」（本書第 10 章参照）の影響で女子高生が全員同じに見えてしまったのである。その結果、崩壊家庭の犠牲者や性暴力の被害者であり、または貧困にある女性と、「普通」の生活をおくっていた女性との区別がなされなかったようだ。むしろ、「援助交際」はバブル崩壊前の雰囲気のままで消費し続けようとした日本人の若い女性の全体的問題としてみられた。つまり、他の社会問題（例えば、性教育の不足）よりも、「若い女性をとにかく観察・コントロールしなければ、逸脱する」というような考え方が見えていた。

⑥　他の社会問題からの責任転嫁：「援助交際」が特に話題となった 1996 ～ 97 年には、若い女性が売春のような活動に巻き込まれる別の歴史的問題が多く報道されるようになった。それは「従軍慰安婦」（＝軍用売

春者女性）のことである。1991年、日本政府に慰安婦補償を求めた初の損害賠償請求裁判が始まったことがきっかけとなり、新聞が次々に新しい証言を報道した。1993年には、当時の官房長官河野洋平が反省とお詫びの意を示した。その間、慰安婦問題について書かれた新聞記事には、彼女たちが行った行為を「援助」と表現されることもあり、キンセラによると、「援助交際」と「慰安婦問題」は基本的には同じ問題でありながら（つまり、若い女性が日本人の男性に体を売るということ）、責任対象者がシフトしていたという。日本政府・日本の男性が加害者である「慰安婦問題」から、「援助交際」をする女子に責任の転嫁がなされたのである。1990年代に入り、日本人の男性による東南アジアへのセックスツーリズムが批判を浴びるようになったこともあり、90年代後半から、「援助交際」における女子高生の非行という見方を通した「売春の加害者は男性だけではない」という主張は、男性社会であるメディアの世界には都合がよかったのかもしれない。

第3節　「日本、変態の国」——他者の逸脱、自我の安心

これまでの叙述から、「援助交際」という現象は結局マスメディアで「大げさ」に取り上げられただけのように見えたかもしれないが、それは誤解である。こういう現象があったからこそ、1999年の児童買春・児童ポルノ禁止法や2000年の新少年法が子どもや少年の保護を強化するようになったのである。実際、援助交際が話題になっていた1990年代後半は児童虐待の事件も頻繁に報道されるようになり、児童虐待防止全国ネットワークというNPO法人が設立されることになった。ちなみに、このネットワークによると、1990年と2014年の間に児童虐待相談対応件数が約80倍増加したという。援助交際という現象には、誇張が含まれていた側面もあるだろうが、事実の部分もあり、より残虐な社会問題への意識向上の可能性も存在していた[15]。

一方、援助交際が日本で社会問題となっていることはすぐ海外のメディア機関でも伝えられ、「日本は小児性愛者の天国だ」（シドニーの『The Daily Telegraph』1996年10月20日）、「日本人男は女子高生とのセックスに夢中」（アメリカの『New York Times』1997年4月3日）や「セックスの代わりにブ

ランド商品を買う女子高生」（イギリスの『The Guardian』1997年6月9日）のような記事が氾濫した[16]。これらの報道の仕方は日本で行われていた議論を再生産したような内容も多いが、「日本は変態の国である」というイメージを強化するような表現も多く見られた。

実は、この外国のメディアに見られる日本人とセックスとの関係についてのイメージには矛盾がある。ひとつには、日本は、セックスに関して保守的であるというイメージがもたれることがある。モザイクをかけた日本のアダルト・ビデオや公の場では恋愛感情をあまり見せない日本人の様子がそうした理解を招くのである。だが、同時に、性具や人間ではない登場人物が多いポルノコンテンツや電車での痴漢事件などもあり、日本におけるセックスは不可解で過剰というイメージも存在する。日本文学の研究者ジョナサン・エイブル（Jonathan Abel）によると、この二面性・矛盾性の起源は、他者としての日本を見た外国（主に欧米）発信のオリエンタリズムにあるという。つまり、自由主義的文明である欧米人だからこそ、セックスに関して解放的な考え方を持っていると同時に、「正しい」セックスとは何かもわかっている――その一方で、保守的で未発達な日本人は、間違った逸脱的セックスをしている（Abel, 2010, 303）、という前提からきた見方かつ偏見である。

援助交際について上野千鶴子がいうには、日本には19世紀以降に「女性として表象され（略）官能的で魅惑的、可憐で従順」（上野 , 2012, 232）というイメージがついた。事実、援助交際を解説しメディアに登場した河合隼雄は1976年に『母性社会日本の病理』を出版し、日本人の女性らしい精神を当時から強調していた。また、日本研究者のマリリン・アイビー（Marilyn Ivy）は70年代から80年代にかけて、国鉄（現在のＪＲ）が発信した広報キャンペーン（Discover Japan, Exotic Japan）は女性と理想の日本の姿とされた地方とは特別な絆で結ばれているようなイメージを確定したと論じている（Ivy, 1995, 52）。そのイメージは例えば、近年の「秋田美人」キャンペーン[17]などで、現在でも続いているといえる。

まとめて議論すると、援助交際で見られる「行き過ぎた」日本人女子というイメージも19世紀以降日本を語り続けてきた国内外の知識人が作ったイメージであると言える。小泉八雲（1850～1904）から柳田国男（1875～1962）まで、20世紀前半の日本の民俗学は当初から、近代以前の「本当の」

日本の姿と日本人女性との間に特別な繋がりがあると議論し、日本人女性が無意識に本来の日本人の精神を未だに保護しているという議論がされてきた。日本人の女性に未開的かつフリーセックス的日本が潜んでいるという物語は戦後に発展し、戦争に負けた日本社会は20世紀初頭の出来事を少しずつ忘れ、平和的・安全な社会のイメージへ転換した。そして、日本のイメージは再び女性とつながってしまい、「女性のような」サービス精神が強い、「おもてなし」の国となった。

第4節　逸脱と社会現象――メディア上の「事実」の自然化

本書で繰り返し課題としている日本のイメージの構成には複雑な過程がある。その理由は、あるステレオタイプの背景にはまず、そのステレオタイプの「証拠」として使われている様々な現象がある。しかし、それらの現象独自の社会的・文化的文脈があるので、その理解が必要とされてくる。それをしなければ、ステレオタイプ化した日本のイメージの構築を明らかにすることはできない。海外メディアにおいては、日本（＝他者）が逸脱すれば、自分たち（＝日本人ではない話し手）はそうではないと安心する。これはどのステレオタイプを使った物語にも存在する傾向である。しかし、本章でみたように、「変態」というイメージの裏側に実際の社会問題があり、その社会問題を拡張した国内メディアの存在がある。そしてそのメディアに登場した議論は（例えば、週刊誌で批判された女子高生の消費行動）後に誕生したステレオタイプ（例えば、「逸脱的セックスを好む日本人」）を部分的にサポートするような形で再生産されるのである。このように、逸脱と呼ばれる社会現象の裏には複雑な原因と過程が必ず存在する。

最後にもう一つの事例を簡単に触れておこう。「日本、変態の国」というステレオタイプが新聞記事やSNSなどで登場するたびに、必ずと言っていいほど、日本の女性専用車両と痴漢問題が連想的に語られる。警察署が発行する白書によると、近年（2010～2014年）は痴漢行為の検挙件数は一年で平均3,500件が起きており、その約9%は電車内における強制わいせつの認知件数にあたる[18]。また国際的比較のため、東京、ニューヨーク、ロンドン、カイロとメキシコシティの女性にアンケートを行った最近の調査によると[19]、東京の70%の女性は女性専用車両が必要だと答え、最大の割合となった。電車内の痴漢が無視できない社会問題である。だが、日本人の男性が変態だから、女性専用車両を設置しないといけなかったという議論は大げさに聞こえるということもある。2000年から日本で使われてきた女性専用車両は痴漢の対策として好ましいかどうかという議論もあるかもしれないが、女性専用車両にはあまり知られていない歴史もある。

実は女性専用車両が初めて日本で設置されたのは1912年である。当時は他の国でも（例えば、イギリス、米国）すでに存在していたが、その目的は今日と少し違ったようである。つまり、それは女子校に通う女性のために導入された女性専用車両が若い女性の「純潔と純粋」を守る手段だった（Freedman, 2011, 57）。その意味で女性専用車両の存在は日本を含め、当時の「先進国」で認識されていた女性の社会的位置を反映していたといえる。女性は男性よりも低位置におり、自分を自分で守れないし、社会が決まった規範以外で男性と接触したら「汚れる」という認識だったかもしれない。現在は女性専用車両や女性専用タクシー、あるいはバスが他の国にも導入されているが、その主な理由は女性の乗客の安全である。この目的はそれぞれの国における女性の社会的位置と関連していることも予想される。その問題は第６章を読んでから、もう一度考える必要があるかもしれないが、やはり逸脱的行為とそれに対応しようとする社会の対策との裏には少なくとも二つの現象が隠れているといえる。

一つ目は、近年ネットで炎上を起こした店員の不適切な行為の写真（ローソン店内のアイスクリーム用冷蔵庫の中に男性が入った事件など）のケースでもみられるように、社会的な恐怖は当該の事件・ニュースだけによって惹起されているのではなく、「炎上している」という大量の「批判や非難」それ自体が人々の情念を惹起するという現象である（佐藤・藤井, 2017, 16）。二つ目は、一つ目の現象を裏付けることでもあるが、メディアの根本的な機能に起因する現象である。SNSを含め、どんなメディアでも、「多様な方法を通じて、世界に関する一つの一貫した「描写」のみならず、特定の次元、カテゴリー上の様々な特徴、そして「諸事実」を自然化する。その結果、世界に関するオルタナティブな説明が難しくなり、また、自然化されたものは日常の行為や理解の中に規定事項として埋め込まれるのである」（クドリー, 2018,

140）。

援助交際は事実ではないということではないが、メディアでみられた「炎上」がオルタナティブ（代替的）な説明を難しくさせ、不可能にしていたかもしれないと議論してきた。このような事例は他にたくさんありそうだが、本章を読んでいる人は、すぐに援助交際と似たような逸脱的とされているケースを思い浮かべられるだろうか。

注

1 日本学における「オタク文化」理解に大きな影響を与えたといえるのは、2009年に英訳された東浩紀の『動物化するポストモダン――オタクから見た日本社会』（2001, 講談社）である。

2 アニメのグローバル化については、フランスにおけるアニメの導入の歴史を語るトリスタン ブルネの『水曜日のアニメが待ち遠しい――フランス人から見た日本サブカルチャーの魅力を解き明かす』（2015, 誠文堂新光社）を参照。

3 長岡義幸『「わいせつコミック」裁判――松文館事件の全貌！』（2004, 道出版）を参照。

4 「Japanese manga ruled obscene」『BBC News』2004.6.13 付, http://news.bbc.co.uk/2/hi/asia-pacific/3391951.stm（2019 年 9 月 17 日閲覧）.

5 Quigley, J.T. “Otaku dream: This smart anime body pillow responds to your caress” *Tech in Asia*, 2015.8.27 付. https://www.techinasia.com/otaku-dream-smart-anime-body-pillow-itaspo（2019 年 9 月 17 日閲覧）.

6 Ekin, A. “Sexual assault in Japan: ‘Every girl was a victim’” *Aljazeera*, 2017.3.8 付. http://www.aljazeera.com/indepth/features/2017/03/sexual-assault-japan-girl-victim-170307101413024.html（2019 年 9 月 17 日閲覧）.

7 Adelstein, J., Kubo, A.E. “Japan's kiddie porn empire: Bye-bye?” *Daily Beast*, 2014.6.3 付, https://www.thedailybeast.com/japans-kiddie-porn-empire-bye-bye（2019 年 9 月 17 日閲覧）.

8 “Safety tips for foreign women in Japan” *Japan Today*, 2013.2.2 付, https://japantoday.com/category/features/opinions/safety-tips-for-foreign-women-in-japan（2019 年 9 月 17 日閲覧）.

9 逆のやり方、つまり昔そうだったが、今は逸脱的ではない事例（例えば、離婚）を探すのはより簡単かもしれないが、本教科書には現代社会を批判的にみるという目的もあるので、このやり方はあまり効果的ではないと思われる。

10 例えば、氏家幹人（1995）『武士道とエロス』講談社現代新書を参照。

11 村上龍・宮台真司「Ryu's 倶楽部」『サンデー毎日』1996 年 11 月 24 日、75 巻 3 号、54 頁を参照。

12　宮台真司（1997）「援助交際を日常とする少女の心象風景」『援助交際読本――オトコとオンナの世紀末』双葉社ムック、10-15 頁。

13　例えば、2019 年に 382,040 部を発行した『週刊現代』は（https://www.j-magazine.or.jp/user/printed/index/44/2 ［2019 年 9 月 17 日閲覧］）、全国の週刊誌の発行部数がピークを迎えつつある 1995 年には 743,763 部を発行していた（出版指標年報 1996 年、412 頁を参照）。

14　面白いことにこれらの知識人のほとんどは男である（第 6 章参照）。

15　http://www.orangeribbon.jp/about/child/data.php（2019 年 9 月 17 日閲覧）.

16　面白いことに、1990 年代後半に援助交際の報道は日本のポップカルチャーが人気のあるほかのアジアの国々（台湾、香港）へ伝わった結果、それらの国でも社会問題としての認識が上がったようである（Ho, 2003; Lee&Shek, 2013）。

17　https://www.akita-yulala.jp/akitacity-bijin/campaign（2019 年 9 月 17 日閲覧）.

18　『警察白書平成 27 年』http://www.data.go.jp/data/dataset/npa_20150901_0144/resource/ce38b16e-6bbd-44d6-81c2-5b6c75e5796c（2018 年 11 月 13 日観覧）。

19　Reid, M, Yi, B.L. “Nearly 70% of women in Tokyo back single-sex train cars, survey finds” *The Japan Times*, 2018.11.15 付、https://www.japantimes.co.jp/news/2018/11/15/national/nearly-70-women-tokyo-back-single-sex-train-cars-survey-finds/（2018 年 11 月 16 日観覧）.

【参考文献】

Abel, J. E. (2010) “Packaging Desires: The Unmentionables of Japanese Film.” In Cornyetz, Nina and Vincent, J. Keith (eds.), *Perversion and Modern Japan: Psychoanalysis, Literature, Culture*, London: Routledge, 273-307.

Erikson, K. T. (2014) “On the Sociology of Deviance.” In Heiner, Robert (ed.), *Deviance Across Cultures: Constructions of Difference*, Oxford: Oxford University Press, 15-21.

Freedman, A. (2011) *Tokyo in Transit: Japanese Culture on the Rails and Road*, Stanford: Stanford University Press.

Ho, J. (2003) “From Spice Girls to Enjo Kosai: Formations of Teenage Girls' Sexualities in Taiwan.” *Inter-Asia Cultural Studies* 4(2), 325-336.

Ivy, M. (1995) *Discourses of the Vanishing: Modernity, Phantasm, Japan*, Chicago: University of Chicago Press.

Kinsella, S. (2014). *Schoolgirls, Money and Rebellion*, London: Routledge.

クドリー・ニック著、山腰修三監修・翻訳（2018）『メディア・社会・世界――デジタルメディアと社会理論』慶應義塾大学出版会.

Lee, T.Y. and T.L.Shek. (2013) “Compensated Dating in Hong Kong: Prevalence, Psychosocial Correlates, and Relationships with Other Risky Behaviors.” *Journal*

of Pediatric and Adolescent Gynecology 26 (3), S42-S48.
Reinarman, C. (2014) "The Social Construction of Drug Scares." In Heiner, Robert (ed.), *Deviance Across Cultures: Constructions of Difference*, Oxford: Oxford University Press, 221-232.
佐藤建志・藤井聡（2017）『対論「炎上」日本のメカニズム』文春新書.
上野千鶴子（2012）「ジェンダーで世界を読み解く（2） サイード『オリエンタリズム』を巡って」『すばる』34 (4), 228-38.

第8章

日本語は難しいのか

吉野　文

第1節　日本語はやっぱり「難しい」？

2011年の東日本大震災後に一旦減少した在留外国人数は、2013年以降毎年増加の一途をたどり、2017年末には256万1848人に達して、過去最高を記録した（法務省, 2019）。都市部のコンビニでは、接客の日本語や名札などから、外国出身とわかる店員を見かけることは珍しくないし、経済連携協定（EPA）によってフィリピンやインドネシアなどから来た人々が、看護や介護の現場で働くようになっていることもよく知られている。日本で働いたり学んだりするために日本に移り住んだ人々は、生活者として行政サービスを受け、子どもを育て、また、快適でより豊かな暮らしを求める存在でもある。グローバル化と少子高齢化が並行して進む日本社会において、文化的、言語的背景の異なる者同士がコミュニケーションを図る場面は今後ますます増えるだろう。

こうした背景のもと、2019年6月には「日本語教育の推進に関する法律」が成立した。この法律により、国や地方公共団体は「日本語教育を受けることを希望する外国人等に対し、その希望、置かれている状況及び能力に応じた日本語教育を受ける機会が最大限に確保されるよう」日本語教育を推進していく責務を負うことになった。また、外国人等を雇用する事業主も、国や地方公共団体が実施する日本語教育の推進に関する施策に協力する責務を負うとされる。冒頭で示したように、日本には250万人を超える外国人がいる

図１　在留外国人数および国内の日本語学習者数

が、2017 年 11 月 1 日現在の日本国内の機関・施設における日本語学習者数は、その約 10 分の 1 の 23 万 9597 人（文化庁, 2018）に止まっている（図１）[1]。新たに成立した法律によって、これから来日する人も含め、日本語を学びたい人、学ぶ必要のある人に対して、日本語学習の場が十分に確保されることが期待されている。

さて、このように、外国人とのコミュニケーションの手段としてその役割が増し、また、学習者の増加が見込まれる日本語であるが、皆さんは、日本語はどのような言語かと問われたら、何と答えるだろうか。あるいは、日本語についてどんなイメージを持っているだろうか。日本語は漢字や敬語があって難しい、日本語は英語と違って論理的でなく曖昧な言語だ、といった答えが思い浮かぶ人もいるだろう。実際、インターネット上の掲示板に立てられた日本語についてのトピックを見てみると、文字が難しい、尊敬語、謙譲語などの違いがわからない、ただでさえ難しい日本語に方言が加わり日本人同士でも通じないときは難しいと感じる、などというコメントが並んでいる[2]。また、個性豊かな日本語学習者たちを描いたコミック『日本人の知らない日本語』の著者である日本語教師も、よく周りの人から「日本語って世界で一番難しい言葉なの？」と尋ねられると書いているし（蛇蔵・海野, 2010, 116）、日本語を勉強している留学生は、日本人から「日本語は難しいでしょう？」などと言われることが少なくないようである（清水, 2018, 12）。

外交官に対して職務に必要な言語の研修を行うアメリカの国務省外務研修所（Foreign Service Institute）は、仕事に使えるレベルに達するのに要する時間によって、言語を４つのカテゴリーに分けている（米国国務省）。最も習得に必要な時間が短いカテゴリーⅠ（24 週から 30 週）には、英語に近いデンマーク語、オランダ語などゲルマン語派の言語、英語と歴史的な関係が深いフランス語やイタリア語などが、続くカテゴリーⅡ（36 週）には、ドイツ語、インドネシア語などが含まれる。次に、難しい言語に分類されるカテゴリーⅢ（44 週）には、アルバニア語、チェコ語、ポーランド語、タミール語などが並ぶ。そして、日本語は、アラビア語、中国語（広東語・普通話）、韓国語とともに、88 週（2200 授業時間）を要する「Super-hard languages」に位置づけられている。カテゴリーⅠの言語と比べると、１年以上も長く学習する必要のある言語とされている。

外交に携わる人にとってさえ最高の難易度という日本語は、やはり非常に難しい言語なのだろうか。しかし、実は、ここに一つの落とし穴がある。それは、カテゴリーⅣには「英語母語話者にとって特別に難しい言語」という説明が付け加えられているということだ。つまり、ここでの日本語の「難しさ」は、英語母語話者（a native speaker of English）にとっての「難しさ」であり、母語が違えば難易度は異なるということが前提となっている[3]。

では、なぜ日本語母語話者は日本語を「難しい」と捉えがちなのだろうか。また、学習者にとって言語の「難しさ」は、どのように生じるのだろうか。本章では、こうしたことを考えながら、「日本語＝難しい」というステレオタイプについて考えてみたい。言語的文化的背景の異なる人同士のコミュニケーションが日常になりつつある今、どのようなコミュニケーションのあり方を目指せばよいのかを「難しさ」を手掛かりに考えていこう。

第２節　母語話者から見た日本語の「難しさ」

前節では、英語母語話者にとって日本語が難しいとされていることを見たが、日本語と文法が似ていると言われる韓国語の話者にとってはどうだろうか。日本人大学生と韓国人留学生の日本語の「難しさ」に対する意識の違いを比較したオストハイダ（2013）によれば、韓国人留学生の３分の２が日本語の学習を「易しい」または「非常に易しい」と捉えている（表１）。

韓国語と日本語は、文法の類似性だけでなく、語彙の面でも共通点が多く、

表1　日本語の「難しさ」に対する意識の違い

日本人学生の意識（N=337） 日本語は他の言語と比べて……		韓国人留学生の意識（N=349） 日本語の学習は……	
特に難しい言語である	67％（225人）	非常に難しい・難しい	3％（8人）
難易度はほぼ同じである	30％（100人）	どちらともいえない	33％（114人）
特に簡単な言語である	4％（12人）	易しい・非常に易しい	65％（227人）

（オストハイダ, 2013, 182　表1をもとに作成）

韓国語には日本語の漢語に当たる漢字語が多い。また、擬声語・擬態語（いわゆるオノマトペ）も非常に多く、しかもそれらは日本語と極めて高度な類似性を共有していると言われている（李, 2001, 1）。こうしてみると、韓国語母語話者にとって日本語を学ぶ上での困難が相対的に低いことは明らかであり、言語習得の困難度から見た日本語の「難しさ」は、母語の違いに影響を受ける問題として捉えられる側面があるということがここからもわかる。

しかし、ここで見落としてはならないのは、表1の左側にある日本人学生の言語意識である。この調査によると、日本人学生の3分の2は日本語を他の言語より「特に難しい」言語だと考えている。回答した学生が、「他の言語」として何を意識したかはここからは明らかではないが、日本語を「特に難しい」言語とする背景には、日本語を特殊な言語と捉える視点が見え隠れする。オストハイダは、この点に関して、日本人は隣人よりも欧米人の日本語学習観を基準としているとして、その主な原因は「長い間、日本との比較対象として西洋（戦後は特にアメリカ合衆国）しか見てこなかったこと」にあると推察している（オストハイダ, 2013, 184）。こうした言語意識は、日本を西洋社会と比較し、その「特殊性」を誇示してきた「日本人論」、「日本文化論」（第1章参照）に連なるものと言え、「日本人が古来受け継いできた日本語は特殊だ」という観念が、根強いステレオタイプとして今も残っていると考えられる。前出の留学生に対する「日本語は難しいでしょう？」という問いかけには、ある程度日本語が話せる外国人はもちろんのこと、あるいは日本語が極めて流暢な外国人であっても、日本文化の象徴である日本語を真に理解することはできまいという意識が潜んでいるのではないだろうか。

一方、母語に対する言語意識という観点から見ると、ニュージーランドのオークランドで英語話者に英語のイメージを尋ねた早川の調査も興味深い（早川, 2008）。多民族国家と言われるニュージーランドの中でも最もバイリンガル、マルチリンガルの多い地域であるオークランドでは、英語話者は「英語を第一言語[4]とし英語のみ使用する者（モノリンガル）」、「英語を第一言語とし、他言語も同程度にできる者」、「他言語を第一言語とし、英語も同程度にできる者」、「他言語を第一言語とするセミバイリンガル（英語も話すが流暢ではない人々）」の４つのタイプに分けられる。そのうち、英語と他言語が同程度できる人々が「英語は易しい」と考えているのに対し、英語だけを使用するモノリンガルと、セミバイリンガルの人々は「英語を難しい」と考える傾向があるという結果が得られたという。早川は、「特に英語しか使用できない英語モノリンガル話者がもっとも英語を難しいと考えていることは注目すべきであり、これは日本語母語話者が日本語を難しいと考えていることに通じる」としている（早川, 2008, 64-65）。つまり、日本語のみ使用する日本語モノリンガルであるのか、第二、第三の言語を習得している複数言語話者なのかが、日本人が日本語を難しいと捉えるかどうかに影響を与える可能性を示唆していると言える。

さて、ここまでの考察により、日本語を母語話者が意識する「難しさ」と日本語学習者が意識する「難しさ」とでは、その背景が異なることがわかってきたことと思う。前者の中には、敬語や漢字のように、意識的に学習される過程において意識される「難しさ」もあるだろう。しかし、日本語を特殊なものと位置づけてきた価値観が、表１に見るような「日本語は難しい」というステレオタイプにつながっていることも否めない。では、後者の日本語学習者の立場から捉える「難しさ」は、どのように分析できるのだろうか。学習の対象としての日本語がどのように難しいのかを明らかにする手立てとしてまず思いつくのは、学習者の母語と日本語を文法、語彙、発音、表記、語用といった側面から比較することだろう。次節では、日本語を他の言語と対照するところから始め、言語の習得に関わる様々な要因を追究する第二言語習得研究を紹介する。

第3節　日本語学習者から見た日本語の「難しさ」

本節では、まず、アメリカの大学で日本語を学ぶ学生を念頭に置いて英語で書かれた『日本語基本文法辞典（*A Dictionary of Basic Japanese Grammar*）』という書籍を見てみよう。この本は、1986年に刊行されたものだが、今もなおアメリカだけでなく世界各地の日本語学習者や日本語教師に利用されている。初級レベルの文法項目を取り上げ、一項目ずつ意味や用法を説明する辞典であるが、冒頭には44頁にわたる「日本語文法の特徴（Characteristics of Japanese Grammar）」という解説があり、初学者に向けて、文法の面から日本語の特徴を9項目にわたって具体例とともに説明している。表2はどのようなことが記述されているかをまとめたものである（原文英語。日本語は筆者訳）。

これらの項目の中には、擬音語・擬態語のように、文法の特徴というよりは語彙の特徴と言えるものも含まれているが、英語を鏡として映した日本語の姿の一端が捉えられていると言える。学習者は、習得している英語との違いに留意しながら日本語の特徴を理解することによって、日本語学習がスムーズに始められるはずである。たとえば、表2の「3. 省略」、「4. 人称代名詞」からは、主語が省略できない英語に対し、日本語は主語がしばしば省略されること、英語のyouに当たる日本語の二人称代名詞「あなた」は、使える相手や場面が限られていることを学ぶことになる。また、「7. 終助詞」からは日本語には文末に付く終助詞があることや、終助詞「ね」は聞き手と情報を共有していると想定されるときに使われることなどを学ぶ。こうした知識がないと、一緒にランチを食べに行った同僚に「あなたは何を食べますか」と尋ねたり、初対面の相手に「私は日本に来て2年目に英語の先生になりましたね」などと、相手の知らないことに「ね」を付加するようなことになる。

実際に日本語を教えていると、こうした用例を耳にすることは珍しくないのだが、前者のようなyouを直訳して「あなた」を使うような使い方は学習の早い段階でなくなるのに対し、「ね」の習得は難しく、上級になっても不自然な用例が見られる。つまり、学習者の母語と学習している言語との違

表２　『日本語基本文法辞典』(Makino & Tsutsui, 1986) における日本語文法の特徴

項　目	記述内容の一部
1. Word Order 語順	日本語は SOV（Subject+Object+Verb）言語 英語は SVO（Subject+Verb +Object）言語 日本語では、修飾される語の前に修飾する部分が位置する
2. Topic 主題	主題は日本語を理解する上で重要な概念 主題は「は」で表示されることが多い
3. Ellipsis 省略	日本語では文脈からわかる要素が省略されることが多い
4. Personal Pronouns 人称代名詞	一人称、二人称代名詞が複数あり、省略されることが多い 人称代名詞に代わり、家族関係を表す語や社会的な役割・職業名が用いられる
5. Passive 受身	英語と異なり、直接受身だけでなく、間接受身がある
6. Politeness and Formality 敬語[5]と改まりの程度	文法形式と語彙による、尊敬表現と謙譲表現がある 改まったスタイル（formal style）とくだけたスタイル（informal style）とが使い分けられる
7. Sentence-final Particles 終助詞	会話において主節の最後に置かれ、文の機能や話し手の感情や聞き手に対する態度を表す終助詞がある
8. Sound Symbolisms 擬声語・擬態語	擬声語・擬態語が豊富である[6] 成人の話し言葉・書き言葉でも用いられる
9. Viewpoint 視点[7]	ある状態や出来事を描写するときに、どの視点を取るかによって使えない表現がある。

いは重要だが、すべて同じような「難しさ」になるとは言えないのである。では、「難しさ」の問題を解く鍵はどこにあるのだろうか。

実は、学習者にとっての「難しさ」を、母語と学習の対象となる言語（目標言語ともいう）の関係から明らかにしようとする試みは、外国語教育の分野では「古くて新しい問題」と言われている（奥野, 2015, 111）。1960 年代までは、母語と目標言語がどのような対応関係にあるかを分析することによって、学習者の誤りを減らす教育ができると考えられていた。たとえば、英語では存在を表すのに有生物か無生物かを区別しないが、日本語では有生物なら「いる」、無生物なら「ある」のように２種類を使い分ける必要がある。

このように母語にもある項目が目標言語では複雑になるような対応関係にある文法項目は、習得するのが最も難しいというように考えられていた（渋谷, 2001, 87）。

しかし、その後学習者が実際に話したり書いたりする言語を詳しく観察するようになると、母語に関係なく学習者に共通して見られる誤りもあることが明らかになり、母語だけが言語習得に影響を与えているのではないことがはっきりした。現在では、習得の途上にある学習者の言語を「中間言語」[8]として捉え、学習者にとって習得が難しく誤用が生じやすい部分だけでなく、正しく使える部分（正用）や難しい項目を使わずに回避する現象なども含めて、その中間言語の体系がどのように変化していくかが注目されるようになっている。このような第二言語習得研究においては、母語または既習の言語の影響は、「言語転移」と呼ばれ、「母語やそれ以外にこれまで学習した言語と、目標言語の類似点及び相違点から、学習者の意識的・無意識的な判断により、目標言語の運用上や、習得の過程上に現れる影響」と定義される（奥野, 2015：112）[9]。

言語転移の観点から学習者の言語を見てみると、言語の諸側面のうち、発音が最も母語の影響を受けやすい領域だと言われている。個人差や年齢による差はあるが、目標言語を話す際に母語の音声生成のために身につけた運動神経系の影響を受けることになるからである（鮎澤, 2005, 3）。『新版日本語教育事典』の「音声・音韻」の項目では、25の言語が取り上げられ、その音韻体系と音声の特徴が記述されるとともに、その言語の母語話者にとって日本語音声の難しい点が解説されている。たとえば、タイ語の話者の日本語発話の特徴として「シ」と「チ」や「ツ」と「ズ」の区別が困難であること、音調がきわめて平坦になる傾向があることなどが指摘されている（宇佐美, 2005, 50）。こうした母語がマイナスに働く影響は、負の転移と言われる。

文字・表記についてはどうだろう。日本語は、ひらがな、カタカナ、漢字、ローマ字を用いる表記体系を持つ言語である。これも個人差はあるものの、母語で漢字を使用しない学習者にとって習得に時間がかかることは確かで、日本語学習の成功者からも、「漢字は一番大きなハードルだった」（エサティエ, 2017, 20）、「漢字の習得の大変さにへきえきした」（ヴォロビヨワ, 2017, 47）といった経験談が語られることは珍しくない。

他方、中国語を母語とする学習者からは、「中国語が母語なので漢字はほぼ読める」「一般の漢字なら大体書ける」といった声を聞く。確かに、初級の文法を学び終わったぐらいの段階であっても、母語で漢字を使う学習者は、漢字仮名混じりの文章の大意を掴むことができる場合が多い。しかし、中国や台湾で使われている漢字はそれぞれ日本語の漢字とは字体が異なるものがあり、表記がまったく同じわけではない。また、語彙の問題になるが、中国語母語話者にとって母語知識を学習に活かせる語がある一方、母語知識がかえって誤った理解や産出に結びつく可能性のある語、さらには母語知識では対応できない語がある（小室リー, 2019, 149)。たとえば、「歌」という語は中国語でも日本語でも同じ意味なので、母語の知識がプラスに働く正の転移が期待できる（同書, 158）[10]。一方、日本語の「階段」「菓子」「質問」などは中国語にも同じ形の語があるため、それぞれ「段階」「木の実」「詰問する」という中国語の意味を想起して、理解を誤る負の転移の可能性がある（同上, 210-211)。

このような現象は、文法項目の形や使い方についても起こるが、難しさに通じる負の転移がどのように起こっているかは慎重に見極めなければならない。たとえば、皆さんは英語母語話者から「私のパーティーに来たいですか」と誘われたら、どのように感じるだろうか。形の上では何も間違いがないものの、誘いの表現としては何か違和感があり、“Do you want to come to my party?” の直訳、つまり、英語からの転移のように見えるのではないだろうか。しかし、これを言語転移だと断定することはそれほど容易ではない。その理由は、教科書では「夏休みにどこへ行きたいですか。京都へ行きたいです」のような「〜たい」を学ぶための練習が多く行われていること、海外の学習者は「〜しない？」「〜てもいい？」などのくだけた勧誘表現、依頼表現を知らないこと、「〜たいですか」が失礼でなく使える相手は限られていることを知らないこと、などが、「私のパーティーに来たいですか」の産出に関わっている可能性があるからだ（奥野, 2015, 110-11)。また、もし英語のように願望疑問文（“Do you want to …?”）を依頼・勧誘に使用しない言語の話者も、同じように「私のパーティーに来たいですか」のような表現を使うならば、この表現は単に英語からの言語転移だと断定することはできないのである。

第二言語習得研究は、外国語、第二言語を学ぶ際に、その知識、能力をどのような過程を経て身につけていくのか、何が習得に影響を与えるのかといった多岐にわたる課題を追究する分野である。母語や既習の言語が何らかの影響を与えていることは確かだが、実際には教授方法、言語環境、学習環境によっても「難しさ」は変わるのである。また、学習者の年齢、動機づけ、どのような学習方法を取るかといった個人的要因も影響すると考えられている。学習者が日本語学習に感じる「難しさ」にも様々な要因があるということである。

およそどんな言語でも新しい言語を習得することはそれなりに時間のかかる課題であることには変わりがない。しかし、母語や既習の言語は何か、どのような環境、どのような条件で学習するかによって、その課題の難しさは異なる。そしてまた、「難しい」と認識するかどうかは主観的なものでもある。日本語を学習する立場から見ても、一律に「日本語＝難しい」という捉え方を前提とすることはできないのである。

第4節　日本語によるコミュニケーション

本稿では、「日本語は難しい」というステレオタイプを取り上げ、母語話者と学習者（非母語話者）という二つの立場に分けて考えてきた。また、第3節「日本語学習者から見た日本語の「難しさ」」では、学習者の言語に見られる誤りや不自然さ、つまり教える側、研究する側から見た「問題点」を通して学習者の感じる難しさを捉えてみた。

ところで、第二言語習得研究では、学習者の中間言語を母語話者の言語体系に向かって変化していくものと捉えているが、学習者の目標となる有能さを兼ね備えた理想的な「母語話者」は、はたして存在するのだろうか。

言語は時代とともに変化するものであり、母語話者であっても、年齢によってどのような表現を適切と見なすかは異なる。また、地域によるバリエーションも存在し、共通語で話しているつもりでも方言の影響を受けた日本語を話していることもあるだろう。さらに、他者とどのような関係を作りたいかによっても個人の言葉使いは変わってくるし、受けた教育、職業、立場によっても人々の使う日本語には多様性があると考えられる。

このように考えてくると、想像上の理想的な「母語話者」から見た規範、正しさ、適切さを学習者に要求する態度を、実際のコミュニケーションの場面に持ち込むことへの疑問が生じてくる。母語話者の日本語が多様性に満ちたものである以上、それと同様に、非母語話者の日本語にも多様性を認める必要があるのではないだろうか。そして、母語話者は、「日本語は難しい」というステレオタイプを押し付けるのではなく、非母語話者の多様な日本語を受け止める態度が求められる。すなわち、非母語話者のことばを聞くときに、その欠点をあげつらうような意地悪な聞き方をせず、「たぶんこうだ」「きっとそういう意味だろう」と、聞き手として積極的にコミュニケーションに関与すること、「減点方式ではなく、加点方式で相手の話を聞く」態度（新井, 2004, 42）が必要だと思われる。

また、異なる言語的文化的背景を持った参加者間の接触場面（第9章参照）の特徴を考える際に、母語話者と学習者という単純な分け方では、もはや済まなくなっている。ファン（2006; 2018）は、接触場面を、「相手言語接触場面」（参加者のどちらかが相手の言語を用いる場面）、「第三者言語接触場面」（参加者の双方が自分の言語ではなく、第三者の言語を用いる場面）、「共通言語接触場面」（接触場面でありながら参加者はそれぞれ意思疎通が可能な自分の言語を用いる場面）の三つに類型化している（表3）。

日本語の学習者は、相手言語接触場面で日本語母語話者とコミュニケーションを取るだけでなく、第三者言語接触場面や共通言語接触場面にも日本語を用いて参加する可能性があるのである。中でも、日本語を用いた第三者言語接触場面は、今後日本に定住する外国人が増えていけばますます複雑で

表3　接触場面のタイポロジー

接触場面の種類	使用する言語	例
相手言語接触場面	参加者の一方は相手の言語を用いる	移民が移住先の役所の窓口で問い合わせをする場合
第三者言語接触場面	参加者のいずれの言語でもない、第三者の言語を借りる	母語の異なる留学生同士の会話、国際会議などでの英語によるディスカッションなど
共通言語接触場面	参加者それぞれの言語の共通点が多く、各々が自分の言語を用いる	出身の異なる英語圏の話者同士、漢字圏の人同士による筆談など

（ファン, 2006, 129; ファン, 2017, 76 をもとに作成）

多様になっていくだろう。

さまざまな言語を使う人同士が交渉するヨーロッパでは、「誰でもが複数の言語を『だいたいでよい』からとにかく使おうという感覚」があり、「相手と向き合ってやりとりすることが何より大事だ」とする指摘もある（石黒, 2017, 60）[11]。日本語を特殊なものと考え、習得不可能な難しいものと位置づけるのではなく、言語的背景の異なる者同士がわかり合う手段の一つとして日本語を使うことが、多言語社会におけるコミュニケーションには必要であろう。

注

1 法務省「在留外国人統計」および文化庁「平成29年度国内の日本語教育の概要」を基に作成した図である。外国人であっても日本語教育を受ける必要や希望のない人、また、逆に国籍が日本であっても、日本語教育を受ける必要や希望のある人がいることに留意したい。

2 「ガールズちゃんねる」（https://girlschannel.net/topics/category/talk/）より引用。「日本人が感じる日本語の難しいところ」というトピックで169のコメントが寄せられている（2019年7月21日閲覧）。

3 native speakerという概念は母語話者という概念より広いとされる（田中, 2013, 103）が、一般にnative speakerの日本語訳として母語話者が使用されることが多いことから、本稿ではnative speakerの意味で母語話者を用いる。注1からもわかるように、日本語母語話者＝日本人ではないことは確認しておきたい。

4 第一言語は「ある人の母語あるいは最初に獲得される言語。しかしながら、多言語社会では、子供が主に使う言語はある言語から他の言語へと徐々に変わっていくことがあり（たとえば、学校で使用される言語の影響による）、その場合、第一言語は子供が最も楽に使える言語を表すことがある」（リチャーズ・シュミット編, 2013, 177-178）とされる。

5 原文ではpolitenessであるが本書第9章で扱われている「ポライトネス」とは異なるため、敬語と訳した。

6 韓国語に擬音語・擬態語が豊富であることは先述のとおりであり、韓国語母語話者に対しては、日本語の特徴として記述する必要はないかもしれない。学習者が習得している言語が異なれば、日本語の特徴として記述される事柄は異なってくるはずである。

7 例として、本書では、英語では"My son was scolded by me."が文として成り立つが、日本語では「私のむすこは私にしかられた」とは言えないと説明している。

8 学習者の母語の言語体系とも、学習の対象となる言語の母語話者が持つ言語体系とも異なる、中間的な位置づけであるためにこの名称が用いられる（大関，2010, 8）。

9　母語だけでなく、すでに学習した言語の影響も考えるということは、ドイツ語を母語とする人が中国語を学んだ後に日本語を学ぶ場合には、ドイツ語と中国語の影響を受けると想定するということである。

10　ただし、この場合も中国語の「歌」は動詞としては使われないことに注意しなければならない。

11　石黒は、言語教育の指標として用いられるようになっているCEFR（Common European Framework for Reference for Language）の思想として紹介している（石黒，2017, 60）。

【参考文献】

新井一二三（2004）『中国語はおもしろい』講談社．

鮎澤孝子（2005）「音声・音韻」日本語教育学会編『新版日本語教育事典』大修館書店，3.

文化庁（2018）「平成29年度国内の日本語教育の概要」、http://www.bunka.go.jp/tokei_hakusho_shuppan/tokeichosa/nihongokyoiku_jittai/index.html

米国国務省ホームページ、https://www.state.gov/key-topics-foreign-service-institute/foreign-language-training/（2019年6月3日閲覧）.

エサティエ，J.（2017）「あるアメリカ人の日本語学習体験」『ことばと文字』7, 17-24.

ファン，S.（2006）「接触場面のタイポロジーと接触場面研究の課題」国立国語研究所編『日本語教育の新たな文脈――学習環境、接触場面、コミュニケーションの多様性』アルク，120-141.

ファン，S.（2017）「外国語使用のバリエーション――母語・非母語を超えた言語行動の多様性」『ことばと文字』8, 73-83.

早川治子（2008）「ニュージーランド・オークランドの多言語性と英語に対する印象」『文学部紀要』21（2）, 49-65.

蛇蔵・海野凪子（2010）『日本人の知らない日本語２』メディアファクトリー.

法務省（各年）「在留外国人統計統計表」、http://www.moj.go.jp/housei/toukei/toukei_ichiran_touroku.html（2019年6月3日閲覧）.

石黒広昭（2017）「言語学習の公共性と私性」川上郁雄編『公共日本語教育学』くろしお出版，42-64.

小室リー郁子（2019）『中国語母語話者のための漢字語彙研究――母語知識を活かした教育をめざして』くろしお出版.

李殷娥（2001）「日本語と韓国語のオノマトペに関する対照研究」名古屋大学大学院国際開発研究科博士論文.

Makino, S. & Tsutsui M. (1986). *A dictionary of basic Japanese Grammar*. Tokyo:

The Japan Times.
大関浩美（2010）『日本語を教えるための第二言語習得論入門』くろしお出版.
奥野由紀子（2015）「日本語の習得過程における言語転移研究の挑戦――方法論に着目して」『日本語学』34 (14), 110-123.
オストハイダ・テーヤ（2013）「言語意識とコミュニケーション」多言語化現象研究会『多言語社会日本：その現状と課題』三元社 , 174-185.
リチャーズ , J. C. & シュミット , R. 編、髙橋貞雄・山崎真稔・小田眞幸・松本博文訳（2013）『ロングマン　言語教育・応用言語学用語辞典』南雲堂.
渋谷勝己（2001）「学習者の母語の影響：学習者の母語が影響する場合としない場合がある」野田尚史･迫田久美子･渋谷勝己･小林典子『日本語学習者の文法習得』大修館書店 , 83-99.
清水由美（2018）『日本語びいき』中央公論新社.
田中里奈（2013）「日本語教育における『ネイティブ』／『ノンネイティブ』概念――言語学研究および言語教育研究における関連文献のレビューから」『言語文化教育研究』11, 96-111.
宇佐美洋（2005）「タイ語」日本語教育学会編『新版日本語教育事典』大修館書店、50 頁。
ヴォロビヨワ, G.（2017）「私の運命となった日本語」『ことばと文字』7, 44-53.

第9章

日本人は外国人と話すのが苦手か

西住 奏子

第1節　異文化間コミュニケーションを巡るステレオタイプ

筆者が大学で担当する留学生プログラムでは、毎年、アメリカ、カナダ、メキシコ、中国、韓国、インドネシア、タイ、ドイツ、スペイン、フィンランド、ロシア等、さまざまな国からの学生を受け入れている。皆さんの中にはこれらの国名を聞いて、ふと思い浮かぶ「○○人(じん)はこう！」という明確なイメージがある人もいるかもしれない。アメリカ人は陽気で明るい、メキシコ人はフレンドリー。そのようなイメージを持った人が少なからずいるのではないだろうか。

グローバル化がますます加速する今、異文化理解や多文化共生を身近なものと捉え、日本は海外からの観光客や労働者の受け入れ態勢をどのように整えていったらよいのか、私たちはどのような異文化間コミュニケーションの方法を身につけていったらよいのか、英語力の強化にはどのようなトレーニングが有効なのか等、ともに考えるテレビ番組やノウハウを紹介するウェブサイト、書籍は巷に溢れている。異文化間コミュニケーション入門や異文化理解を深めるワークブックには、日本人はシャイである、英語に苦手意識を持っている人が多い、という文言が並び、文法を間違えることを恐れずに積極的に英語でコミュニケーションを図ろうと結ぶものも多くある。また、異文化間コミュニケーションに必要な能力のひとつとして「伝える力」を挙げ、そのことについて、そもそも日本人、欧米人の伝え方にはどのような特徴があるか、互いの評価として次のように説明するものも多い。皆さんは日本人のコミュニケーション、欧米人のコミュニケーションの特徴を問われたら、どのように答えるだろうか。以下に目を通す前に一旦ここで考えてみてほしい。

日本人に関して、アメリカ人は以下のような点を指摘することがよくある。

・何か言われたとき、つくり笑いをする。
・困ったときでも、にっこりする。
・感情を表に出さない。
・人に文句をあまり言わない。
・自分の意見・考え方をはっきりと主張しない。

一方、日本人はアメリカ人に関して、以下の点を挙げることが多いという。

・はっきりと自己主張をする。
・感情を表に出す。
・相手に対して文句や苦情をしっかりと言う。
・ストレートに物を言う。

（中村他編, 2014）

本によっては、どちらの伝え方が効果的で“国際的なコミュニケーション方法”であるか、欧米式のほうが有利ではないかとするノウハウ本も少なくないように感じる。

筆者は大学で長年、留学生と日本人学生が同じ教室で一緒に学び合う授業、つまり言語的・文化的背景の異なる者同士がともに学び合う授業を担当している。そのクラスでは、英語と日本語どちらを使ってもよいとしているが、学生同士のやりとりを見ていると、やはりコミュニケーションの仕方について、お互いに「○○人はこう」という根強いステレオタイプを抱いているように見えるのだ。授業の最初に「欧米系の留学生ははっきり物を言うから、負けないように頑張りたいと思う」という目標を掲げる日本人学生も多く、クラス最後の授業を振り返るシートに、「日本人はやっぱりシャイな人が多く、考えをはっきり言わないから、意見交換がしにくかった」と書く留学生もいる。どうしてもコミュニケーションの仕方を「欧米系はこう」「日本人はこう」と地域や国籍で括ってしまったり、「欧米人ははっきり主張する」「日本人はシャイで外国人と話すのが苦手だ」、あるいは「日本人は英語で話すとき自信がなさそうに見える」等、たった数人の、たまたま似通ったタイプの人たちと話しただけかもしれないのに決めつけてしまったりしている。しかも、最初にも述べたように、筆者の所属する大学で学ぶ留学生は、決して「欧米系」だけではないのである。

なぜ我々は、このような「日本人はこう」「欧米人はこう」「外国語といえばまずは英語」といった、いわゆる「ステレオタイプ」といわれるものを抱いてしまうのだろう。その国の人に会ったこともないのに、イメージを持ってしまっていたり、実際にその国の人と会ってみたら、イメージとまったく違ったりした経験はないだろうか。異文化間コミュニケーションというと、英語を使った欧米人とのコミュニケーションが頭に浮かんでしまうのはなぜだろうか。

実際、異文化間コミュニケーション研究において、ステレオタイプをはじめ、偏見や差別等、円滑なコミュニケーションの障壁となるものについては長年研究されており、ステレオタイプに関しては、人は自身を取り囲む膨大な情報を、同じような種類のもので「カテゴリー化」して処理する傾向にあることや、異なるカテゴリー間における差異性と同一カテゴリー内における類似性の強調をもたらすという「強調効果」があることが指摘されている（石井他, 2013)。つまり、違うカテゴリーに入れた瞬間、実際よりも差異の大きいものと感じてしまったり、逆に、同じカテゴリーに入っているものは、実際よりも共通点が多いと感じてしまったりするということである。また、コミュニケーション論における論理展開に関する研究においては、様々な分野で、カプラン（Kaplan, 1966）の「思考形式の文化的相違」が引用されてきた。「思考形式の文化的相違」とは、次頁の図1に示すように、文化に見られる文章構成の傾向を、英語教育の視点で類型化したもので、カプランは、それぞれ言語独自のパラグラフの展開方法があることや、考えや感情の表現の仕方には、言語、非言語を問わず文化的な傾向があるのではないかと主張したのである。この図では、英語系のアメリカ人学生が問題の核心に向けて直線的に進む思考であるのに対して、東洋語系の学生は、長い前置き

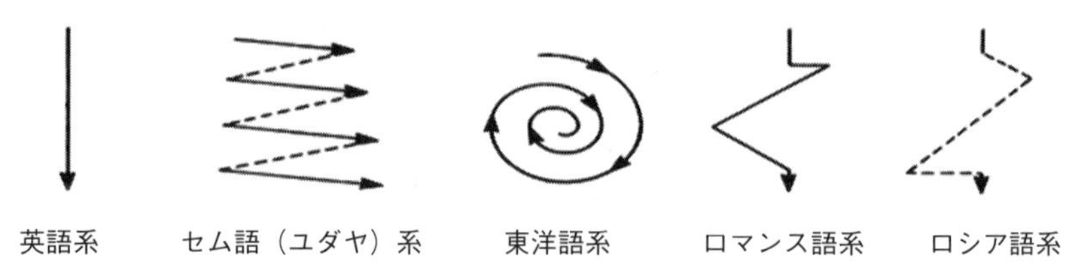

図1　思考形式の文化的相違（Kaplan, 1966）

や間接的な話題によって渦巻状の思考をするということが示されている。この議論は、英語中心主義的である点や、東洋語系の論理構造パターンの分析に含まれているのが韓国語と中国語であり、日本語が含まれていないこと等から批判的に取り上げられることがたびたびあったが、ここでもやはり、文章構成の傾向をコミュニケーションの傾向と、また言語をそれを話す人の思考パターンと安易に関連づけ、ステレオタイプ化してきた可能性があることを指摘したい。

この章では、このような背景を踏まえ、「異文化間コミュニケーションにおけるステレオタイプ」について、筆者の専門分野である「語用論(Pragmatics)」を異文化間コミュニケーションを捉える枠組みとして皆さんとともに考えたい。まず第2節で、語用論とはどのような学問か、語用論的なものの見方や捉え方を中心に解説し、人はなぜステレオタイプを抱いてしまうのか考える。続く第3節で、語用論のひとつの概念である「ポライトネス理論（politeness theory)」を取り上げ、話し手、聞き手双方にとって好ましい、快適なコミュニケーションを目指す際の指針となる考え方を示す。そして最後に、第4節では、異文化間コミュニケーション論におけるステレオタイプを語用論の枠組みで捉え直し、「対話」と「傾聴」をキーワードに、身近な相手とどう関わっていけばステレオタイプに惑わされないコミュニケーション・スタイルを身につけることができるか考える。

第2節　異文化間コミュニケーションを捉える枠組み
——語用論（Pragmatics)

本節では、異文化間コミュニケーションを捉える枠組みとして、「語用論(Pragmatics)」という学問を紹介する。

語用論は、言語学の中の一分野である。言語学には他に、音韻論、形態論、統語論、意味論があり、専門的に研究する分野によって分けられることが多いが、語用論は、言語の形式ではなく、その使用に焦点を当てて研究する分野である。本章ではその定義を、「言葉と、それを使う人と、それが使われる場の関係を研究する学問」とする。語用論における専門用語では、言語が発せられた場や環境、会話のやりとりの流れや前後関係等のことを「文脈・コンテクスト・Context」という（小泉, 2001; 加藤・滝浦, 2016）。そして、単に話し言葉の研究を指して語用論ということもあるが、本節では話し言葉に留まらない語用論的なものの見方、捉え方を紹介したい。

まず、話し言葉に注目して解説すると、例えば、「私は大学生です」という言葉は、あらゆる状況から切り離されると、言語形式（音声あるい文字）のみによって構成される「文」となる。しかし、それが映画館のチケット売り場や駅のみどりの窓口でチケットを購入する時、あるいは美容院でカットしてもらう時等の、ある特定の場、コンテクストの中で発せられたものになると「発話」となり、言葉どおりの意味ではなく、特定的で具体的な意味を伝達することになる。つまり、それらはすべて、学割対象だという話し手の伝えたい意図[1]があり、恐らく聞き手にもそう解釈されることになるだろう。また、同じ「私は大学生です」という発話を、親戚のおじさん、おばさんと久しぶりに会った時にいくつになったかと問われた、というコンテクストで考えるならば、その発話はどう解釈されるだろうか。恐らく、話し手の伝えたい意図に関係なく、おじさん、おばさんからは、「もう大学生になったのか、大きくなったなぁ」という返答が返ってくるに違いない。このように人は、発話を発せられた場と結びつけて理解、解釈しようとするものなのである。

またある時、学校で授業開始時に教員が教室に入るなり、「うわ、この教室は暑いですね」と言ったとする。その場には「そうかな、私にはちょうどいいけれど」と、教員の発言を気にも留めない学生もいれば、「確かに暑い！先生、窓を開けてくれないかな」と期待する学生もいるかもしれない。あるいは、黙ってすっと席を立ち、窓を開けにいく学生がいてもおかしくないだろう。ここで言えることは、次頁の図２に示すように、教員の「この教室は暑いですね」という発話は、言葉どおりの意味で発せられる場合と、

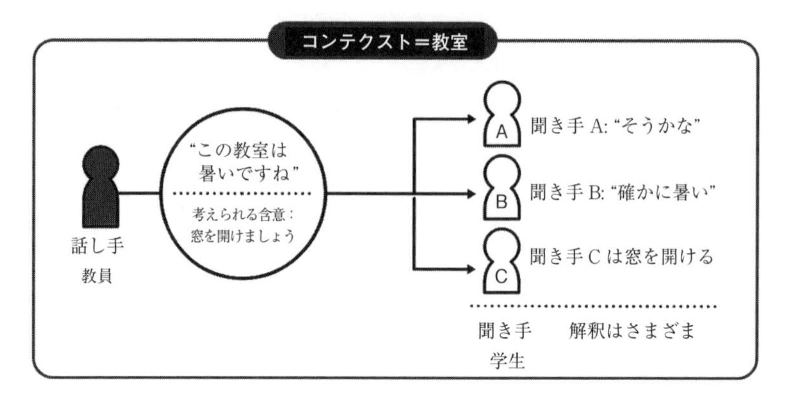

図２　一発話の多様な解釈例

「窓を開けましょう」等の伝えたい意図を含んで発せられる場合があるということ、そしてその発話の解釈やそれによって引き起こされる行動は、聞き手によって様々であり得るということである。このような現象を扱う理論を、語用論では「言語行為論（speech act theory）」という（オースティン, 1978；小泉, 2001; 加藤・滝浦, 2016）。

先に語用論とは、「言葉と、それを使う人と、それが使われる場の関係を研究する学問である」と述べたが、上記の説明を踏まえ言い換えると、以下のような学問であると言える。

語用論とは、発話における話し手の意図、コンテクスト、そして聞き手の理解・解釈の関係を考える学問である。

ここで語用論的に物事を考えるひとつのエクササイズとして、考えてみてほしい表現がある。それは、「よろしくお願いします」である。１日に１回は使うと言っても過言ではないこの表現は、語用論的に考えると非常に興味深い。留学生が、「『よろしくお願いします』は魔法の表現だ」と話しているのを聞いたこともある。その意図とはどういうものであろうか。

留学生を対象とした日本語の授業で、留学生が真っ先に習うのがこの「よろしくお願いします」である。初対面の挨拶として学ぶ。読者の皆さんにも一度、外国語として日本語を学ぶ人を対象とした日本語の教科書を手に取ってみてもらいたい[2]。たいていの教科書の最初の課に、以下のような発話が含まれているはずだ。

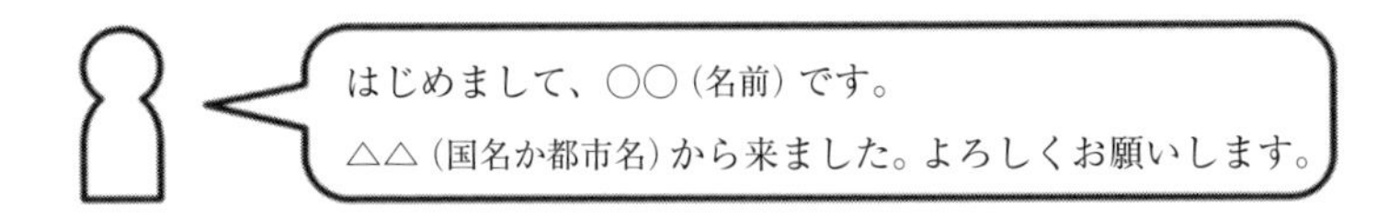

そのあとの課に「よろしくお願いします」はめったに登場しないが、少し日本に住めば、留学生はあらゆる場面、たとえば相手に何かを依頼する時、年末年始の挨拶の時といった場面で、この表現が使われていることに気づくようだ。そして、「よろしく」「どうぞよろしくお願いします」「何卒よろしくお願い申し上げます」等、丁寧度によって様々な形式が存在することを知っている学生も多い。「よろしくお願いします」の使用は、話し言葉に限らないということを指摘する学生もいる。大学で担当する留学生を対象とした日本語科目で、ある日の日本語の授業でメールの書き方について学習した際、日本語でメールを書く時に難しいと感じることは？という問いかけに、敬語の使い方を挙げる学生や、始め方と終わり方を挙げる学生がいたが、その中でひとりの学生が、「終わり方は簡単だと思う。とりあえず『よろしくお願いします』をつければいい」と答え、教室は笑いに包まれた。なぜ「よろしくお願いします」はこれほど“万能”なのだろうか。

それは、「よろしくお願いします」は、場面場面で交わされる挨拶に常に言い添えられ、そのコンテクストに合わせて聞き手に解釈され得る表現だからである。つまり、初対面や年末年始の挨拶場面であれば、「引き続き、あなたとよい関係を続けていきたいです」と解釈されるだろうし、教員にレポートを提出する場面であれば、添削の依頼に「負担をかけてすみませんが、お願いします」という気持ちを言い添えたと解釈されるだろう。メールの結びとして使用されれば、コンテクスト、つまりメールの内容に合わせて依頼の挨拶と解釈されたり、相手との関係性の継続を望む挨拶として解釈されたりするだろう。英語だと“Nice to meet you.”（初対面）、“Wish you a Merry Christmas and a Happy New Year.”（年末）、“Happy New Year.”（年始）、“Thank you in advance.”（依頼時に添える）と、それぞれの場面に合った表現があり、それで挨拶が完結することから考えても、留学生が「よろしくお願いします」を“魔法の表現”だと感じるのもうなずけよう。「よろしくお願いします」はコンテクストに合わせて聞き手、読み手に理解・解釈される、これこそが語用論的な見方、考え方なのである。

ちなみに、この「よろしくお願いします」という表現は日本特有のものだと思っていたが、隣国、韓国にも存在するようだ。しかも丁寧度によって「잘 부탁해（チャルプタケ）＝よろしく」「잘 부탁합니다（チャルプタカムニダ）＝よろしくお願いします」「잘 부탁드립니다（チャルプタクトゥリムニダ）＝よろしくお願い申し上げます」と形式が変わる点も日本語と似ている。使用する相手との関係や場面によって形式を意識する必要があるのか、SNS[3]上で使用される略語はあるのか等、ひとつの表現について語用論的に分析する時、他の言語とその表現の形式や使用場面を比較してみると、表現の特徴が浮き彫りになってくることがよくある。

ここまで、主に話し言葉に注目し、いくつかの表現を例に語用論的なものの見方について説明してきたが、ここで話し言葉以外の事例を挙げるとともに、人が言葉をコンテクストと結びつけて理解する時に必要で、大切なものとなってくる語用論的要素について紹介する。

第１節でも触れた、言語的・文化的背景の異なる者同士がともに学び合う授業で、中元・歳暮の習慣について話し合った時のことを事例として挙げる。どのような贈り物をするのか日本人学生が留学生に説明する場面でビールが例として挙げられた際、留学生から驚きの声が多数上がった。「ビールは私の国では安い飲み物だから、贈り物にすると失礼になる。ワインのほうがいいと思う」。そういった発言の中に、「あ、最近、電車の中でビールギフトの広告を見たことがある。なぜかわからなかったが、今わかった」という声があった。その留学生が広告の意図が理解できなかった理由は何か。それは、ビールは中元・歳暮用として人気の商品であるという「社会通念・共有知識」（山岡・牧原・小野, 2010）がなかったためである。コミュニケーションにおいて相手を、相手の発話の意図を、ひいては相手の文化を理解しようとする時、その社会で暗黙の了解となっていることや、人々が共通に持っている知識や常識というものは欠かせないものとなってくる場合が多いのである。そして、語用論的なものの見方・考え方というのは、決して話し言葉や書き言葉だけに限られるものではなく、電車の中吊り広告をはじめ、街中のポスターやテレビのCM、新聞雑誌の広告にも応用できることなのである。それは、広告にはさまざまな意図やメッセージがあり、それを目にする私たちは、ただ見るのではなく、社会通念や自身の持つ知識を用いてそのメッセージを読み取ろうとするからである。

このように、社会通念と共有知識は、コミュニケーションを図る上で相手を理解したり、相手の意図したことを、可能な限り、相手の期待通りに解釈したりするのに欠かせない語用論的要素だが、気をつけなければならないことがある。それは、社会通念も共有知識も、同じ言語話者でも、年代、地域、職業などにより相違があるということである。「異文化間コミュニケーション」というと、これまで述べてきたような、いわゆる外国人とのやりとりを想像する人が大半かもしれないが、たとえば「最近の若者の言動はまったく理解できない！」という年配者にとっては、若者との交流が「異文化間コミュニケーション」かもしれないし、大阪から東京に転勤になった人が、何かしらの違和感を感じながら職場の人と仕事をすることも、関西人の関東人との「異文化間コミュニケーション」かもしれないのである。そして、時代とともに社会が変化することで、社会通念も変化していくということも忘れてはいけない。

これと関連してよく取り上げられるコミュニケーション表現のひとつに、「お疲れ様です」がある。倉持（2008）は「お疲れさま系」挨拶について、本来の慰労の機能が薄れ、別れや呼びかけの挨拶として、また決まり文句として使用される場面が増えているとしている。大学でも、以前より、授業のあとで「先生、お疲れ様です！」と元気に挨拶をして教室を出て行く学生は多くなっており、留学生が「ありがとうございました」や「さようなら」の代わりに教員や友人に対して使う場面もよく見かける。一般企業においても、廊下で上司や社員同士ですれ違う時、電話での受け答え時の見知らぬ人との挨拶でも頻繁に使用されている。マッサージやスポーツジムといった客としてサービスを受けるような場面でも、「お疲れ様でした」とスタッフに声をかけられることはよくある。このような使用について、違和感を感じる人もいるかもしれないが、仲間意識を高めたり、互いに心地よい雰囲気を作ったりする意味合いが強くなり、現代社会において多用され、上下親疎関係なく使用できる表現になってきたと捉えることができよう。

第２節では、異文化間コミュニケーションを捉える枠組みとして、語用論とはどのような理論か、ものの見方や捉え方について論じ、コンテクスト、話し手の意図と聞き手の理解・解釈、社会通念、共有知識といった語用論でコミュニケーションについて考える時に欠かせない概念を紹介した。第１節で取り上げた「ステレオタイプ」を語用論の枠組みで捉え直すなら、言語的・文化的背景の異なる人のことを、自身の言語・文化というコンテクストの中で捉え、自身の所属する社会における通念や人々との共有知識で判断することで形成されてしまう、自分とは異質なものという意識から来るものであると説明できよう。日本人のもつ「アメリカ人ははっきりと自己主張する」といったコミュニケーション・スタイルの印象も、日本人だったらそこまで主張しないだろうという日本人としての通念で判断し、アメリカ人のコミュニケーション・スタイルとして特徴づけてしまった結果なのではないだろうか。第３節では、語用論の中で、コミュニケーションと関連する大切な概念である「ポライトネス理論」について解説し、ステレオタイプと上手につきあいながら、快適な異文化間コミュニケーションを目指す際の指針となる考え方を示す。

第３節　ポライトネス理論と異文化間コミュニケーション

ポライトネス（politeness）という言葉はみなさんにとって聞きなれない用語かもしれない。丁寧という意味でpoliteという単語は英語の教科書にも出てくるが、politenessの意味は、その丁寧さとは異なるものである。小泉（2001）は、次のような例を挙げて、語用論におけるポライトネスの意味を説明している。

（１）a. Open the door.

b. Could you please open the door?

（２）a. さあ入って。

b. もしよろしければどうぞお入りください。

一般的にはそれぞれ（b）の方が「丁寧」だと考えられるが、それらがいつも相手を気持ちよく思わせる言い方とは限らない。もし、自分がすでに親しい間柄だと思っていた相手に（b）のように言われたらなんとなく冷たくあつかわれている気がするだろうし、相手と仲良くしたいと思っている時に、このように言われても少し嫌な気持ちになる。それに比べて（a）のほうは一見ぞんざいな言い方ではあるが、もし相手と仲良くしたいと思っているならばむしろ親しみを感じ、相手も自分に親しみを感じてくれているように思えないだろうか（小泉, 2001）。また、山岡・牧原・小野（2010, 67）は、「ポライトネスとは、会話において、話者と相手の双方の欲求や負担に配慮したり、なるべく良好な人間関係を築けるように配慮して円滑なコミュニケーションを図ろうとする際の社会的言語行動を説明するための概念である」と説明している。つまり、ポライトネスとは、人間のコミュニケーションに欠かせない「配慮」のことであると言える。本節では、ポライトネスに関する理論のうち、ブラウン＆レヴィンソン（2011 [Brown & Levinson, 1987 [1978]]）の「ポライトネス（politeness）」の一部を紹介する。

ブラウン＆レビンソンは、ポライトネスを、ゴッフマン（2002 [Goffman, 1967]）の「フェイス（face）」の概念を援用して規定している。フェイスとは、面子・面目と訳されることもあるが、社会生活を営む上で誰もが持つ、他者との人間関係に関わる基本的欲求のことである。フェイスには２種類あり、他者に受け入れられたい、よく思われたいという他者評価の欲求を「積極的フェイス（positive face）」、他者に自分の領域を邪魔されたくない・踏み込まれたくないという自己決定の欲求を「消極的フェイス（negative face）」という。言語行為（speech act）には、それを行うことで不可避的に相手や自分のフェイスを脅かしてしまうことがあり、ブラウン＆レビンソンはそれを「フェイス侵害行為（face threatening act, FTA）」と呼んだ。言語行為とは、言語の働きを、事実の描写や記述といった側面からではなく、「依頼」「断り」「謝罪」「ほめ」などといった行為の遂行の側面から捉えた概念である。第２節でも触れたが、「この教室は暑いですね」という教員の発話が、「窓を開けてください」という「依頼」になりうるという現象のことであるが、そのような言語行為のうち「断り」行動については、話し手（つまり断り手）が聞き手（つまり申し出側）の積極的フェイスを脅かすFTAの１つと言えよう。そして、それぞれのフェイスを顧慮する「ストラテジー（strategy）」

のことを、「ポジティブ・ポライトネス（positive politeness）」「ネガティブ・ポライトネス（negative politeness）」という。ストラテジーとは、ある目的を達成するために取られる方法や戦略のことであるが、ポジティブ・ポライトネス・ストラテジーとしては、例えば、相手の変化に気づいて声をかけることや（例 3-a）、積極的に理由を言うこと（例 3-b-1）等が挙げられる。また、ネガティブ・ポライトネス・ストラテジーとしては、曖昧にすること（例 3-b-2）や、相手に対応の逃げ道をあらかじめ用意しておくこと（例 4）等が挙げられる。

（3）a: あ、髪切ったんだ！いいね。
　　b: 1. ありがとう。夏だから、バッサリ切ったんだ。
　　　 2. そう？　前髪、切りすぎちゃって……。
（4）もし手が空いてたら手伝ってほしいんだけど、今日は無理そうかな？

語用論の談話研究[4]には、ポライトネス理論を用いた言語間、異文化間の対照研究や接触場面[5]研究が数多くある。ここではひとつの事例として、テレビのインタビュー番組における「ほめ」の返答の日米比較研究（柏木, 2017）を挙げる。司会者がゲストをほめた時、ゲストがどう返答したかに注目し、ほめの受け入れ（賛同、感謝）・回避（ほめのシフト[6]、トピック変更[7]、ほめ返し、笑い・冗談・照れ）・打ち消し（不賛同、不利な情報の提供、疑問の提示）の３つのストラテジーの出現率比較を行った。その結果のひとつを、「日本語のほめの返答では『打ち消し』がもっとも多く使用されていたが（34.5%）、英語の発話では『打ち消し』は非常に少なく（2.0%）、『受け入れ』の返答が好まれていた（71.4%）。『回避』は日米ともに頻繁に使用されていた（日本語 26.7%、英語 26.5%）。この結果は先行研究で示された傾向と同様であった」（柏木, 2017, 12）とまとめている（図３参照）。

このような研究は、ある言語行為において、さまざまなストラテジーがあるということ、ある言語話者にはどのようなストラテジーが好まれ、また好まれないのかということ[8]、また、ある文化では、ポジティブ・ポライトネスとネガティブ・ポライトネスのどちらがより円滑なコミュニケーション・ストラテジーとして使用されやすいのか等を明らかにする。第１節で触れた

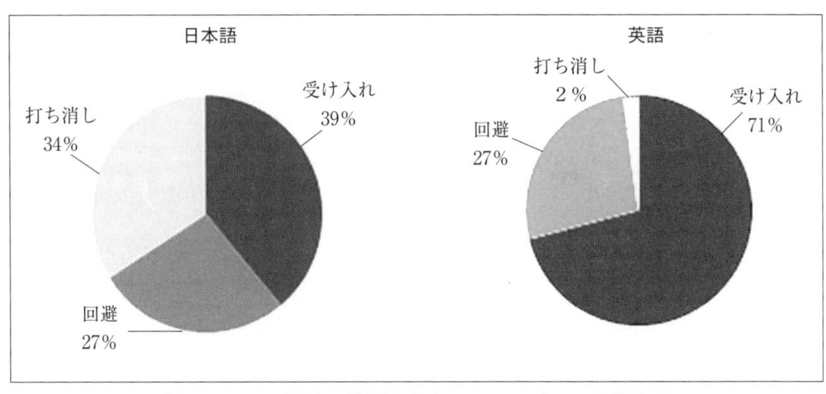

図３　ほめの返答で使用されたストラテジーの日米比較

ような、皆さんが手に取る異文化間コミュニケーション関連の書籍は、こういった研究を土台に書かれたものも多い。知識として知ることで、ステレオタイプと上手につきあい、接触場面におけるさまざまな状況に対応してコミュニケーションが図れるようになるだろう。そして、ストラテジーという概念でコミュニケーションを捉え直してみることで、コミュニケーションを図る手段、ストラテジーを客観的に見つめることができ、自身のコミュニケーション・ストラテジーの幅を広げることにもつながる。

しかし、このような議論を目や耳にする時に、対照研究はケーススタディの場合も多く、当然、欧米人なら、日本人なら誰もが同じ傾向を持つというわけではないことに気をつけるべきである。知識や経験が増えることで、逆にステレオタイプが強化される危険性もあることを知っておくべきだろう。

第１節で取り上げた、留学生と日本人学生の意見の言い方に関するコミュニケーション・スタイルについても、国籍の違いではなく、ストラテジーの違いと捉えれば、たまたま授業で意見を交わした人が、はっきりものを言うストラテジーを好んでいた、あるいはストレートに意見は言わず、じっくり相手の話を聞くストラテジーを使っていた、と判断することができるのではないだろうか。

最終節である第４節では、これまでの議論を踏まえ、どのような姿勢で異文化間コミュニケーションに臨めばステレオタイプに惑わされないコミュニケーション・スタイルを身につけていけるかまとめたいと思う。

第4節　ステレオタイプから逃れるには

これまで、異文化間コミュニケーションにおけるステレオタイプについて、語用論的なものの見方・捉え方、コンテクストの理解・解釈に必要な語用論的要素としての社会通念、共有知識、その多様性と変化について、そしてポライトネス理論といったさまざまな角度から議論してきた。

最後に、異文化間コミュニケーションの仕方に関するステレオタイプをあらためて語用論の枠組みで捉え直してみたい。たとえば日本という大きなコンテクストの中に言語的・文化的背景の異なる人、いわゆる外国人が入ってきたとする。彼らの言動を、日本における社会通念や人々が共有に持つ知識、あるいは自分自身の物差しで理解・解釈しようとすると違和感を抱くことが多いだろう。その違和感を、差異が明確な部分である国や文化と結びつけて「〇〇人はこう」「〇〇人は日本人とは違う」と判断してしまうことによって生まれる意識がステレオタイプなのではないかと考える。同様に、自分自身が旅行や留学で海外に行った時、あるいはテレビ番組等で海外の生活や人間模様を観察した時、驚きや違和感を覚えることもよくあるだろう。その経験や現象をその国のコンテクストで理解・解釈するのではなく、やはり無意識のうちに自分の国や地域、そして自分の物差しで理解・解釈しようとし、その国、文化特有のものであると判断してしまうことがステレオタイプの形成につながるのではないかと思うのである。

しかし、人というものは、誰かとコミュニケーションを図る時、相手の発話を持てる知識や情報すべてを総動員させ、コンテクストと結びつけて理解・解釈しようとするものである。本章で議論してきた異文化間コミュニケーションとは、そういった持てる知識も情報も異なる者同士、コンテクストの理解・解釈の仕方も異なるもの同士、そして、好ましいポライトネス・ストラテジーをも異なるもの同士のコミュニケーションであると言っても過言ではないだろう。そのように考えると、自分と違うことに違和感を感じ、それを最もわかりやすく異なる要素である国や文化と結びつけて判断しようとしてしまうことは、ごく自然なことのようにも思われる。しかしながら、ある意味自然なプロセスを辿り自分の中にステレオタイプを形成してしまわないようにするには、どうしたらよいのだろうか。

異文化間コミュニケーションに必要なことは、十分な「対話」と「傾聴」の姿勢なのではないかと考える。これまで留学生と日本人学生のコミュニケーションを研究してきて、そのような考えに至った理由として、強く印象に残っている担当授業の振り返りシートに書かれていた学生の声を紹介したい。それは、「授業でのグループワークを通して日本人が議論中に黙っているのは、シャイだからではなく、よく考えて、意見を言う準備をしているのだということに気づいた」というタイ人留学生の声と、「アメリカ人留学生のＡさんは、意見をはっきり言うよりむしろ、英語が苦手な自分の説明を根気よく聞いてコメントしてくれた。嬉しかった」という日本人学生の声である。相手の言動をよく観察し、相手の話に注意深く耳を傾け対等に話し合ったことで、ステレオタイプに囚われない気づきが得られたと言えるのではないだろうか。

さらに、相手だけでなく自分のコミュニケーションの仕方もよく観察、省察し、相手との相違点だけでなく共通点も見つけ出していくことも大切であると考える。最近は気軽に手に取れる異文化間コミュニケーション関連の書籍や異文化理解を助けるテレビ番組も多いことは第１節でも触れた。インターネットや携帯電話も普及し、様々なリソースを利用して海外の情報を集めることも容易になったが、グローバル社会と言われる今、文化も言語も自分と異なる背景を持つ人との出会いや交流は、昔と比べ格段に増えたと言える。見聞きした情報は、ひとつの“ケーススタディー”にすぎないかもしれないことを理解し、鵜呑みにするのではなく、コミュニケーションの一助とすること、そして一度の経験や交流だけで相手を判断するのではなく、根気よく付き合って相互の理解を深めていく姿勢が大切なのではないかと考える。積極的に他と関わっていくことで、様々な物の見方や考え方を知り、身につけることができ、安易にステレオタイプを生み出したり、他者の語るステレオタイプ的な見方や意見に惑わされたりせずに、異文化間コミュニケーションを楽しむ自分になれるのではないかと思うのである。

注

1　語用論では、言外に含まれる話し手の伝えたい意図のことをimplicatureといい、日本語では「含意」や「推意」と訳されることが多い（小泉, 2001; 加藤・滝浦, 2016）。

2　日本語学習者を対象とした日本語の教科書には主に初級・初中級・中級・上級のレベルがあり、文法や読解、作文や聴解といった技能別のものもある。現在大学機関や民間の日本語学校でよく使用されている初級の教科書には『みんなの日本語』（スリーエーネットワーク, 1998）『げんき Genki』（坂野他, 2011）等がある。

3　SNSとはsocial networking service（ソーシャル・ネットワーキング・サービス）の略語で、ウェブ上での社会的ネットワーク構築を可能にするサービスのことである。Facebook、Twitter、LINE、Instagram等がそれにあたる。

4　談話とは、文より大きい言語単位で、あるまとまりをもって展開した会話やモノログの集合のことである。話されたもの、書かれたもの両方を含み、話し言葉の研究では、録音した会話を文字化したものがデータとして使用される。

5　接触場面とは、外国語話者と一般に母語話者と呼ばれる話者とのコミュニケーション場面のことである（ネウストプニー, 1995）。

6　ほめのシフトとは、第三者にほめことばが向くように仕向けることを意味する（柏木, 2017, 3）。

7　トピック変更とは、ほめに関係のない背景の説明などをすることを意味する（柏木, 2017, 3）。

8　語用論では、「選好（preference）」という（加藤・滝浦, 2016）。

【参考文献】

オースティン, J. 著、坂本百大訳（1978）『言語と行為』大修館書店.

坂野永理・池田庸子・大野裕・品川恭子・渡嘉敷恭子（2011）『げんき GENKI: An Integrated Course in Elementary Japanese I, II』（第2版）、ジャパンタイムズ.

ブラウン, P. & レヴィンソン, S. C. 著、田中典子監訳、斉藤早智子・津留崎毅・鶴田庸子・日野壽憲・山下早代子訳（2011）『ポライトネス――言語仕様における、ある普遍現象』研究社.

ゴッフマン, E. 著、浅野敏夫訳（2002）『儀礼としての相互行為――対面行動の社会学〈新訳版〉』法政大学出版局.

林誠（2018）「会話分析における対照研究」『社会言語科学』21 (1), 4-18.

石井敏・久米昭元・長谷川典子・桜木俊行・石黒武人（2013）『はじめて学ぶ異文化コミュニケーション――多文化共生と平和構築に向けて』有斐閣選書.

Kaplan, R. (1966) “Cultural thought patterns in inter-cultural education.” *Language Learning* 16 (1-2), 1-20.

柏木厚子（2017）「インタビュー番組におけるほめの返答の日米比較――非言語デー

タも含めた発話分析」『学苑』919, 1-14.
加藤重弘・滝浦真人（2016）『語用論研究法ガイドブック』ひつじ書房.
小泉保（2001）『入門語用論――理論と応用』研究社.
倉持益子（2008）「「お疲れさま」系あいさつの意味の希薄化と拡大――職場での使い方を中心に」『明海日本語』13、65-74 頁.
中村良廣・石丸暁子 編（2014）『自発学習型 異文化コミュニケーション入門ワークブック』松柏社.
ネウストプニー , J. V.（1995）『新しい日本語教育のために』大修館書店.
尾崎喜光（2008）『対人行動の日韓対照研究――言語行動の根底にあるもの』ひつじ書房.
スリーエーネットワーク（2012）『みんなの日本語 初級本冊 I, II』（第２版)、スリーエーネットワーク.
滝浦真人（2008）『ポライトネス入門』研究社.
山岡政紀・牧原功・小野正樹（2010）『コミュニケーションと配慮表現――日本語語用論入門』明治書院.

第10章

日本の教育は平等か

小林 聡子

第1節 「教育の平等」をどこから見るか

1904年にH.G.ウェルズ（H.G.Wells）が書いた短編小説で「盲人国」という作品がある。ある若者がアンデス山脈で遭難し、ある奇病により昔から盲人しか存在しない村にたどり着く。彼は「盲人の国では、片目の人間は王様だ」という諺[1]から、「見える」自分は「見えない」村人たちより優位に立ち、先導できるものと初めは思っていた。だが、彼らの生活やその環境は視覚とは関係なく皮膚感覚や聴覚によって構築されており、「見る」という概念自体がそもそも存在していなかった。この若者の「見る」「目」「色」などの発言や、村には存在しない視覚に頼る行動は、村人らには不可解であり、無知だと嘲笑の対象となる。若者も徐々に自分が身体的にも社会的にも劣位であり、障がいがあると感じるようになる――というような流れで、物語が展開されていく。

この小説を「見える」ことが当たり前とされて構築された社会をひっくり返した興味深い空想の物語だと思うかもしれない。だが、「盲人国」が出版されてからおよそ90年後、人類学者であるノーラ・エレン・グロースの著書『みんなが手話で話した島』（1991［1985］）[2]が出版された。グロースの研究によると、米国マサチューセッツ州のケープコッド沖にある小さな島、マーサズヴィンヤード島の住民は17世紀初頭から20世紀頃までは155人に1人の割合で遺伝的ろう者だった。島民全員が当たり前に手話で対話をしていたため、ろう者であろうがなかろうが、対等に教育を受け、仕事をする社会の成員であった。ところが、米国連邦政府が島の自治に介入するようになり、「ろう者」は「障がい者」という位置付けに変化させられていった。グロースが島民にインタビューをした際、島民らは誰が「ろう者」であったのか覚えていないことすらあった。つまり、誰もが手話で対話をしていたこの村においては、それくらい「ろう」であるのかどうかは関係がないことであったのだ。このように、「盲人国」という物語やマーサズヴィンヤード島の事例を見ると、「障がい」とは何か、いつ、何が、どのように、誰を、そう形作るのかを一考させられるのではないだろうか。このように誰かを「違う」と区別する差異化（differentiation）や、その差異に基づいて「その他」「劣位」といったような周縁化（marginalization）をする事象は、何も身体的能力の違いに起因するものだけではない。見た目、社会経済的地位、宗教、ジェンダー、言語、学び方など、様々な要素から誰しもが直面しうる事象である。そして、このような差異化や周縁化の問題は、学びの場である学校教育において頻繁に起こっている。

「日本の教育は平等」という漠然とした文言に違和感を感じる人はどれ位いるだろうか。一体それは具体的に何を指しているのか。万人が教育を受ける機会を平等にもつという普遍的で人道的倫理観か。はたまた「全員同じ教育を受ける」ことか。あるいは「出る杭は打たれる」「みんな同じがいい」という考え方へのつながりと捉えることもできるかもしれない。実際に周りを見回せば、多様な人々が存在し、経験も多種多様であることは自明の理である。しかしながら、多くの人は「日本社会」「学校教育」というのはこういうものだ（「日本は単一民族」「日本人は日本語を話す」「日本の教育は平等」等）といった均質的で漠然としたイメージを共有している[3]。本章では、このイメージを具体例に着目しながら崩しつつ、一見当たり前になっている教育システムや学習環境等を含む学校教育がどのように多様性のある児童生徒等を差異化し、周縁化しうるのか考えていく。日本やその他の国の例を題材にしながら、自分自身が日常で当たり前となっている考えや行動を省察し、改善へ取り組む案を出すきっかけとなることを目指したい。

第2節　ひとしく教育を受ける「国民」は「all people」？

「日本の教育は平等」というイメージの一方には、他の国における「教育の不平等」のイメージが存在しているのではないだろうか。テレビで見るような発展途上国で学校まで徒歩で何時間もかかるような地域のこと、経済大国の小学校でプログラミングや起業の方法までも学ぶようなところのこと。多くの人はこういった極端なイメージを想像し、その上で「日本の教育は平等」というイメージを形成しているのかもしれない。実際、日本国憲法第26条でも以下のように明記されている。

> ①すべての国民は、法律のさだめるところにより、その能力に応じて、ひとしく教育を受ける権利を有する。
> ②すべての国民は、法律の定めるところにより、その保護する子女に普通教育を受けさせる義務を負ふ。義務教育は、これを無償とする。（文部科学省「日本国憲法昭和21年11月3日」http://www.mext.go.jp/b_menu/kihon/about/a002.htm）

ここから、「ひとしく」つまり平等に無償の義務教育が日本の国民に憲法上保障されていることがわかる。確かに、公立の小中学校において授業料は不徴収であり、教科書も無償で配布される。教員も数年ごとに各都道府県内を巡回するため、特定の学校に経済的・人的資源が留まることがないように見える。文部科学省の調べによると、実際に義務教育を受けるにあたって生徒一人にかかる学習費は、公立小学校では年間平均して学校教育費が59,228円、給食費が43,176円となっているが、経済的に困難な家庭の場合、就学援助を受けることでその負担が減免されるようになっている。一方で、その他に塾などの習い事を含む学校外活動費が平均して217,826円かかるとされており、これが公立中学校となると、301,184円まで上がる（文部科学省「平成28年度子供の学習費調査」）。このように日本の義務教育課程を受けることは決して完全に「無償」ではなく、また同じ公立校に通う生徒らも経済的資源を持つ者と持たざる者で、教育の質や経験が異なる可能性があることが垣間見える。2018年9月、ニュースでは義務教育ではない高校の授業料無償化に関わり、外国人学校などを含む各種学校がその対象とされる中、朝鮮学校は対象外であるという裁判結果が出され、教育を受ける権利についての平等や差別についての様々な議論が続いている[4]。

そもそも、「平等」な教育とはなんだろうか。経済的負担が同じ、あるいは学校教育を完全無償化すれば平等になるのだろうか。徒競走に例えると、スタート地点が同じということなのか、ゴールが同じということなのか、それともそれ以外の意味があるのか。日本国憲法第26章の英訳[5]では「すべての国民」は「all people」とされているが、ひとしく教育を受ける権利を持つ「国民」とは、一体誰を指すのか。英語表記の「all people」が広義で意味するように、国籍・障がい・家庭の経済状況などは関係なく日本国内の住民全てを含むのであろうか。

日本の学校に通う子ども達を想像してみてほしい。ここで、多様性の一例をあげてみる。2014年の文部科学省の調べによると日本の公立学校[6]に在籍する外国人児童生徒は73,289人となっており、そのうち日本語指導が必要な児童生徒は29,198人と近年増加傾向にある。また、日本語指導が必要な日本国籍児童生徒[7]も年々増加している（文部科学省、2015）。一方、外務省（2017）の調べでは2015年の時点で79,251人の日本国籍児童生徒が海外の小中学校で就学している。ここで気がついた人もいるかもしれないが、文部科学省では「外国人児童生徒」と「日本国籍児童生徒」と記載しており、「外国人・日本人」及び「外国籍・日本国籍」という対の用語は使用されていない。つまり、外国籍を保持していても「日本人」とみなされることもあるかもしれないが、日本国籍保持者であっても「日本人」とみなされないことがあるということだろうか（ちなみに、「日本語指導が必要な児童生徒の受け入れ状況等に関する調査〔平成28年度〕」以降、調査結果は「日本国籍」「外国籍」へ修正されている）。丹羽雅雄（2017）によると日本政府や判例から判断するに、「教育を受ける権利と享有主体と就学義務（義務教育）の対象のいずれも『日本国籍を有する国民』に限定している（108頁）」という。では、ひとしく教育を受ける権利を持つ「国民」とは、その国の国籍を持つものであり、海外に居住する日本国籍保持者はその対象とされ、日本に住む外国籍保持者は対象外なのか。

ここで、ひとしく教育を受ける権利を持つ「国民」を、理想的に「all people」だとして考えてみよう。例えば、エレベーターのない建物で子ども達が階段を駆け上がっていく中、一人の車椅子の生徒が、「今日の夏休み自由研究相談会（無料）は3階のホールです」という知らせを見つめている。彼女は一体どうすれば「ひとしく教育を受ける権利」を行使することができるのだろうか。では、言葉や自分が当たり前だと思っている文化的前提が通じない状況で学校生活を送る生徒たちではどうだろうか。ここで、愛知県のように日本語指導が必要な児童生徒数が飛び抜けて多いわけではない千葉県を事例に考えていく。県内でも特に外国人数が多いのは千葉市であるが、市内においても区によって大きく異なり、さらに市街地から離れる程、様々な支援へのアクセスが限られている状況にある。千葉市の中心部から離れた場所にある全校生徒数が200名弱の某小学校には、日本語話者でない、あるいは日常会話はできても学校用語の読み書きが難しい保護者をもつ児童が各学年に5名以上ずつ在籍している。第一言語はスペイン語、ポルトガル語、中国語、マレー語と多様だ。児童自身も日本語学習者であることが多く、特に低学年の教室では成長と理解度の関わりもあいまってか、教員の指示がわからずに戸惑いを見せる児童らの様子がよく見受けられる。文部科学省（2017）の調べでは、日本語指導が必要な児童生徒が在籍している学校の内、外国人児童生徒数が5名以上の学校の割合は全体の25%弱であり、日本語指導が必要な日本国籍児童生徒が5名以上いる学校の割合は14%弱と報告されている。また、千葉市（2017）の報告によれば、2016年の時点で日本語指導が必要な児童生徒数は全体の0.59%である437人となっている。ここから、この小学校には日本語指導が必要な児童生徒の割合が平均よりもやや多く在籍していることがわかる。また、彼らの保護者については明確な統計はないものの、「それ以上いる」と予測ができる。このような児童生徒が明らかに多い学校では母語のわかる指導員が市から加配されていることもあるが、大抵はこの学校のように少人数しか在籍していないことから、週に1時間程度指導員が巡回しに来る、あるいは指導員が来る学校へ児童生徒らがその時間だけ通うということも多い。あとは、場所によって各地域で組織されている日本語ボランティアが入るといったように、「日本語指導が必要」でありながら、その「指導」の内実にはかなり大きな差がある。

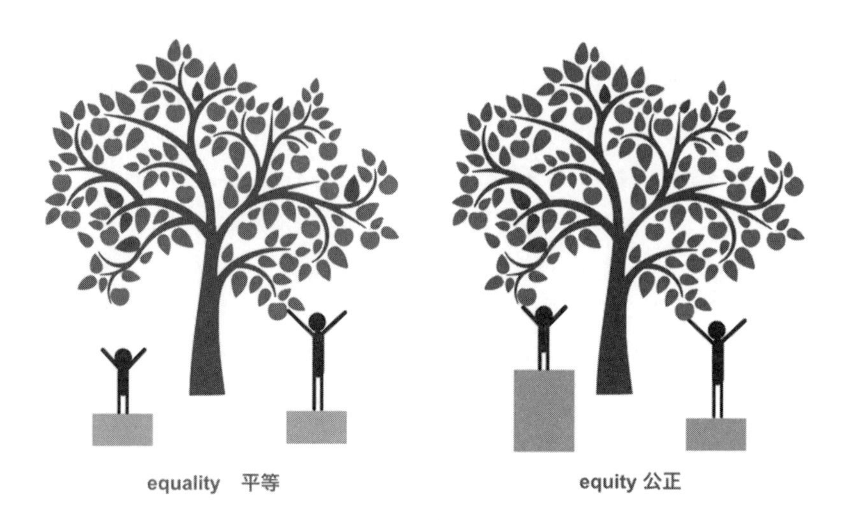

図1　平等と公正

第二言語習得研究者であるジム・カミンズ（Jim Cummins）によれば、日常生活に必要な対話スキル[8]を習得するには児童生徒らは対象言語話者らとの2年から3年の日常的な交流が必要であるという（カミンズ, 2011）。ただ、表面的には流暢に会話ができるように見えても、学校の授業で使われる専門的用語・対話手法[9]を理解・習得するのには5年から6年かかるという。当然、適切な支援の有無といった要素が大きく影響するのだが、上述した日本語指導・支援は、増加し続ける児童生徒数に対して指導員やボランティアの数が不足していることから、児童一人に対して平均して1～2年で終了することが多い。つまり、これらの児童生徒らはなんとなく表面上日本語で会話ができるようになったところで支援が終わり、学校の教科内容の理解や同じ学年の生徒たちに追いつくに至らないことが常となってしまっている。

「平等」と「公正」を示すイメージとして、図1[10]のようなものを用いることが多いが、この左図のように全ての児童生徒らに同じ環境を提供し、あとは個々に任せることを「溺れるか、泳ぐか（sink or swim）」という言葉でよく表す。つまり資源に手が届くかどうかは考えられておらず、溺れる者は自己責任で社会からこぼれていくということである。一つ明確にいえることは、「国民・all people」は決して単一的ではなく多様であるということだ。そしてそれを考慮した上で、一つのサイズに全員を当てはめる（one-size-fits-all）のではなく、図1の右側に「公正」とあるように、「ひとしく教育を受ける権利」やそのための資源に全ての児童生徒らがアクセスすることができるのかについて重層的に議論する必要があるということであろう。

第3節 「顕在的・潜在的カリキュラム」を考える

本章のはじめに出てきた周縁化の根底にあるのは、多くの人たちに想像され、共有され、当たり前とされている前提の影響である。それがあるからこそ、そこから外れると思われる人たちが「その他・彼ら」として周縁に追いやられる結果となる。そこで振り返る必要があるのが、どのような要因が既存の「当たり前」を（再）構築・維持しているのか、ということである。その要因の一つとして様々な教育研究者ら[11]がこれまでにも多く論じてきているのが「潜在的カリキュラム（hidden curriculum）」である。

「カリキュラム」と聞くと、「小学3年生の5月にはこれを学ぶ」といったような文部科学省が規定する学習指導要領などを想像するだろう。このような顕在的なカリキュラムに対し、潜在的カリキュラムとは、公には明記されてはいないが、意図せずとも児童生徒らが学校で気が付かないうちに学ぶようになっている文化的・学術的・社会的価値観や規律、前提のことを示す。「じじつ、子どもの行為をあらかじめ決定する規律体系は、学校においてはじめて完全な形で存在する。子どもは規則正しく学校に通い、きちんとした態度で決まった時間に授業に臨まなければならない。彼は教室では騒いだりせずにまじめに勉学に励み、また課せられた宿題はきちんと果たさねばならない。こうして、学校には子どもが従うべき数多くの義務が存在するのであって、この義務が一体となっていわゆる学校規律を構成している。そして規律の精神も、この学校規律の実行によってこそ、初めてよく子どもに教え込むことができるのである」（デュルケーム, 2010［1961］, 255）。

教科書を例にとって顕在的・潜在的カリキュラムを考えてみよう。英語の教科書に出てくる英語母語話者である登場人物はどういう人たちが多いだろうか。登場人物間の会話内容にある文化的差異の前提はどんなものだろうか。図2のような世界史の教科書[12]で貿易の歴史は誰の観点を中心に描かれているだろうか。「西洋」「アフリカ」「アジア」「白人」「黒人」など、それぞれどう表象されているだろうか。つまり、単元の学習目標となっている英文法や世界の歴史の流れというものが顕在的なカリキュラムとしてあるのだが、そこには「英語母語話者は（アメリカ、イギリス、オーストラリア出身の）金髪で青い目」「世界の歴史は西欧中心」といった前提がすでに存在しており、児童生徒らは学習単元の内容だけではなく、このような前提も知らず識らずのうちに学校教育において学んでいる。他にも、学力テストは単元内容の理解の確認という目的の他にどのような機能があるのだろうか（児童生徒らが伝達された情報の再生産ができるかの確認？　結果でふるいにかけて優劣をつけるため？）。また、教室での机の並べ方や座らせ方は効率よく講義をするなどの理由以外に何をいわんとしているのか（一方向的に情報を吸収するため？　上下関係や児童生徒内の同質性という規律を維持し、そこから逸脱する者を可視化するため？）。このような学校教育における潜在的カリキュラムを通して、教職員やその他の大人も含めて、無意識のうちに学び、身につけ、当たり前となっている前提は多い。イヴァン・イリッチ（Ivan Illich）は著書『脱学校の社会』（1977［1973］）の中で、以下のように述べている。「『学校化』（schooled）されると、生徒は教授されることと学習することとを混同するようになり、同じように、進級することはそれだけ教育を受けたこと、免状をもらえればそれだけ能力があること、よどみなく話せれば何か新しいことを言う能力があることだと取りちがえるようになる。彼らの想像力も『学校化』されて、価値の代わりにされて、価値の代わりに制度によるサービスを受け入れるようになる」（13頁）そもそも、（制度化されている）学校教育と（どこにでも起こりうる）教育とは何が違うのか。（無理をする

1・激化する経済覇権競争

図２　世界史の教科書のサンプル

図３　課題への重層的アプローチ

という語源のある）「勉強」と（真似るという語源のある）「学び」は、その質や意図にどんな違いや前提があるのだろうか。学校教育を通して、児童生徒らは何を学び、身体化しているのか。

このような潜在的カリキュラムの課題をより多角的に見るには、図３に示したように（もちろんこれらの観点に限られるわけではない）、少なくとも個人の能力・具体的な影響、教育内容やシステムの形式、地理や物理的環境、教育や学習者の政治的議論といった具体から抽象、あるいは社会から個人といったように、いくつかの関連し合う側面を含めて考える必要がある。

例えば、先述の日本語指導が必要な外国人児童生徒の状況に関わる課題について理解するにあたり、新聞記事や、文部科学省での具体的な方針等から抽象的かつ政治的な位置付けを、まず知ることができる。それから、各都道府県、地域自治体でどのような外国人児童生徒らが在住しており、どこの学校でどのような教育の機会が用意されているのか、というようにより具体的に焦点化して考えていく必要があるだろう。その上で、このような児童生徒らが実際に受けている教育の状況と、第二言語習得理論のように個々の学習パターンや差異という見地から比較をしつつ、課題について考えていくといい。そうすると、潜在的カリキュラムが日本語指導が必要な外国人児童生徒らに、具体的にどのように影響しうるのか、他側面から多層的に理解を深めていくことができるだろう。

第4節　ミクロからなるマクロ

本章では「日本の教育は平等？」というよくある見方を始点に考えてきた。「すべての国民」が「ひとしく教育を受ける権利」という抽象的かつ理想的な憲法の条文が、具体的な学校教育の状況に落とし込んだ時に何を指しているのか、少しでも複雑に考えるきっかけとなっただろうか。また、学校教育において当たり前に実践されていることが、身体的能力、学び方、見た目、社会経済的地位、宗教、ジェンダー、言語などの様々な要素からの差異化や周縁化につながること、そして立場や状況が少し変われば誰しもがそれを経験しうることについても考える機会となったことかと思う。

日本では1994年から効力が発生している国際連合が1990年に制定した「児童の権利に関する条約（通称：子どもの権利条約）[13]」によると、「児童の人格、才能並びに精神的及び身体的な能力をその可能な最大限度まで発達させること（第29条1－a)」また、「少数民族に属し又は原住民である児童は、その集団の他の構成員とともに自己の文化を享有し、……自己の言語を使用する権利を否定されない（第30条)」と定められている。日本に在住する多様な言語的文化的背景を持つ子ども達がより自己を肯定的に捉えることができ、学習の質を確保し、全ての児童生徒らが将来的な可能性を視野に入れることができるようになるためにはどうしたらよいのだろうか。また、トランスナショナルな状況下で変化し続ける社会環境に応じて、海外の日本人学校や日本語補習校での教育方針を含めた日本にルート[14]を持つ海外に在住する子ども達、そして「日本」という既存の枠を超えた教育や支援についても再考していかなければならない（佐藤, 2010)。

R.マクダーモット（R. McDermott）とH.バレン（H. Varenne）が「文化とはすでにある型に個々を形づけたプロダクトではない。文化とはこの形作るという行為のプロセス自体だと考える必要がある。文化の一貫性というのは、何層にもなっている現実の中で、個々が共に達成するものであり、単に個人が所有しているものではないのだ」(1995, p.326, 筆者訳)」と述べているが、学校教育というのは、この文化や社会を形作るプロセスの根幹ともいえる役割を果たしている。「彼らは日本語がわからない」といったように差異を欠陥的に見たり、「彼らと自分たちの文化は異なるから交わらない」と差異を絶対的に捉えたりするのではなく、どのような状況で、どんな時に、差異が起こるのか、まず理解をしていく必要がある。それなくして、具体的な改善のアプローチを考えることはできないだろう。

例えば、日本では英語教育の一環として外国語指導助手(通称：ALT［Assistant Language Teacher］)プログラムが導入されて30年以上経つが、母語を共有する日本語指導が必要な児童生徒らが一定数在籍する場合は、その母語を話すことができる指導助手を雇用するプログラムを作り、「母語による教育」を公立の学校でも積極的に展開することも考えられないだろうか。また、外国語教育として英語のみを取り上げるのではなく、ポルトガル語や中国語など、現在日本に多く存在する言語にも重点を置くことで、言語マイノリティがマジョリティの言語を学ぶだけの構造から、バイリンガル教育[15]のように相互の言語文化を学び合い、理解を深め合う教育環境を作るという方向はどうだろうか。

平等な条件や規定を多様な児童生徒に適用させること、必要な資源にアクセスできるように彼らの異なるニーズに応える公正なアプローチを取ること、それぞれ容易に解決できるものではない。ともすると、教育における公正性を単に何かを与えることと履き違えてしてしまい、それが「特別扱い」ではないかという表面的な議論に終始してしまう。まずは、学校教育の根底にある「教育」そして「学び」とは何なのかを考えた上で、一つの課題を個々の児童生徒らの状況だけでなく、彼らを取り巻く環境や政治性なども含めて、いくつもの層から切り込んで考えていく必要がある。「それでは、自分個人ではどうにもできない」ということではない。個人と政府や世界というレベルを切り分け、ミクロとマクロという見方をすることもあるかと思うが、マクロとはあくまでもミクロの集合体なのだ。「自分ではどうにもできない」とは真逆で、例えば「政府」というとマクロに見える概念も、実際に動かしているのは国家公務員や国会議員等、顔を持った個々人が集まったものである。また、近年よく見られる事例として、社会運動などが個人やそれに追従する数名から始まり、それがSNS等で徐々に広がりを見せ、社会システムに変革を起こしたりもする。つまり、個々（ミクロ）が動かなければ、社会（マクロ）は変わらないのである。

注

1　イギリスの諺 “In the country of the blind, the one-eyed man is king”。

2　グロースの著書は、1985年に米国で出版されて以降、個人が障がいをもつという「医学（あるいは個人）モデル」から、障がいが社会環境によって形成されるという「社会モデル」の具体例として、様々な対象の障がい研究に広く貢献した。和訳は1991年に日本で出版されたが、障がい者やケアについての議論に今でも広く影響を与えている。教育の分野においては、McDermott と Varenne（1995）らが学習障がいを分析する際の枠組み生成のために、「盲人国」と「みんなが手話で話した島」を題材とした議論を展開しているので、ぜひ参照されたい。

3　このようなコミュニティや社会などの見方については、以下の著書等を参考にされたい。Anderson, B. (2006 [1983]) *Imagined communities: Reflections on the origin and spread of nationalism*. Verso Books.（邦訳、ベネディクト・アンダーソン著、白石隆・白石さや訳（2007）『定本　想像の共同体――ナショナリズムの起源と流行』書籍工房早山）。

4　文部科学省による高校無償化については、「高校生等への修学支援」以下のリンクを参照されたい。http://www.mext.go.jp/a_menu/shotou/mushouka/index.htm　（2019年9月17日閲覧）。また、「高等学校等就学支援金制度の対象として指定した外国人学校等の一覧」は以下から閲覧できる。http://www.mext.go.jp/a_menu/shotou/mushouka/1307345.htm　（2019年9月17日閲覧）。

5　日本国憲法の英語訳は以下の首相官邸のウェブサイトを参照されたい。http://japan.kantei.go.jp/constitution_and_government_of_japan/constitution_e.html（2019年9月17日閲覧）。

6　公立の小学校、中学校、高等学校、中等教育学校及び特別支援学校を含む。

7　海外からの帰国生や、国際結婚による家庭内言語が日本語以外の児童生徒ら。

8　カミンズ（2011）の概念でいう基礎的伝達言語能力（basic interpersonal communication skills [BICS]）。

9　カミンズ（2011）の概念でいう認知的学習言語能力（cognitive academic language proficiency [CALP]）。

10　Craig Froehle が2012年に作成したものを参考に筆者が作成。Froehle の原型は、当初「公正」ではなく、「公平」に対する二種類の考え方を示したものとして描かれたものであった。詳しくは以下の記事を参照されたい。https://medium.com/@CRA1G/the-evolution-of-an-accidental-meme-ddc4e139e0e4　（2019年9月17日閲覧）。

11　Jackson, P. W. (1968) *Life in classrooms*. New York: Holt, Rinehart and Winston.; サドガー , M. & サドガー , D. 著、河合あさ子訳（1996）『「女の子」は学校でつくられる』時事通信社等。

12　『世界史B』（2007年）東京書籍、250-251頁。

13　子どもの権利条約の線分は以下のユニセフのHPより参照されたい。https://www.unicef.or.jp/about_unicef/about_rig_all.html#pagetop（2019年9月17日閲覧）。

14　従来、祖先や起源というと根っこを意味する「ルーツ (roots)」を使うが、ここでは敢えて民族的背景は加算的に捉えることはできないものとして「ルート（root)」、そして、これまでに個々人が歩んだ道筋を示す「ルート（route)」という二つの意味を込めて、「ルート」を用いている。

15「バイリンガル教育」の定義や目的、その手法も様々である。詳しくは以下の書籍等を参考にされたい。コリン・ベーカー著、岡秀夫 訳（1996）『バイリンガル教育と第二言語習得』三水舎、中島和子（2016）『完全改訂版　バイリンガル教育の方法』アルク選書。

【参考文献】

デュルーケム , E 著、麻生誠・山村健訳（2010）『道徳教育論』講談社.

外務省領事局政策課（2018）「平成29年海外在留邦人数調査統計」http://www.mofa.go.jp/mofaj/files/000260884.pdf（2019年9月17日閲覧）.

グロース , N. E.（1991）『みんなが手話で話した島』築地書店 .

イリッチ , I. 著、東洋・小澤周三訳（1977）『脱学校の社会』東京創元社.

カミンズ , J. 著、中島和子訳（2011）『言語マイノリティを支える教育』慶應義塾大学出版会.

McDermott, R., Varenne, H. (1995) “Culture as disability.”*Anthropology & Education Quarterly* 26(3), 324-348.

文部科学省（2015）「日本語指導が必要な児童生徒の受け入れ状況等に関する調査（平成26年度）」、https://www.e-stat.go.jp/stat-search/files?page=1&layout=datalist&toukei=00400305&tstat=000001016761&cycle=0&tclass1=000001074084（2020年1月31日閲覧）.

文部科学省（2017）「日本語指導が必要な児童生徒の受入状況等に関する調査（平成28年度）」、http://www.mext.go.jp/b_menu/houdou/29/06/__icsFiles/afieldfile/2017/06/21/1386753.pdf（2019年9月17日閲覧）.

文部科学省（2017）「平成28年度子供の学習費調査」http://www.mext.go.jp/b_menu/toukei/chousa03/gakushuuhi/kekka/k_detail/__icsFiles/afieldfile/2015/12/24/1364721_3.pdf（2019年9月17日閲覧）.

丹羽雅雄（2017）「教育を受ける権利と就学義務」荒牧重人他編『外国人の子ども白

書――権利・貧困・教育・文化・国籍と共生の視点から』明石書店, 108-110.
佐藤郡衛（2010）『異文化間教育――文化間移動と子どもの教育』明石書店.
千葉市（2017）「千葉市多文化共生のまちづくり推進指針」、http://www.city.chiba.jp/somu/shichokoshitsu/kokusai/documents/1225_tabunka-guideline.pdf（2020年1月31日閲覧）.
ウェルズ, H. G. 著、橋本槇矩訳（1991）「盲人国」『タイム・マシン他九篇』岩波文庫, 317-355.

終　章

クリティカル日本学の魅力

――最後の事例：「日本人は無宗教か、多神教的で寛容か」――

ガイタニディス・ヤニス

第１節　「日本：最も宗教的かつ無神論的な国」という偽造のパラドックス

本節のタイトルにある「日本：最も宗教的かつ無神論的な国」というイメージを皆さんはどう思うだろうか？　いわゆる神などの超越的存在のことを絶対に認めない無神論者とは言わないまでも、「日本人は無宗教だ」ということを信じている人は少なくないだろう。実は、この表現は 2015 年に日本に住んでいる外国人向けの人気サイトに掲載された記事（Coslett, 2015）のタイトルである。記事の著者は、日本における宗教の位置づけについて矛盾を感じているという。本章では、それは実は矛盾ではないということを議論するが、まず、この記事の著者の観点を最近の統計データを紹介しながらもう少し検討してみよう。

2019 年 1 月 7 日に文化庁により公表された 2018 年度の宗教統計データをみると、日本には現在 216,141 の宗教団体が存在しており、その信者総数は 181,164,731 人である[1]。これを読んだだけですでに驚くはずである。その理由は少なくとも、以下の２つがある。１）日本社会はコンビニが非常に多いが、その数は 55,831 店とされる[2]。「無宗教の国」と思われている日本には、コンビニの４倍もの宗教団体があるのである。２）その信者数は日本の人口の 1.5 倍にものぼる。つまり、一人が一つ以上の教団に確実に入っていることになるが、それはいったいどういうことか？　２）は宗教団体の重複所属や特定の宗教団体への帰属意識がないあるいは薄い人でもその団体の信者としてカウントされているという統計の収集方法の“問題”である。一方、宗教団体の数にはこのような“問題”がない。神社、寺院、教会、布教所などのような宗教的施設に加え、神社本庁や創価学会などの宗教「グループ」の数を数えたら、本当にその程度のものになる。だからこそ、先述の記事の著者には日本がもっとも宗教的な国としてもみえる。

しかし、日本における宗教的行為や意識に関する調査結果は上記との逆の様子をみせている。例えば、2019年4月1日に発表されたＮＨＫ放送文化研究所が行った調査（小林, 2019）によると、「ふだん信仰している宗教はありますか」という質問に肯定的に仏教、神道、あるいはキリスト教などと答えた日本人は36％であり、信仰心があると答えた人は26％である。そして、信仰心だけではなく、宗教的行動の頻度も低い。例えば、神仏を拝むことが年間１回、あるいは数回程度であると答えたのは45％である。一方、「宗教は平和よりも争いをもたらすことのほうが多い」と思っている人の割合は44％である。これだけみると、「無宗教」の日本人がやはり多いと思ってしまう。

先ほどの記事の著者は、上記のような「矛盾」、いわゆる日本人の信仰心が薄い、ないしは宗教行動をあまり見せないにもかかわらず、宗教団体や信者の数が多いということを強調したくて、あのように不思議なタイトルを選んだのだろう。しかし、本当にこんな矛盾があるのだろうか？　本節ではまずその疑問を解きたい。そして、国内外でみられる日本における「宗教」に関するイメージを解説した後、これらのイメージを通して、われわれが普段使う「宗教」という概念の問題を日本の事例を通して指摘したい（第３節）。第４節では、そもそも、「宗教」という概念が要らないと議論してきた学者の意見も紹介しながら、無宗教＝「他宗教に対して寛容」という連想を再度疑うつもりである。

さて、統計データでみられる日本の宗教に戻るが、日本のイメージを疑うにはまず国際比較が大事である。ここでは、日本は本当に他の国と違うのかを確認するために世界最大規模のデータベース ARDA（Association of Religion Data Archives）[3] を使用し、主要国首脳会議のメンバー国（G7）に韓国を加え、宗教意識調査（「世界価値観調査」より）の結果を次頁にまとめてみた。

表１　宗教意識調査の国際比較

	日本	韓国	イタリア	フランス	ドイツ	イギリス	カナダ	米国
信仰心がある	25.4	30.1	88	47	42.9	48.7	66.7	67.9
最低月１回礼拝に参加する	11.1	39.1	54.2	11	18.9	23.5	34.2	43.6
他の宗教の信者を信頼しない	83.5	58.3	58.9	22.3	57.1	19.1	20.2	29.9
宗教が大事である	21.9	47	76.2	40.9	33.9	40.7	59.1	68.9
宗教団体を信頼している	9.1	48.9	74.8	47.2	37.6	45.7	59.7	58.7

表１から、確かに、他の国と比べて、日本人は信仰心があるとあまり意識していないこと、また、もう一つの特徴としては宗教や宗教団体のことをあまり大事に思っていないことがわかる。しかし、礼拝にあまり参加しないというのは、無宗教と呼ばれることはないフランスと同程度であり、信仰心のある割合でさえ隣の韓国とはさほど離れていないともいえる。そして、やはりもっとも驚くべきことは他の宗教の信者に対しての信頼の無さである。これだけをみれば、日本は無宗教だと呼ばれる「資格」があったとしても、宗教そのものに対して寛容だとはまったく言えず、むしろ、この割合の高さから、宗教差別や偏見が存在するのではないかとさえ思える。

ここまで読んできた読者は文化庁の統計や国際宗教意識調査の統計などをどの程度参考にしていいかと疑問に思うかもしれない。確かに、宗教関係の統計に関する次の３つの注意点を念頭におく必要がある。ア）宗教関係の調査がほとんどの場合調べているのは「意識」である。つまり、それらの調査の結果は個々人が意識していることであり、その意識は周囲のあらゆる社会的・歴史的・心理的な要素によって常に変わりうる。簡単に言い換えると、宗教に関する統計のほとんどは「宗教に対するイメージ」の統計である。イ）国際比較の調査の場合に特にそうであるが、調査項目がそれぞれの国で実施されるという目的のために現地の言葉に翻訳されたとき、原語での意味がそれぞれの言葉に訳されたらどのように伝わるのかはコントロールしにくいことである。例えば、英語の belief は「信仰心」や「信念」と翻訳されることが多いが、日本語の「信仰心」という言葉は belief よりも宗教的なニュアンスが強いだろう[4]。ウ）その関連で議論できるのは、そもそも調査員が「宗教団体」「宗教行動」として意識し、問うている調査項目はそれを読んだ調査対象者にもまったく同じ意味で捉えられているのかどうか実は保証できないところである。これは、第4節でさらに説明するが、やはり、前述の記事の筆者の場合もそうだが、「宗教」の定義がさまざまである中で、無宗教か・宗教的かなどについて、矛盾があるように見えるのは日本の宗教を生きている・実践している人の頭の中ではなく、その実践を語ろうとしている人の頭の中にすぎないかもしれない。

第2節　日本の宗教はどのように語られてきたか（国内編）

宗教民俗学者の門田岳久は生活のなかの宗教とは基本的に自己言及性のない営みであるという。「『なぜそれをするのか』とあえて確認する必要なく、ただ先人が行ってきた伝統を踏襲し、その土地（地域社会）に根ざした慣習に従って実践するものだからだ」（門田, 2012, 135）。つまり、自分で自らの行為を説明付ける自己言及性が発生するには、特定の理由が必要なのだ。特定の宗教団体に入信した、あるいは、何らかのきっかけ（友達に聞かれた、あるいはテレビで関連の番組をみたなど）で振り返る機会がなければ、「これは宗教だ」とあえて認識することはあまりない。極端な話、宗教に関する意識調査を受けてはじめて「宗教」について考えさせられたという人がいるかもしれない。それに、そもそも自分の「宗教」に関する考え方を構築したのが回答可能な調査項目に答えるときだけかもしれないという人もいると思う。従って、やはり日常の中で「宗教」がどのように語られているかはわれわれの宗教認識に大きな影響を与えているといえる。

海外で出版された日本の観光ガイドの表紙を見てもらいたい（図1）。これらの共通点にはすぐに気づくのではないだろうか。宗教的建造物である。左から右へ、五重塔（新倉山浅間公園、山梨県[5]）、厳島神社の大鳥居（宮島、

図1　日本のガイドブックの表紙

広島県)、伏見稲荷大社の千本鳥居（京都府)、浅草寺（浅草、東京都)、高徳院の大仏（鎌倉、神奈川県)。これだけをみた外国人の観光客は日本人の信仰心が深いと思わざるをえないだろう。「でも、それは伝統文化だから」と答える人が多いという事実もある。確かに、私が明治神宮に初詣に行った2013年は、例年通り、明治神宮の初詣の参拝者数は300万人を超え、年間の参拝者数も2013年のユニバーサル・スタジオ・ジャパンの来客数と同じであり、1000万人を超えていた。しかし、初詣は「宗教」的な行為とは全く言えないのだろうか。そうだとすればそれは何なのだろうか。

その答えは、1996年に出版されて以来、大きな反響[6]をいまだに呼んでいる本、『日本人はなぜ無宗教なのか』（阿満利麿著）にあると最近までは思われてきた。この本の中で展開されている議論には説得力があるところもあるが、日本人に独特の宗教観があり、それが優位に描かれているという批判もあげられるので、もう少しこの本について解説していきたい。

宗教学者の阿満によると、日本人の宗教心を分析する上で有効なのは「自然宗教」と「創唱宗教」の区別であるという。つまり、日本人は「宗教」と聞くと、特定の人物が特定の教義を唱えてそれを信じている人たちがいるというような、キリスト教、仏教、イスラム教や新宗教という「創唱宗教」を想像してしまう。だから、自分が「無宗教」だと答える。つまり、阿満の議論では、初詣やお墓参りなどは、「創唱宗教」ではなく、だれによって始められたかわからない、教祖や教典、教団をもたない「自然宗教」であるという。そして、「『無宗教』を標榜するということは、人生の深淵をのぞき見ることなく生きてゆきたいという、楽観的人生観への希望の表明（であり、）（略）年々歳々の行事を繰り返すことでいつしかこころの平安が得られてきたのである」（阿満 , 1996, 28）。簡単に言いかえると、人生の深淵を直面せざるをえない、規制の多い、トラブルを引き起こすこともある「創唱宗教」に対して、「自然宗教」はあまり考える必要がない、自由に平和な生活をサポートする宗教であるという二極化した「宗教」の観点である。この延長線で、「日本人は多神教だから、寛容的」や「神道は自然を大事にする宗教だから、やはり日本の独自の宗教観を表している」など、他のクリシェ（cliché＝決まり文句）とステレオタイプが関連してくる。

例えば、TEDxKyoto[7] でスピーチを披露した僧侶の松山大耕は、日本人の寛容性や豊かな宗教観を世界に発信したいという。相手を「尊重」することをうったえている松山のメッセージは確かに希望的で、本質的に発信すべき内容であるのは間違いないが、その根拠が疑わしい。下記の彼のスピーチの一部を読みながら、読者に次のことを考えてほしい。友達か家族と一緒にクリスマスケーキを食べているときに、クリスマスというイベントと関連しているキリスト教のことを寛容的に捉えていると感じているのだろうか。

日本人の宗教観は、非常に独特なものがあります。例えば多くの日本人は、キリストの誕生日であるクリスマスをお祝いし、年末にはお寺で除夜の鐘を聞いて、そしてお正月には神社に初詣に行きます。日本以外の方からは、なんて節操の無いと言われることもあるんですけれど、しかしここ日本ではこういった宗教の寛容性というのは一般的です。（略）日本人の宗教観というのはBelieve in something（信仰：筆者注）ではなくて、Respect for something（尊重：筆者注）もしくはRespect for others、こういうスタイルが日本人の宗教観です。ですから日本では色々な宗教を信じている方がいらっしゃいますが、お互いに尊重していますし、実は私がいる妙心寺でも、神社の神様にお経をあげる機会も結構あります。[8]

松山の上記の発言はまず、第１節で紹介した統計で見た信仰心のある割合や他の宗教への信頼の欠如という点から見ると、議論にならないだろう。むしろ、宗教だと思わないからこそ日本人が寛容にみえるのではないかと考えるべきである。それに、松山があげているような日本の宗教事情だけを検討したとしても、「日本人は多神教だから、寛容」というイメージがやはり成り立たない。これについては宗教学者の堀江宗正が次のように説明する。まず、日本宗教一般を「多神教的」と呼べない理由について、「最大勢力を誇る浄土真宗諸派は、阿弥陀如来（あみだにょらい）への信仰を中心とし、先祖祭祀や呪術的な祈願に関する習俗を否定する側面がある。新宗教で最大の勢力を誇り、関連政党が政権を担っている創価学会は無数の仏のなかでも根本仏を信仰する『本仏論』で他宗教の違いを鮮明に打ち出している」（堀江 , 2018, 206）と反例を挙げて説明している。そして、堀江は、次の歴史的事例をあげて、日本人は他宗教に寛容だということも批判している。「仏教の受容をめぐる蘇我氏と物部氏の争い、鎌倉期における念仏弾圧、日蓮による他宗批判と鎌倉幕府による日蓮の弾圧、戦国時代の武装した寺社勢力、織田信長による比叡山攻撃、徳川幕府によるキリシタン迫害、戦前の政府による宗教の統制や弾圧、諸宗教による戦争への積極的協力、そして近年ではオウム真理教による殺人事件やテロ攻撃などいくつも反証がみつかる」（同上）。結局、日本に関するどんな本質的なイメージも歴史的に考えれば通用しないのである。むしろ、これらのイメージは、「外来宗教と接触が少ないから、自分たちは寛容だと思い込んでいるだけである」（同上 , 212）という状況に由来していると思われる。

第３節　日本の宗教はどのように語られてきたか（国外編）

実は、上記の議論を部分的に反映しているかのように、従来の外国の研究者も「日本人」の宗教観を独特のものとして扱ってきた。いわゆる、Japanese Religion というものが独自に存在し、仏教や神道などに限らず、どの宗教にもかかわらず、日本人の宗教観が均一であると議論されてきた。そのため、例えば、「苦しい時の神頼み」ということわざが、教科書などで日本人の宗教観を表しているというまとめ的な役割を果たしてきた。国内外の日本の宗教学者の議論を集め、未だに人気がある教科書として、『Religion and Society in Modern Japan: Selected Readings』（1993）があげられる。その中で「日本人の若者が実用かつこの世の問題を解決するために、恥ずかしげもなく『聖』を使っている」（Swyngedouw, 1993, 52）という解説がある。つまり、ことわざの通り、宗教に対しての日本人の行動が実践的・機能的・日和見（ひよりみ）主義であり、キリスト教を前提としている西洋の「宗教」と対比して、思考的・知的・哲学的ではないという見方である。言いかえると、「恥ずかしげもなく」という表現が暗示しているように、問題の解決のときだけに神に祈ったり、お坊さんの手助けを求めたりするということは宗教の“わるい使い方”であるというイメージがこの文章から浮かんでくる。なぜこのように思われるのだろうか。おそらく、先述の阿満利麿の議論、いわゆる「日本の宗教は自然宗教である」という考え方をめぐる議論は、上記のような、日本人の宗教が「下位」のものとして描写されてきたことに対しての反論でもあるといえる。つまり、一つの宗教に専念し、自分の人生をその宗教にささげているかのようにみえる創唱宗教の信者と比べて、日本人は宗教とより自由に接しており、より“気軽に”、またその必要性に応じて、頼ったり頼らなかったりするという阿満の反論であった。

しかし、そもそも、なぜ、１）日本人全員が同じ宗教観をもたないといけないのだろうか、２）その描かれかたが「西洋」と対比されなければいけないのだろうか。この２点を説明するために、2013 年に出版されたもっとも長く使われてきた英語での日本宗教の入門書の第５版を事例として扱いたい。それは、バイロン・エアハート（H. Byron Earhart）の『Religion in Japan:

図2　エアハートの教科書の表紙

Unity and Diversity』という一冊である。新版は内容が更新され現代の宗教事情に関する解説も追加されたが、著者の主な議論は変わっていない。だが、図２左端の２版（1974）、中央の４版（2004）、と右端の５版（2013）のこの教科書の表紙をみてもらいたい。どのような変化があるだろうか。

実は、第５版の際に著者がタイトルを変えたのである。「Japanese Religion」ではなく、「Religion in Japan」としたようである。その変化をエアハートは次のように説明する。

> 初版が出版された数十年間前に、「Japanese Religion 日本（的）宗教」という言葉を使った意図は日本における宗教生活が断片的専念や異種的奉仕で構成された折衷的宗教性を特徴としているという観点を否定したかった。（略）日本人の宗教は何世紀にもわたって永続的な特徴をもっているのである。副題にある「unity（統一性）」という言葉がその不変性を表現している。しかし、最近の研究は日本の宗教性の多様性を強調してきたところから、「日本（的）宗教」という表現は一枚岩的な日本を前提としているという批判があった。（略）「religion in Japan（日本における宗教）」という表現のほうがより意味のある包括的ニュアンスが含まれている。(Earhart, 2013) [9]

エアハートの見方を整理しよう。第２節でみた松山の日本の宗教の描き方やあらゆる日本の観光ガイドブックや日本文化入門書で読まれる「日本人は神社でお宮参りを行い、教会で結婚し、お寺でお葬式をあげている」というイメージが、まずエアハートの頭の中にあるだろう。そのイメージはキリスト教徒として洗礼を受け、死ぬまで教会に通いながら、キリスト教以外の宗教を信じること（→第4節）はない（例えば）アメリカの多くの読者にはまさに断片的・折衷的宗教性としてみえてしまう。いわゆる、「信念が浅い」、宗教を大事にしていないというふうにみえる。優位論的で、キリスト教を基準としているこのようなイメージを否定したいエアハートが日本にも統一した宗教観があると反論するために、「日本（的）宗教」があると強調した。しかし、最近の研究では、日本の宗教といっても、仏教、神道、19世紀以降出現した天理教や創価学会のような宗教団体が多様に存在し、または、仏教や神道などの中にもいろいろ宗派や分派もあり、それらと接する人間の動機・状況などが複雑で、ひとくくりでまとめられないといわれてきた。したがって、エアハートは日本に独自の宗教があるようなことを意味するタイトルを捨て、より包括的に「日本における宗教」を指すタイトルに変更した。にもかかわらず、エアハートはどんなに複雑で多様であっても日本における宗教には共通の特徴があると断言し続ける。やはり、日本だから独自の宗教観があるはずだという固定観念からは離れられないようである。しかし、なぜ「日本だから」という前提を置く必要があるのだろうか？　このような前提を置くということは、「アメリカなら違う」と、日本の宗教観を批判する読者の宗教に対するとらえ方とは違うのだろうか。

エアハートによると、歴史的一時性を越えた日本における宗教の6つの特徴／テーマは次の通りであるという。1）人間と神々と自然との密接な関係、2）家族の宗教的性格、3）お守りやお祓い、儀式の重要性、4）地元の祭りや一人の人間を崇拝する団体、5）日常（生活）への宗教の浸透性、6）国家と宗教の密接な関係（Earhart, 2013, 9-17)。どうだろうか？　確かにと思った人が多いかもしれない。しかし、これらの特徴は日本だけであろうか。むしろ、「宗教」と呼ばれてきた現象全般のことを指しているのではないだろうか。言いかえると、上記の6つの特徴が見られない国・地域は存在するだろうか。もちろん、これらの特徴の有無の問題ではなく、程度の問題だと言い返す人がいる。ただし、その程度を測れるものなのだろうか。例えば、日本における国家と宗教の関係の密接度とアメリカにおける国家と宗教の密接度は違うが、どちらの密接度が低いか高いかはどのようにはかればいいだろうか。歴代の多くの首相が靖国神社を参拝してきたが、憲法第20条によって政教分離が保障されている日本と、「神様」という発言が必ず登場する大統領のスピーチをもとに世界中に「信仰の自由」のため戦争を行ってきたアメリカ、という二つの国を程度によって比較するのは無理・無意味な作業だと思われる。

結局、すべての問題が「宗教」というものを同質的かつ普遍的な現象としてわれわれが語ってきたという現実に由来するといえる。アメリカの宗教と日本の宗教、自然宗教と創唱宗教、お寺と教会、十字架とお守りなど、「宗教」という概念を想定する比較作業の際に、「宗教」が独特でありながら、普遍的なものとして扱われることがほとんどである。しかし、その想定は妥当だろうか。

第4節　「宗教とは何か」という問いよりも、「宗教と呼ぶのは何故か」が重要

宗教学教育の新しい形を推進している新世代学者の一人、クレーグ・マーチン（Craig Martin）は、本教科書と同じ読者層を想定している宗教学の入門書の中で、次のように議論している。宗教を定義するのは不可能である。それはなぜかというと、私たちが日常の中で「宗教」だと指しているあらゆるモノ・現象のすべてが共有する核心的な特徴はなく、これらのモノ・現象のことをこれらの文脈から切り離して語ることはできないからである（Martin, 2017, 16-17）。つまり、「宗教」とそれ以外に「伝統」だと思われるものの区別は難しいということである。ここで例をあげよう。

本章でも使用した初詣という年中行事は、日本人が無宗教なのかという説を疑わせるために頻繁に使われている事例である。毎年明治神宮、あるいは成田山を300万人が訪れるのだが、この行動は宗教行動だと呼べなければ、少なくとも「伝統」だと言っていいという人が少なくない。しかし、実は、最近の研究の中には、初詣という年中行事が「伝統」でさえないと明らかにしたものもある（平山, 2012; 2015）[10]。歴史学者の平山昇が議論するのは初詣が鉄道の誕生と深く関わりながら明治中期に成立した近代の新しい参詣の

スタイルだったとのことである。そもそも「初詣」ということば自体、初めて登場するのは、平山が初詣の端緒としている川崎大師のことを語る1885年の記事のようである。それ以前の正月の参詣は、「初縁日・氏神・恵方[11]といったものに基づいた上で日取りや参詣対象を決めて行うものであり、今日の『初詣』のように元日（あるいは三箇日）に適当にどこかの寺社へ参詣するといったものではなかった」（平山, 2005, 61）。実は、明治以降はいくつかの社会的な変化が起こる。例えば、1872年に改暦の実施や日曜週休制と1月4日の仕事始の習慣が定着する。それによって、1月の最初の3日間に多くの人々が参詣しやすくなったといえる。しかし、平山がいうには、「初詣」という伝統が作られるようになるには別の要因も必要であった。それは鉄道の開設によって、沿線の郊外寺社への参詣が、従来の縁起にかかわらず娯楽を目的として定着したということであった。平山の研究は明治時代の鉄道会社が「初詣」をイベント化し、東京に新しく移住してきていた乗客を狙った電車の広告の分析であふれている。縁起を大事にする傾向が弱まっていた中で、娯楽として意識されていた電車の旅の目的として「初詣」が登場したわけである。

上記の事例からすると、「初詣」は「宗教的行事」としてのみ認識することはできないことが明らかである。もちろん、一つの要素としては「宗教」（縁起に関する信仰、寺社という場など）が含まれているが、この要素だけで、「初詣」をする人の行動を描写・理解はできない。改暦、日曜週休制、東京以外の地域から来る人口の増加、鉄道が初めて開設された新橋―横浜というルートなど、初詣の誕生とその社会的な意義を説明するには「宗教」という概念だけでは足りない。だから、「初詣」をするのが「宗教的行動」かどうかという質問よりも、「初詣」=「宗教」という議論をする人、あるいはこの議論を否定する人の意図が何かという質問のほうが効果的であるといえる。「宗教とは何か」ではなく、「なぜ宗教と呼ぶか」のほうが大事だということである。

21世紀は、「宗教」という概念の分析的可能性を疑い始めた研究者が現れてきた（磯前, 2003）[12]。「宗教」という言葉がそもそも英語の“religion”の訳語として初めて登場したのは明治時代であるが、それ以前に「宗教」がなかったわけではない。目に見えないものに関する人間の営みや感情などを何らかの言葉で表現するというのはどんな時代でもあっただろうが、その文脈によって、その言葉やその使い方が違っていたに違いない。しかし、今日使われる「宗教」という概念の理解にはヨーロッパを中心に展開したキリスト教圏の文化が大きく影響を与えたことについて、世界中の研究者がより意識するようになり、その理解の普遍性を否定するようになった。最後に、この点について触れながら、本章の冒頭に紹介した「日本人の宗教は自然宗教である」という疑わしい議論に戻りたい。

「信仰心 belief」がなければ「宗教」ではない、「宗教」は人のアイデンティティの根本的な要素である、などのような「宗教」に関する観念の系譜を分析し、「宗教」理解の普遍性についての疑わしさの解明に大きく貢献した学者は文化人類学者のタラル・アサド（Talal Asad）（アサド, 2004; 2006）である。ここで彼の議論を全体的に紹介するのは難しいが、上記の阿満利麿の「自然宗教」が違った意味で再び登場するという意外なところだけ説明したい。

16世紀の宗教改革によるローマカトリック教会の権威の衰退とその関係で起きたヨーロッパのあらゆる宗教戦争の後、17世紀の知識人は宗教の普遍的な定義を探ることにした。つまり、ヨーロッパにおけるキリスト教の分裂とアメリカ大陸や東アジアの探検の影響で、キリスト教以外の「キリスト教」っぽい何か（＝宗教）があると当時のヨーロッパ人が気づくことになる。だが、普遍的に定義するその何かは、かれら自身が知っている宗教の一般化にすぎないものとなってしまう。それはキリスト教という「宗教」しか知らなかったからだけではなく、ヨーロッパ文明は他の社会に比べ発展の頂点にあると彼らが確信していたからである。そこでアサドが注目するのは「Natural Religion 自然宗教」という概念の誕生である（アサド, 2004, 43-47）。つまり、17世紀の当時の知識人はその普遍的な宗教を「自然宗教」と呼び、その基礎的な要素を「信仰 belief」とした。ここは面白いことに、「Nature 自然」が示していたのはキリスト教の神が作った世界のことであり、その世界自体が聖なるものとして意識されるようになっていたということである。そして、神が作った世界だから、その神の崇拝がどこも同じ形で現れるはずであるということで、キリスト教の根本的な要素（＝信仰をもとに行われる儀礼や教典の解釈）が宗教の根本的な要素でもあるという想定が生まれたわけである。皮肉なことに、阿満利麿の議論も実は同様な論理であり、逆な方向に従っているといえる。彼は、いわゆる、神道のような決まった教典や儀式のない宗教をベースに「自然宗教」という概念を創り出しているといえる。ここから、数百年も離れた知識人が宗教の一般的な定義を創ろうとしたときに、どうしても、自分自身の宗教観を表すようなものを創り出してしまうことがわかる。

結局、宗教に信仰が必要かどうか、儀式が必要かどうか、などのような質問は無意味である。むしろ、この教徒にとって何よりも信仰が大事だということは歴史的に、社会的に、精神的にどんな文脈の中で、どういう意味を持つようになるのかのほうが宗教学の目的なのではないかと理解してほしい。日本だから、あるいは仏教だからという理由で、統一した宗教のイメージをいくら探っても、異例が必ず存在し、そのイメージ自体が隠している他の側面を必ず見失うことになる。「日本人が無宗教だから、あるいは多神教だから、他の宗教に対して寛容的」というイメージは間違っているだけではなく、このイメージは誰にとって有益なのかもう一度考えてみてもらいたい。

注

1 文化庁のHP参照。http://www.bunka.go.jp/tokei_hakusho_shuppan/tokeichosa/shumu/index.html（2019年9月17日閲覧）。

2 日本フランチャイズチェーン協会（JAF）の2019年3月のデータによるhttp://www.jfa-fc.or.jp/particle/320.html（2019年9月17日閲覧）。宗教団体の数をコンビニの数と比較している高橋（2012, 5）を参考にした。

3 http://www.thearda.com/　ARDAのデータ比較機能を2019年5月14日に使い、作成した表である。なお、国によってデータが収集された年が違う。日本（2010年）、韓国／イタリア／フランス／ドイツ／イギリス／カナダ（2005年）、米国（2011年）。

4 例えば、The belief that eating vegetables is good for health is true.という文章は日本語で訳すと、「野菜を食べるのが健康にいいという考えは正しい」になるが、ここでいう「belief」は、信念・信仰心を表現する言葉ではないとはっきりいえる。

5 この五重塔は、忠霊塔であり、仏塔ではない。

6 私の手元にある2016年に買った一冊は第31刷である。また、この本が韓国語（2000, Yemunseowon）、英語（2004, University Press of America）、ドイツ語（2004, Ludicium）にも翻訳されている。

7　TEDとは、Technology Entertainment Designの省略で、「発信すべきアイデア（ideas worth spreading）」という目的で世界各地で行われている講演会のことです。

8　松山の動画はYouTubeで711,831回観覧されており、3,900人が「いいね」と反応している（2019年5月17日閲覧）。http://www.tedxkyoto.com/events/tedxkyoto-2014/reasons-for-religion-a-quest-for-inner-peace-daiko-matsuyama

9　翻訳は筆者によるものである。原文：「When the first edition was published several decades ago, my intention in using the term "Japanese religion" was to indicate that religious life in Japan should not be characterized as spiritual samplings of disparate religious offerings and fragmented commitments. (…) The Japanese people share many spiritual themes that constitute a worldview enduring across the centuries. This notion of constancy is expressed in the "unity" of the subtitle. Recent publications have stressed the diversity of Japanese spirituality. These works question whether the term "Japanese religion" presupposes the existence of a monolithic tradition. (…) "religion in Japan" seems to be a more nuanced and inclusive terminology.」

10　実は平山の研究は高木博志が1995年に発表した「初詣の成立――国民国家形成と神道儀礼の創出」（西川長夫・松宮秀治編『幕末・明治期の国民国家形成と文化変容』新曜社、201-226頁）の議論をより細かく、包括的に展開しているといえる。

11　例えば、大師の縁日は21日であるので、川崎大師は元日ではなく初縁日である1月21日に参拝することになっていた。また、恵方というルールもあり、その年の歳徳神がいるとされる方角のことを指していた。「寅卯→申酉→巳午→亥子→巳午」の順に5年周期で毎年変わるもので、川崎大師の場合は東京から巳午（ほぼ南南東）の方角に当たるとされていた。つまり、「初詣」以前のルールに従えば、川崎大師が東京から恵方に当たるのは5年に2回となるので、毎年訪れることはなかったと平山は解説する（平山, 2016）。

12　例えば、宗教学者Ann Taves（2018）は「宗教」の代わりに「世界観 world-view」と「生活様式 ways of life」のほうが宗教研究にふさわしい概念だと議論している。

【参考文献】

阿満利麿（1996）『日本人はなぜ無宗教なのか』ちくま新書.

アサド, T.著、中村圭志訳（2004）『宗教の系譜――キリスト教とイスラムにおける権力の根拠と訓練』岩波書店.

アサド, T.著、中村圭志訳（2006）『世俗の形成――キリスト教、イスラム、近代』みすず書房.

Coslett, M. (2015) "Japan: The Most Religious Atheist Country." *GaijinPot Blog* https://blog.gaijinpot.com/japan-religious-atheist-country/（2019 年 9 月 17 日閲覧）.

Earhart, Byron H. (2013) *Religion in Japan: Unity and Diversity*. Boston: Wadsworth.

平山昇（2005）「明治期東京における『初詣』の形成過程」『日本歴史』691, 60-73.

平山昇（2012）『鉄道が変えた社寺参詣』交通新聞社新書.

平山昇（2015）『初詣の社会史―― 鉄道が生んだ娯楽とナショナリズム』東京大学出版会.

平山昇（2016）「初詣は新しい参詣スタイル⁉――鉄道が生んだ伝統行事」1 月 5 日『SYNODOS』、http://synodos.jp/society/15857

堀江宗正（2018）「【争点 4】日本人は他宗教に寛容なのか？」堀江宗正編『いま宗教に向きあう 1　現代日本宗教事情〈国内編Ⅰ〉』岩波書店 , 203-214.

磯前順一（2003）『近代日本の宗教言説とその系譜――宗教・国家・神道』岩波書店.

門田岳久（2012）「日常／生活のなかの宗教――〈民俗〉を越えて」高橋典史・塚田穂高・岡本亮輔編『宗教と社会のフロンティア――宗教社会学からみる現代日本』勁草書房 , 129-149.

小林利行（2019）「日本人の宗教的意識や行動はどう変わったか―― ISSP 国際比較調査『宗教』・日本の結果から」https://www.nhk.or.jp/bunken/research/yoron/pdf/20190401_7.pdf（2019 年 9 月 17 日閲覧）.

Martin, C. (2017) *A Critical Introduction to the Study of Religion* (2ed.). London: Routledge.

Swyngedouw, J. (1993) "Religion in Contemporary Japanese Society." In: Mullins, Mark, Shimazono, Susumu, Swanson, Paul L. (eds.) *Religion and Society in Modern Japan: Selected Readings*, Nayoga: Nanzan University Press, 49-72.

高橋典史（2012）「総論――日本社会における宗教の特徴」高橋典史・塚田穂高・岡本亮輔編『宗教と社会のフロンティア――宗教社会学からみる現代日本』勁草書房 , 3-121.

Taves, A. (2018) "Finding and Articulating Meaning in Secular Experience." In Fleming, Dab, Leven, Eva, Riegel, Ulrich (eds). *Religious Experience and Experiencing Religion in Religious Education*. Munich: Waxman Verlag, 13-22.

協働学習への招待

◇日本に関する固定観念を学びほぐすための学習方法の手引き◇

本セクションでは、各著者が各論文の内容を教えるための協働学習の教授法を提供している。ここの協働学習は以下の特徴を持つものとする（ガイタニディス他，2016）。

1. 他者との交流の中で相互に働きかけ、複眼的な思考を促すことを学習の軸とする。
2. 言語、文化、年齢、経験、知識、専門など、多様性や差異を肯定的に捉え、互恵性の観点から活用することを目指す。
3. 学生間の対話のプロセスを重視する学習形態を表す。
4. 多様性や差異から学習過程において葛藤が生じることも意味のあることと捉える。

このような特徴を持って実践される協働学習を日本学と組み合わせることには、大きな意味がある。「日本」対「外国」のような二項対立的、「日本ないし日本人とは根本的にこういうものである」といったような本質主義的な見方ではなく、日本を学び、解きほぐす（＝学びほぐす）必要がある。知識、価値観、行動様式などが何となく同じだろうと思っている人同士、たとえば、「日本人同士」または「留学生同士」の間に潜む違いにも着目していくことが不可欠なのである。つまり、現代日本において話題となっている身近な事例を取り扱い、複数の視点を交差させることで、日本のステレオタイプを崩しながら、多角的にクリティカルに考えることができるようになることをこの論集で狙っているのである。また、この協働学習における重要な仕掛けが、色々な媒体を用いた学びのプロセスと視点の可視化である。つまり、お互いの知識、意見、視点、存在をどのように交渉し、重ねながら、図、映像、コラージュ、発表などの学習成果ができ上がったのかというプロセスを記録することで、基本的な概念の多層性を見える形にして理解するのである。

本書では、このように様々な学習媒体を用いた協働学習を通し、日本を学びほぐす教授法のヒントが多く埋め込まれている。多様な学生や教員、また様々な資料の「声」（＝意見、観点、議論など）を意識しながら協働を繰り返すことは、「多声」

を認識することにつながり、社会における多様性の存在や多様な他者との協働が当たり前となることにつながっていく。ステレオタイプ化された日本像を流動的に再構築する柔軟でクリティカルな思考力は、国際化の進む現実社会における必要不可欠な資質となるだろう。

以下の活動案は、一人で取り組むことができる課題もあるが、ほとんどは他者と協働すること、すなわち協働学習を取り入れることで、より多くの視点、複眼的な思考を促すことができる。1回の授業の中に取り入れることができる課題も、数回にわたって取り組む必要のある課題もあるので、それぞれの現場に応じて取捨選択し、手順も工夫して行っていただければ幸いである。

参考文献

ガイタニディス, I.・小林聡子・西住奏子・吉野文・和田健（2016）「『日本』を題材とした協働学習の仕掛け」千葉大学国際教育センター編『国際教育』9,1-73.

第1章 日本人は世界がうらやむ特質を持っているのか

☆「日本」にどのようなイメージを持っているか振り返る

【目的】

各自が抱く「日本イメージ」は、それぞれどのようなものか、また、それはどのように形作られたのかを明らかにすることによって、「日本イメージ」生成のプロセスを理解する。

【手順】

各自が持つ「日本イメージ」を、「そう思った」理由も合わせ、考える。それは自らの体験からか、教科書からか、テレビドラマの影響か、あるいは、実態のない幻像なのかなど。その後、少人数のグループで、それぞれの「日本イメージ」とその来歴について話し合う。

☆「日本イメージ」として定着しているものについて理解を深める

【目的】

「日本イメージ」として定着している「富士山」「武士道」のような言葉が、歴史を振り返ると時代時代でどのように理解されていたのかを明らかにした上で、強固な「日本イメージ」になった経緯、背景、現代社会への影響を考える。

【手順】

例1「富士山」

一人または少人数のグループで、日本各地に「××富士」の呼称で呼ばれる山がどれくらいあるか、世界には、富士山のような「円錐形」の山がどれくらいあるか、調べる。その上で、たとえば、青森県の岩木山が別称として、「津軽富士」と呼ばれるのはなぜなのか、富士山が「日本一の山」さらに「世界でも稀な山」という認識が語られるに至った経緯にはどのような過程があったのか、それらの背景にあった事情について調べる。その後、各自または各グループが調べたことを持ち寄り、多面的に議論する。

例2「武士道」

歴史上（鎌倉時代以来）の武士の「実像」を調べてみる（たとえば、高橋昌明『武士の日本史』（岩波新書 2018 年）は、第一人者が書いたわかりやすい良書である）。次に、現在のテレビドラマに出てくる「武士」の描かれ方を調べ、両者の異同を考察する。もし異なっている箇所があるとすれば、なぜなのか。その理由を推測し、グループで意見交換する。

新渡戸稲造が書いた『武士道』（1900 年英文版、邦訳版は 1908 年）と現代の「武士道」イメージの関わりを議論することもできる。まず、この書が戦前・戦中・戦後の日本でどのように評価されてきたのか、時代ごとに違いがあるのかを調べ、その結果と現代の「武士道」イメージの連関についてグループで討論してみる。

第２章 日本は自殺大国か

☆「自殺」という行為をめぐるさまざまな要素の関係を概念図で表す

【目的】

「自殺」という行為に関わる要素や現象、イメージなどを概念図の形で表すことで、それらの関連性を多角的に理解する。

【手順】

まず、グループで、「自殺」という行為に関わる要素や現象、イメージなどを抽出し、それらを概念図の形で表してみる。概念図には多様な形があるが、ここでは概念図の形を指定せず、「概念間の関連性を表示したもの」という意味で使用する。

次に、作成した概念図を改善する。多くの概念の関係性を同時に表し、説明しようとすると、混乱する可能性が高いので、グループで作業をする場合、「スタート」と「フィニッシュ」のような、明確な目印のある図が使われることが多い。「物語」(ストーリー) を作って、導入・本論・結論を示すような図のほうが説明しやすいし、見ている人にもわかりやすいからである。

例えば、この章で取り扱ってきた「自殺」についていろいろな見方をつなぐ一つの共通点があるとすれば、自分たちにとってそれは何だと思うか考えてみる。それを見つけたら、その共通点をスタートにして説明するような基本図を作成する (導入)。各テーマの中でその共通点がどのように表れているかを示し、導入の図を囲むような図を作成する (本論)。その基本的な共通点が他の共通点にどのように関係しているかをさらに表す図を作り、導入と本論の図を囲むように表示する (結論)。「物語」のような概念図を作成する方法としては、時系列にした図、つまり、教えられた順番ではなく、歴史的に古いものから新しいものへと並べた物語を作ることもできる。

グループごとに、完成した概念図を見せながらそのストーリーを説明するプレゼンテーションを行う。

【解説】

(1) アイデアや研究データを可視化する方法は1970年代以降発展してきたが、中でも概念図という方法は今でもよく用いられる。それはおそらく、概念図の目的が複雑なものを単純化することではなく、複雑性を可視化することにあるからであろう。また、概念図のもう一つの利点は参加者の言語能力が多様な場合、文法など言葉の「正しい」使い方に拘らずに、キーワードを中心にアイデアの関連性や多角性を語れることである。

(2) 概念図をわかりやすくするには一つの簡単な方法がある。それは、似たような概念を同じ形で表すというルールに従うということである。例えば、「近代化」や「医療化」という《現象》と、「美的観念」や「ジェンダー」のような《視点》と、「文化」や「メディア」といった影響を与える《ファクター》はそれぞれ違う種類の概念であるため、その違いをパッとみてすぐわかるような表し方 (色・形) にしたほうがいい。さらに、図の下に各種の目印の説明を書き加えることや代表的な例がある場合、それを書き加えることが必要である。

第３章 日本の歴史には正しい見方があるのか

☆歴史の授業で使用する資料を批判的に考察する

【目的】

本章で取り上げた二つの戦争が、東アジアで使用されている教科書ではどのような観点で教えられているのかを踏まえ、戦争そのものについて理解を深める。

【手順】

下記の資料を使い、日清戦争・日露戦争が何か、そして日本、中国、韓国、台湾でどのように教えられているかを読んだ後、少人数のグループで意見交換をする。戦争の「勃発の背景」「勃発の原因」「戦争の結末」を想起し、戦争とは何かについて議論する。その結果を黒板・ホワイトボードで整理することによって、教室の参加者全員の知識の一体化を図る。分析時間５分、１つのグループの報告時間１分でも行うことが可能である。

［資料］：朝日新聞取材班（2008）『歴史は生きている――東アジアの近現代がわかる 10 のテーマ』朝日新聞出版より、第２章「日清戦争と台湾割譲」と第３章「日露戦争と朝鮮の植民地化」。

☆より身近な例を通して、繰り返し戦争の見方の多様性を認識する

【目的】

新聞というメディアでは戦争がどのように報じられるのか、実証的に理解する。

【手順】

最近始まった戦争（例えば、2011 年に始まったシリア内戦や 2015 年に始まったイエメン内戦）について語る新聞記事を少人数のグループで調べる。それぞれの記事が異なる主張をしていることを基準に選ぶ必要がある。ここではメディアとしての新聞の特徴（販売数を伸ばすために、読者にとっておもしろい内容にするなど）を認識するために、外国のメディアが作成した資料（例：風刺画、新聞記事、動画など）も見る。

戦争に関する報道で異なっていた点、予想し得なかった点についてグループでディスカッションし、結果をクラスで発表する。

☆歴史を伝えるという活動を体験する

【目的】

自ら「歴史を伝える」活動を通して、事実の多面性を実証的に理解する。

【手順】

第3章で追求した「グローバル」あるいは「外から」というアプローチは、一方向の視野からのインプットであり、それで歴史の全体像が見えるようになるわけではなく、一国史的観点を乗り越える支援策に過ぎない。多様な視点の重要性が理解できるよう、地元の歴史的出来事をできるだけ多くの視点から取材して、それらをもとに、4～5枚のレポートをまとめる。

第4章 日本人と人種差別は関係ないのか

☆「日本人」ないし「アジア人」の海外における表象を分析する

【目的】

「日本人」あるいは「アジア人」が海外で制作された映像でどのように表象されているか、実証的に理解する。

【手順】

少人数のグループを作る。まず、一人で「日本人」ないし「アジア人」が描かれている海外で制作されたアニメや映画などを選んで視聴する。そして、各映像でどのように「日本・アジア」が描かれているのか、プロダクション側の解釈や意図、それを視聴者がどのように消費するか以下の点に着目しながら分析をする。

〈内容について〉

- ストーリー
- 登場人物とその役割
- セット
- 小道具
- 見た目
- 行動
- 言語（内容・スタイル・発言の長さ）

また、上記に加え、その映像が制作された当時の社会的文脈も調べてみる。

次に、個々に分析した内容をグループ内で共有し、さまざまな映像で「日本人」

「アジア人」のキャラクター化がどのようになされたか話し合う。

☆日本における「外国人」を表象する映像を作る

【目的】

映像制作を通して、日本における「外国人」の表象をめぐる様々な視点について理解を深める。

【手順】

日本における「外国人」の表象をテーマに短い映像（1分～10分）を作成する。実際にオンラインにアップロードすることを念頭に置き、映像の目的、想定する視聴者、視聴者による映像の解釈の可能性など、具体的に考えながら制作するよう心がける。

- 3～4人のグループを作り、映像の目的、つまり視聴する側に何を伝えたいのかを設定する。
- どのようなアプローチでそのメッセージを伝えるか、ジャンル（例：コメディ、ドキュメンタリー、ドラマ、CM、クイズ番組）を設定し、その流れ（ストーリー）を考える。この際、ストーリーボード（絵コンテ。場面の絵とせりふをコマ割りで描いたもの）を使い、絵と文字を使いながら少しずつ詳細な映像のイメージを協働で作成していく。
- 題材を集める。映像はスマートフォンのビデオアプリを使って撮影してよい。

＊ Apple 社の iMovie、Microsoft 社の MovieMaker、また Adobe 社の Premier など様々な映像編集プログラムがあるので、使いやすそうなものを選んで映像を作成する。映像編集プログラムの詳細な利用方法は、YouTube 等に数多く掲載されているので、確認しながらやってみるとよい。

第５章 日本に「本当の難民」はいないのか

☆「難民」にどのようなイメージを持っているか

【目的】

日常的に接しているテレビや新聞、SNS などにおいて、「難民」はどのように描写され、自分たちは「難民」に対してどのようなイメージを持っているかを可視化させる。

【手順】

少人数のグループをつくり、それぞれのもつイメージを5つの形容詞で表してみる。その際、そうしたイメージを持つに至った具体的なエピソードを思い出し、グループの人々と共有する。

☆日本の「難民」問題の解釈枠組みを考える

【目的】

日本において「難民」問題がどのような問題であるとしてとらえられ、報道されているのか、また、国際機関、弁護士・支援団体、政府（入管）といった政治的社会的立場の異なる人々の証言がどのように取り上げられ、読者イメージを作り出し、問題の枠組みをつくることの背景にあるのかを可視化する。

【手順】

まず、少人数のグループで、政治的立場や主要記事の焦点の異なる新聞（朝日新聞、読売新聞、日経新聞）を調べ、そのなかで報道されている「難民」という用語をキーワードに記事を検索する。

次に、記事のなかから、「難民」にまつわる現象や事柄を問題化する際に使用されているキーワードを抜き出し、ポストイットに書き出す（例：偽装、虚偽、犯罪、テロ、治安、安全、就労、不法、人口減少、強制送還、虐待、責任、貧困、紛争、トラウマ、格差、家族離散、社会統合、多文化共生、経済的負担、言葉のかべなど)。次に、キーワードを書いたポストイットを模造紙の上に配置する。そして、「○○問題」という問題群をつくる。その際、問題群ごとの配置にも注意する。問題群ごとの配置を考える際、奥村隆「第3章　外国人は『どのような人』なのか異質性に対する技法」『他者といる技法――コミュニケーションの社会学』(2003年、90-125頁）に描かれている「図2」(118頁）が参考になるかもしれない。

最後に、グループ同士で比較、共有する。

☆「難民」問題を伝える、アクションを起こす

【目的】

「難民」の置かれた状況を理解し、関心を持ったら、それをどのように伝えるか、自分はどの方向から取り組むことができるかを考える。

【手順】

皆が支援活動や社会運動に参加する必要はないが、大学生のなかには、勉強会を開く、ワークショップを行う、難民に関する映画を上映する、難民の故郷の料理を

つくる、一緒にスポーツをするなどの活動をして、「難民」問題にかかわる者もいる。自分たちに何ができるか、考えてみよう。国連 UNHCR 協会、認定 NPO 法人難民支援協会、NPO 法人 WELgee、学生団体 SOAR、学生団体 FELiceto などのウェブサイトに多くのヒントや実践例が掲載されているので、参考にしてほしい。

第 6 章 日本の女性は専業主婦、男性はサラリーマンになりたいのか

☆ 女性と男性の社会的な立場や自分の経験に基づき、今の自分の立場を把握する

【目的】

現在の日本社会において性別が人生にどのような影響を与えているかを考える。

【手順】

まず、一人で下の枠内の質問について考える。次に、少人数のグループで、各自が考えたことについて話し合う。さらに、ディスカッションの内容をまとめて、全員で学んだことについて話し合う。現在の日本社会は、女性と男性が同じように扱われているのか、同じ機会が与えられているのか、同じように自由に暮らせることができるのかということについて、考える。

《あなたが、今と違う性別で生まれ変わったら、あなたの人生はどう変わるだろうか》

性別以外の状況は変わらないとして、具体的に自分の人生がどう変わるかを想像してみる。

- 家族との関係・扱われ方、期待されること
  - 例：現在は女性で、名前は「寛子」。自分は長女で、弟がいる。弟の世話をすることが多い。男性として生まれたら長男になる。そして、違う名前になる。女だから弟の世話をすることが期待されたかもしれないが、男性になっても多少世話はすると思う。
- 通っている学校、制服、学校での経験
  - 例：男子校に通っているけど女性になったらそれは無理。男子校ではない学校に通ったら、自分の人生はどう変わるだろう。
- 趣味、できることやできないことなど
  - 例：かわいい化粧をしたいが男性である場合は難しい。女性になったら問題なく化粧ができる。

以上のように、自分の人生は具体的にどう変わるか、様々な視点から考える。

☆日本と他国を比較する

【目的】

普遍的だと思われている女性と男性の立場やジェンダー役割などは、実は国によって異なるということを自分の調べで理解する。その違いの理由などを国の事情を調べることによって、日本の事情をさらに深く把握する。

【手順】

一人または少人数のグループで、世界経済フォーラムのジェンダー・ギャップ指数を参考に、上位の国および日本より順位が低い国との比較を行い、順位の違いの理由を調べる。女性が活躍しやすい国の条件は何なのか、男女平等というものは他国においてどのような形となっているかなどを考察する。

［ウェブサイト］

https://jp.weforum.org/reports/gender-gap-2020-report-100-years-pay-equality（2020年版）

クラス全体で、各自または各グループが調べた結果について話し合う。

☆ メディアの分析を行う

【目的】

日常生活において切り離せないメディアは、どのように女性と男性やセクシュアルマイノリティなどを表象しているか自分で調べて考える。日常的に接しているメディアは、人の考え方にどこまで影響しているのか、そのあとクラスで話し合う。

【手順】

一人または少人数のグループで、バラエティー番組、アニメ、ニュースなどにおけるジェンダー役割を分析する。テレビのニュースや好きなアニメ、漫画などの中から、最近見た番組や読んだ漫画を選び、女性と男性の表象について考える。主人公（またはキャスター）は誰か、女性と男性の役割はどう異なるか、話している内容はどう異なるか、また、メディアにおいて、女性と男性は同じような機会があるかどうかを検討する。

クラス全体で、各自または各グループが分析した結果について話し合う。

第７章 日本人は性的逸脱を好むのか

☆ 逸脱的行為についてのコラージュを作成する

【目的】

コラージュとは、新聞や雑誌記事の切り抜き（文章、写真、またネット上から印刷したものでもよい）を貼りつけた大きな模造紙である。性的逸脱に関する記事を読み解き、コラージュにすることで、ある行為が逸脱行為として意識される過程を理解する。

なお、以下の課題は第７章を読み終わってから行うこともできるが、本文第１節の後に（１）を、第２節の後に（２）（３）を行うこともできる。

【手順】

（１）「性的逸脱」日本を語るメディアの傾向を把握するための情報収集

少人数のグループに分かれ、グループごとに第１節の本文に出てくる、世間の批判を浴びるようなトピック（暴力シーン、ポルノ、アダルト漫画、ＪＫビジネス、痴漢など）を一つ選び、分担してそのトピックに関する 15 ～ 20 の新聞・雑誌記事を調べる。ここで選択する記事はある事件を単に描写するものではなく、様々な利害関係者（例えば、警察、政治家、文化評論家、一般人など）の意見も掲載しているものを優先する。

各メンバーは集めた記事から４つのキーワードを抽出し、その記事を選んだ理由を２行でまとめる。記事のリンク（あるいはテキスト、画像ファイルなど）、タイトル、キーワード、選んだ理由をリストアップしたファイルを作成しておくとよい。

（２）逸脱的行為についてのコラージュ作成

記事をカラー（片面）印刷し、グループ内ですべての記事を共有し、メンバー全員が関心のあるトピックに関係する表現・議論・キーワードをリストアップする。例えば、選んだ逸脱的行為を定義している法律、または一般人や記者の意見を集める。そして、これらの法律、意見などの論理の組み立て方に焦点を当てて、矛盾が生じないか確認する。

次に、写真を代替として使えるキーワードや表現と、そのまま記事の切り抜きを使ってみせられる表現・議論を分別し、模造紙上に下記のようなイメージでコラージュを作成する。画像や切り抜きがメインとなるようなコラージュが想定されているが、バランスを取りながら、本章の参考文献を始め、学術的議論を提供してくれる論文からの切り抜きも使うことが大事である。また、コラージュの四隅にグループメンバーの意見も必ず貼るようにする。

グループメンバーの意見	画像	記事の切り抜き	グループメンバーの意見
学術的議論	記事の切り抜き	画像	記事の切り抜き
グループメンバーの意見	画像	学術的議論	グループメンバーの意見

コラージュには第2節の社会的恐怖の6つの要素はどの程度見られるか考える。それぞれの重要度が違うと思われるので、必ずしもすべてのトピックに「社会的恐怖」と呼べるような現象は起こっていないかもしれないが、メディアによって誇張や他の社会問題との関連の指摘がなされたり、またはその現象を用いて、独特の世界観・価値観・政治観をアピールする専門家・評論家が必ず登場したりしているだろう。そして、歴史的側面も大事な役割を果たしているはずだ。なお、ここで大事なのは、報道をクリティカルに読むことではあるが、すべて批判的にみてしまうと、最後に、根本的な問題の存在を見失う可能性もある。

（3）コラージュ同士の比較

各グループが作成したコラージュを一つの壁面に並べて貼り、グループ発表を行う。その際、予め用意した（赤い）糸、（白い）ダルマ型画鋲とポストイットを使って、各コラージュで見られる意見・表象などを繋げる。まず、ある行為が逸脱行為として意識される過程の特徴に印をつける。つまり、似たような逸脱構築のパターンを見つけ、そこに画鋲を刺していく。そして、画鋲と画鋲を赤い糸で繋げ、糸にその説明が書かれたポストイットを貼る。刑事ドラマでよくある、一つの事件に関わるすべての情報が貼られているホワイトボードに赤いペンで証拠をたどりながら、何がどこに通じているか見る、というようなシーンを想像してほしい。（2）の説明を参考にしながらでもよいが、「社会的恐怖」の抽象的要素よりも、具体的かつコラージュ同士共通点となるポイントに焦点を当てる。

第8章 日本語は難しいのか

☆ 言語の「難しさ」を分析する

【目的】

自分にとっての第二言語、外国語の難しさを内省し、習得の難しさに与える要因の多面性を認識するとともに、コミュニケーションの場面においては乗り越える様々な方法があることに気づく。

【手順】

1．自分自身が今までに学習したことのある言語について、それぞれの言語で難しいと思った点、易しいと思った点をできるだけ多く書き出す。それぞれの点について、なぜ難しいと感じたのか、なぜ易しいと感じたのか、本章で触れた、難しさを来す原因も参照しながら、その理由を考えてみる。

2．少人数のグループで、各自の回答を共有し、「難しい」「易しい」理由を、いくつかのカテゴリーに分けてみる。また、「難しさ」があっても何とかコミュニケーションを取るためにどんな手段があるか考えてみる。たとえば、「聞き返し」(「もう一度言ってください」) の発話をする、文字で書いて示すなどが考えられるが、これまでの経験をもとに、相手や場面によって有効なストラテジーを考えてみよう。

第９章 日本人は外国人と話すのが苦手か

☆ 日本語の表現を語用論的に考える

【目的】

普段意識せずに使っている日本語の表現を語用論的な視点から分析する。

【手順】

本章で紹介した「よろしくお願いします」と同じように、コンテクストに合わせて様々な解釈が可能になる表現にはどのようなものがあるか考え、書き出す。たとえば、「がんばって」や「大丈夫です」「結構です」「やばい」といった表現が挙げられるが、それぞれどのような形式があり、どのような使用場面が考えられるだろうか。そして、使用場面に合わせてどのように英訳等、日本語ではない言語に訳せるだろうか。留学生に質問されたと仮定して、説明を考える。

☆ 語用論的含意とそれを支える社会通念・共有知識を考える

【目的】

広告の分析を通して、普段意識していない社会通念・共有知識を意識化する。

【手順】

街中や電車の中吊り広告、テレビの CM や新聞雑誌の広告で、語用論的含意があると考えられるものを集める。それらの含意を理解するためには、どのような社会通念や共有知識が必要かをグループで話し合う。

第 10 章 日本の教育は平等か

☆ 顕在的・潜在的カリキュラムの課題を明らかにし、改善案を探る

【目的】

学校教育における「教育」「平等」「多様性」「公正性」に関わる課題について改善案の道筋を考え、可視化する。課題に対する重層的で多様な見方、アプローチがあることを学ぶ。

【手順】

（1）読む・分析する・調べる

少人数のグループで以下の活動を順に行う。

- H. G. ウェルズの「盲人国」を読む。誰が誰に対しどのような優位・劣位といった差異化の言動を行ったかをメモにとる。一つの事象につき一つのノートカードに簡潔に書き出し、グループメンバーと共有する。
- ノートカードをグループメンバーと話し合いながら仲間分けする。この時、注意するのは安易に「言語」「身体障がい」というように表面的なテーマをカテゴリー化するのではなく、「言語を通して何がなされたのか」「何が障がい化したのか」というように、各事象に潜む共通する要因や課題を話し合い、あぶり出すこと。
- それらの共通要因や課題について、自分たちの学校教育の経験や社会においても関連する具体的事象が見られるか、ブレーンストーミングする。
- テーマについて自分たちの関わりのある市町村における状況を調べ、グループで共有する。

（2）ブレーンストーミング・情報収集・スライド作成

少人数のグループで以下の活動を順に行う。

- 「教育」「平等」「多様性」「公正性」というキーワードについてそれが何を意味するのかブレーンストーミングをしながら書き出す。
- 手分けをして各キーワードの定義を調べ、自分たちの想像したこととの相違点やキーワード間の関係性について話し合い、ポイントを書き出す。
- 上記４つのキーワードに関連する世界中の取り組みで、各自おもしろいと思うものをインターネットで探す。各自、１つのキーワードにつき少なくとも１つの事例を見つける。
- パワーポイントなどのスライドを用いて、一つの事例を一枚にまとめる。それぞれ、その取り組みの背景にある課題意識、アイデアを簡潔に書く。文字だけ

でなく画像や図も使って視覚的にわかりやすくする工夫をするとよい。

- Google Drive や One Drive などを用いて共有フォルダーを作成し、メンバーで集めた資料を共有する。

（3）顕在的・潜在的カリキュラムの課題を可視化して、改善案の道筋を考える

顕在的・潜在的カリキュラムは、短期的・中期的・長期的に見ると社会システムの維持のためにどのような機能を持っており、all people、つまり多様な児童生徒らをはじめとした全ての国民にどういった課題や影響を与える、与える可能性があるのだろうか。A1 サイズのポスター発表を作ることで、改善案を考える。

- グループで、（2）で共有された課題意識を元に、学校教育における「教育」「平等」「多様性」「公正性」に関わる最も興味を持った《課題》をいくつか選ぶ。「差別をなくす」などといった抽象的なものから始めるのではなく、なるべく具体的な事例を《課題》の始点にすることがポイントとなる。
- その《課題》を、第3節で紹介した重層的なアプローチを参考にしながら、個人から社会まで異なる文脈において、それぞれ具体的にどのような課題が関わっているのかを考え、書き出してみる。
- （1）で集めたアイデア資料をグループで見直し、各アイデアに至る考え方を参考に、自分たちが選んだ《課題》へ取り組むためのアプローチを考えてみる。ポイントは、すでに実践されているアイデア資料をそのまま使うのではなく（それならばここで何も考える必要はない）、「この問題をこういう観点から見たのか」「このアイテムをこんな使い方したのか」というように、課題とアイデアのアプローチの発想を参考にすることである。それによって自分達の《課題》への新たなアプローチをあぶり出す。
- 《課題》と改善案の道筋を B1 の紙にまとめる。特に形式は定めず、どのように表現すればわかりやすく、効果的に示せるかをグループで話し合いながら取り組むこと。例えば、《課題》の全体像を描いてから、紙を重ねてめくるような形で改善案を示す。他には、時系列を主軸に考える、学校や町の構造を基盤にする、または、蜘蛛の巣のように《課題》の構造や改善案のつながりを見せることもできる。
- グループで発表する際に、自分たちが出したアイデアの顕在的・潜在的カリキュラムの分析と省察も入れる。一義的にはこういう意図と影響を目指しているが、潜在的にはこういう前提や影響も考えられるかもしれない等。
- グループ外のメンバーからのコメントは、口頭で伝えてもよいが、ポストイットなどに各自記入し、発表ポスターに貼ってもよい。

以上のプロセスを踏んで自分たちの発表について振り返り、どこからどんなアイデアが出たかをたどりながら、各々最終エッセイを書く。

☆ 一人一人が宗教についてどう考えているのかを共有する

【目的】

宗教という現象が多様であり、定義し難しいことを認識する。

【手順】

グループの中でディスカッションをしながら、二つのリストを作る。リストＡは「宗教」に欠かせないことのリストにする。それに優先順位もつける。リストＢには、宗教に欠かせないものではないが、あるとさらに「宗教っぽく」なることを並べる。こちらは優先順位が不要である。

【解説】

この作業の理想的かつ最終的結論は「リストＢしか作れない」ということとする。つまり、リストＡに入れがちなもの（例えば、「神」「集団・組織」「教典」など）がない宗教と呼ばれるものも存在することを認識する。聖書のような「教典」がない神道、「大いなる自己」(Higher Self) や宇宙のエネルギー（気）に信じるスピリチュアル・カウンセラーたち、組織が存在しないかつネットで発生したジェダイ教（『スター・ウォーズ』シリーズの世界に存在する騎士の考え方を宗教化したもの）など、いくつかの事例を調べたり、提供したりしながら、固定観念をほぐす。

☆ 宗教施設を訪れる人たちの考え方を探る

【目的】

ガイドブックなどで語られる「日本の宗教」を実際に経験している人たちの意見を聞き、「宗教意識調査」の利点・欠点を発見する。

【手順】

観光地となっている近くの宗教施設（寺院、神社など）を訪れ、その管理人の許可を受けた上で、その施設を訪れる人たちを（見た目をもとにではなく）無作為に選んで、下記の二つの質問を聞いてみる。なお、聞き取り調査の対象者に「出身」など個人情報について聞かないようにする。相手がそうした情報を自発的に与えてくれた場合には参考にする。

- 「宗教」というのはどんなものだと思うか。
- この施設についてどう思うか。

【解説】

宗教に関する聞き取り調査は一般的に難しい作業だが、宗教施設内外で行った場合、協力してくれる人が少なくないと予想される。「宗教」を考える際に人はどういった議論を使うかということを考える必要がある。調査の回答者が自分の人生を振り返って答えるか、「○○人だから」と言って出身などを理由にして答えるかなどに注目するとよい。最初の質問に対する答えが短すぎた場合でも、二番目の質問によって回答者の宗教意識についてさらなる情報が得られると予想される。

☆「時事問題」としての宗教の扱い方を理解する

【目的】

現在ほとんどの若者が「宗教」を「時事問題」としてしか知らないという状況を意識させ、その中で「宗教」がどのように表れているのかを考えさせる。

【手順】

宗教情報リサーチセンター（(http://www.rirc.or.jp/）が発行している『ラーク便り』のデータベースを使い、最新年の3カ月分の国内新聞記事をグループ内で手分けし、読んだ後、その中でみられる宗教の語られ方をパターン別に分けてみる。それぞれのパターンの背景にある「宗教」に対するイメージは何かをディスカッションする。

【解説】

「宗教とは何か」という問いよりも、「宗教と呼ぶのはなぜか」が重要だということを認識するために、具体例を探してから、「宗教である・宗教ではない」とだれが決めるか、それによってどのような問題が起こるかについて考える。最初の協働学習の内容も思い出す。

あとがき

フェイクニュースが溢れる世界に生きる現代人にとって、ある現象、ある言説を多様な視点から見る態度、確かな情報に基づいて理解する態度は不可欠と言えます。本書は、日本に関するステレオタイプ、疑うことなく当たり前と考えがちな言説を取り上げ、それを解きほぐすための理論を紹介しながら、クリティカルに捉え直すための教科書として編集したものです。日本人の特質（美徳）、自殺問題、歴史の見方、人種差別、難民、性的逸脱、ジェンダー、日本語、異文化間コミュニケーション、教育、宗教を取り上げ、それぞれの著者の観点からテーマを掘り下げていくことを目指しました。

また、本書では、事実の多面性に対する気づきを深められるよう、他者の視点から学ぶことを意図した協働学習を提案しています。副題にある「学びほぐす」は、哲学者鶴見俊輔が、ヘレン・ケラーの用いた英語のunlearnから示唆を得て用いたことばで、「知識はむろん必要だ。しかし覚えただけでは役に立たない。それを学びほぐしたものが血となり肉となる」という意味を表すとされています（鶴見俊輔編2010『新しい風土記へ　鶴見俊輔座談』朝日新聞出版）。さらに、「気付かないうちに固定観念となっているものの見方や考え方について解きほぐす」「自分の考えを構築しながらも、たえず異なる可能性に開かれ、自分の考えを建て替えながら更新していく」ということがこのことばには含まれているという指摘もあります（佐藤邦政2017「教育と保育について学びほぐす」『敬愛大学国際研究』30, 20）。本書が、読者の方々が日本に対する新しい視点を手に入れ、日本に対する見方・考え方を更新していく一助となれば編者としては望外の喜びです。そして、著者らも自らの見方や考え方に固執することなく、異なる可能性に対して柔軟でありたいと願うものです。

本書の執筆者の多くが所属する千葉大学では、2013年度に「ジャパニーズスタディーズ」という科目群が開設され、毎年多くの科目が開講されてきました。本書の企画は、この実践の経験を通して生まれたものと言えます。本科目群に対し初期の段階で指針を与えてくださった新倉涼子氏（千葉大学名誉教授)、「ジャパニーズスタディーズ」をはじめ関連する科目を担当し、編者らにいろいろな形で示唆を与えてくださった専任教員、非常勤講師の同僚の皆様にこの場を借りてお礼を申し上げます。また、すべての章を査読してくださったイギリスのマンチェスター大学のPeter Cave氏、編者らに折々に適切なアドバイスをくださった見城悌治氏にも深謝いたします。

最後になりますが、本書のねらいを理解し、出版の機会を与えていただいた明石書店の神野斉氏、校正段階で大変お世話になった板垣悟氏に心より感謝申し上げます。

吉野　文

索　引

あ行

か行

さ行

た行

な行

は行

ま行

ら行

わ行

【執筆者紹介】

（五十音順、＊は編著者、［　］内は担当章を示す）

ガイタニディス・ヤニス＊（GAITANIDIS Ioannis）　［序章、第2章、第7章、終章］

University of Leeds・英国国立日本研究所大学院博士課程修了。博士（日本学）。現在、千葉大学国際教養学部助教。専門は日本の宗教社会学、医療人類学。主な業績：「概念図の協働作成を通して『文化』の捉え方を問い直す――クリティカル日本学を事例として」『異文化間教育』（46号, 2017年）、"Critique of/in Japanese Studies", *New Ideas in East Asian Studies Special Edition* (2017)、東芝国際交流財団・欧州日本研究協会の「日本研究の課題と将来」エッセイコンテスト最優秀賞受賞者（2019年）。

見城 悌治（KENJO Teiji）　［第1章］

立命館大学大学院文学研究科博士後期課程史学専攻単位取得退学。博士（文学）。現在、千葉大学国際教養学部教授。専門は近代日本思想文化史、東アジア文化交流史。主な業績：「『日本史』という安堵と陥穽」（方法論懇話会編『日本史の脱領域――多様性へのアプローチ』森話社, 2003年）、『渋沢栄一』日本経済評論社（2008年）、『留学生は近代日本で何を学んだのか』日本経済評論社（2018年）。

小林 聡子＊（SHAO-KOBAYASHI Satoko）　［第4章、第10章］

University of California, Santa Barbara 大学院教育学研究科博士課程修了。博士（教育学）。現在、千葉大学国際教養学部准教授。専門は教育・言語人類学、質的研究方法。主な業績："Mapping imagined boundaries: Researching linguistic and spatial practices of Othering at a Japanese university campus". *New Ideas in East Asian Studies Special Edition* (2017)、"'Who's pitiful now?': Othering and identity shifts of Japanese youth from California to Tokyo". *Diaspora, Indigenous, and Minority Education* (2019).

佐々木 綾子（SASAKI Ayako）　［第5章］

一橋大学大学院社会学研究科博士課程修了。博士（社会学）。現在、千葉大学国際教養学部講師。専門は国際社会福祉、人の国際移動と福祉。主な業績：「『人身取引』をめぐる境界線の交渉――関係性のなかの『尊厳』と『正義』」『ソーシャルワーク研究』（45号3巻, 2019年）、"Social stratifications of migrant care workers in Japan". *ASEAN Social Work Journal*, 7(1) (2019, 共著).

デール・ソンヤ・ペイフェン（DALE S.P.F.）　［第 6 章］
上智大学大学院グローバル・スタディーズ研究科博士課程修了。博士（グローバル・スタディーズ）。現在、上智大学比較文化研究所客員研究員。専門はジェンダー・ セクシュアリティ、クィア理論。主な業績："Gender identity, desire, and intimacy", in Alexy, A. & Cook, E. (eds.) *Intimate Japan* (2018). "Transgender, non-binary genders, and intersex in Japan", in Coates, J., Fraser, J. & Pendleton, M. (eds.) *The Routledge Companion to Gender and Japanese Culture* (2019).

西住 奏子（NISHIZUMI Kanako）　［第 9 章］
Durham University 大学院言語学専攻博士課程修了。博士 (人文科学)。現在、千葉大学国際教養学部講師。専門は語用論、社会言語学、異文化間コミュニケーション、日本語教育。主な業績：*The pragmatics of nominalization in Japanese: The n(o) da construction and participant roles in talk*（PhD thesis, Durham University, 2008 年）、「『日本』を題材とした協働学習の仕掛け――教養教育における実践から考える」『国際教育』（9 号 , 2016 年）、「『言語文化交流演習』：留学生の言語的・文化的背景を生かした言語教育の取り組み」『国際教育』（10 号 , 2017 年）。

ビオンティーノ・ユリアン（BIONTINO Juljan）　［第 3 章］
Seoul National University 大学院歴史教育学科博士課程修了。博士（歴史教育学）。現在、千葉大学国際教養学部助教。専門は韓国近代史・日本近代史・日韓関係史。主な業績：„Die Entstehung und Entwicklung der modernen Geschichtswissenschaft in Korea", *Zeitschrift für Geschichtswissenschaft*（2015 年）、「西洋人がみた日清戦争（1894-1895）――西洋の言論・報道を中心に」『東学学報』40 号（2016 年 , 韓国語）、「南山の二元的神社システムの確立――朝鮮神宮の建設と京城神社の対応」『歴史教育』144 号（2017 年 , 韓国語）。

吉野　文*（YOSHINO Aya）　［第 8 章］
お茶の水女子大学大学院人文科学研究科日本言語文化専攻修士課程修了。修士（人文科学）。現在、千葉大学国際教養学部教授。専門は日本語教育、応用言語学。主な業績：「『日本』を題材とした協働学習の仕掛け――教養教育における実践から考える」『国際教育』（9 号 , 2016 年共著）、「グローバル社会を思索するアクティブラーニングと協働――対等を志向する実践を目指して」『異文化間教育』（46 号 , 2017 年）、「『座談』における相互行為分析の試み――参加者に認識された『ずれ』と話題の協働構築を中心に」『国際教養学研究』（4 号 , 2020 年）。

クリティカル日本学
――協働学習を通して「日本」のステレオタイプを学びほぐす

2020年3月5日　初版第1刷発行

編著者　ガイタニディス・ヤニス
小林 聡子
吉野　文
発行者　大江 道雅
発行所　株式会社 明石書店
〒101-0021 東京都千代田区外神田6-9-5
電話 03（5818）1171
FAX 03（5818）1174
振替 00100-7-24505
http://www.akashi.co.jp

装　丁　明石書店デザイン室
印刷／製本　モリモト印刷株式会社

（定価はカバーに表示してあります）　ISBN978-4-7503-4983-1